A ILHA DOS DISSIDENTES

BÁRBARA MORAIS

A ILHA DOS DISSIDENTES

NOVA EDIÇÃO

1

TRILOGIA ANÔMALOS VOLUME

GUTENBERG

EDITORA RESPONSÁVEL
Flavia Lago

EDITORA ASSISTENTE
Natália Chagas Máximo
Samira Vilela

PREPARAÇÃO DE TEXTO
Laura Pohl

REVISÃO
Ana Claudia Lopes Silveira

ILUSTRAÇÃO DE CAPA
Sapo Lendário

PROJETO GRÁFICO
Diogo Droschi

DIAGRAMAÇÃO
Christiane Morais de Oliveira
Guilherme Fagundes
Juliana Sarti

Dados Internacionais de Catalogação na Publicação (CIP)
Câmara Brasileira do Livro, SP, Brasil

Morais, Bárbara
A ilha dos dissidentes: volume 1/Bárbara Morais. -- 2. ed. -- São Paulo, SP: Gutenberg, 2022. -- (Trilogia anômalos ; 1)

ISBN 978-85-8235-075-1

1. Ficção brasileira I. Título. II. Série.

22-114848 CDD-B869.3

Índices para catálogo sistemático:
1. Ficção : Literatura brasileira B869.3

Eliete Marques da Silva - Bibliotecária - CRB-8/9380

A **GUTENBERG** É UMA EDITORA DO **GRUPO AUTÊNTICA** 

São Paulo
Av. Paulista, 2.073 . Conjunto Nacional
Horsa I . Sala 309 . Cerqueira César
01311-940 . São Paulo . SP
Tel.: (55 11) 3034 4468

Belo Horizonte
Rua Carlos Turner, 420
Silveira . 31140-520
Belo Horizonte . MG
Tel.: (55 31) 3465 4500

www.editoragutenberg.com.br
SAC: atendimentoleitor@grupoautentica.com.br

Aprendemos a voar como os pássaros,
a nadar como os peixes; mas não
aprendemos a simples arte de vivermos
juntos como irmãos.

Martin Luther King

CAPÍTULO 1

O tempo se arrasta quando se espera.

Nunca acreditei nesse ditado. Pelo menos não antes das quase doze horas que se passaram até aparecerem para me buscar naquele quarto branco de hospital. Depois de triagens, exames e medicações, estou exausta e com frio. Só quero ir para algum lugar onde a luz não seja constante, e descansar meus olhos.

É pedir demais uma horinha de sono? Não faço ideia de quando foi a última vez que dormi, só sei que foi muito antes do acidente. Era uma manhã de sábado e eu estava em uma cabine da quarta classe do navio com o nome mais estúpido do planeta: *Titanic III*. Não sei o motivo de escolherem esse nome, principalmente depois de os dois primeiros terem afundado. Também não entendo o porquê de eu estar nele, e não a bordo do *Rainha Helga* ou algo do tipo.

Minha jornada havia começado muito antes, em Kali, a província de onde vim. Kali é o palco principal da guerra sem fim entre a União – meu país – e o Império, e, portanto, a vida lá em geral é bem ruim. Para dar um pouco de esperança aos habitantes, o governo da província seleciona esporadicamente alguns voluntários para serem retirados para o continente Pacífico como refugiados. Viver como refugiado não parece ser muito melhor que residir em uma zona de guerra, mas ao menos não se corre o risco de morrer pela violência das batalhas. É a melhor entre as minhas opções.

Minha dor de cabeça se torna mais insistente a cada minuto e me distraio ao me lembrar do caos da viagem e de como os primeiros dias no navio haviam sido agradáveis a ponto de me fazer esquecer do drama que havia sido a minha despedida do orfanato. Os últimos momentos a bordo não foram exatamente bons, e me esforço para não relembrar o inferno pelo qual acabei de passar.

Ouço passos no corredor e me levanto da cama, ajeitando a camisola para manter o mínimo de dignidade. Será que eles estão me testando para resistência ao sono também, além de todos os outros exames? Eles podiam me deixar em paz, me deixar dormir só um pouquinho... O cansaço fica cada vez maior, e sinto ir e vir esporadicamente. Meu comportamento oscila entre extremos. Em alguns momentos, a hiperatividade faz minhas mãos tremerem e caminho em círculos pelo quarto branco e limpo, esperando encontrar pelo menos uma manchinha nas paredes em busca de alguma distração. Em outros, a apatia se instaura fazendo com que até o ato de respirar seja trabalhoso.

Fico exausta rapidamente e volto a me apoiar na cama. Uma pessoa pode morrer de cansaço? Quanto tempo demoraria? Se eu precisar fazer outro teste, tenho certeza de que desmaiarei no meio do caminho. Se enfiarem mais uma agulha no meu braço ou me afundarem em mais um tanque para medir meus sinais cerebrais ou o que diabos for, vou enlouquecer. Não é possível que esse hospital seja tão cruel assim.

Ouço passos se aproximando e fico mais ansiosa. *Por favor, que não seja mais um teste. Por favor, me levem embora. Por favor, por favor, por favor.* É tudo que consigo pensar. A porta se abre e uma enfermeira entra, com um sorriso artificial estampado no rosto carrancudo e um cheiro insuportável de mentol. Atrás dela, vem um homem fardado com botas pesadas. Qual é mesmo o nome dele? Tenente Jessebel? Ele é o responsável por pessoas como *eu* naquela região, e foi quem me recebeu ali.

– Você parece exausta. Não conseguiu dormir? – pergunta a enfermeira, aproximando-se para checar meus sinais vitais.

– Com essas luzes, me espanta que ela não tenha começado a fazer fotossíntese... – responde o tenente com o que parece ser um tom bem-humorado. – Tenho seus resultados, senhorita Varuna. Ansiosa para saber o motivo de ser a única sobrevivente entre as três mil e quinhentas pessoas que estavam no naufrágio do *Titanic III*?

Não, não estava nada ansiosa para saber. Ao que me parece, se eu tivesse afundado com o navio, eu estaria dormindo eternamente e não sendo revirada do avesso. O tenente Jessebel não faz ideia do que é ver todas aquelas pessoas se afogando e congelando lentamente sem poder fazer absolutamente nada para ajudá-las. Não é ele que vê seus rostos todas as vezes que fecha os olhos, nem ouve seus gritos em seus devaneios.

– Aparentemente, a senhorita é portadora de uma mutação peculiar – continua ele de forma simpática, ignorando que não respondi. – Você estava ciente disso? Seus pais sabiam da sua condição?

É uma pergunta perigosa, e a enfermeira prende a respiração sutilmente, fingindo medir minha pressão, mas ainda prestando atenção à conversa. Provavelmente, situações como essas fazem o seu dia na sala de descanso. Uma garotinha que sobreviveu de um grande naufrágio que é considerada criminosa pelo governo por mentir sobre o código genético? Não há fofoca melhor.

– Não, senhor – respondo automaticamente, como um robô. – Sou órfã, senhor. Desde pequena, senhor. E só imaginei que poderia ser um *deles* depois que os outros passageiros começaram a morrer e eu não, senhor.

– Você nunca tomou banho de piscina ou de mar? Nem de rio? – Ele se aproxima com as mãos casualmente dentro do bolso. Para um soldado, parece bastante relaxado. Será que está com um gravador escondido? Seria isso algum padrão para medir a modulação da voz dos capturados para detectar mentiras? Sou inteligente o suficiente para saber que não se deve mentir para oficiais do governo. – Nunca sentiu algo diferente quando estava perto da água?

– Não, senhor. Minha região está em guerra desde que nasci. Minha cidade fica no pé da montanha, e não no litoral. Nosso rio é muito sujo; entrar nele seria pedir para ficar doente. Não temos água para desperdiçar, senhor.

Ele não responde. A enfermeira continua a me cutucar e a ouvir meus batimentos cardíacos enquanto o tenente mantém o olhar fixo em mim. Não desvio o olhar. Aprendi desde pequena que pessoas com poder – militares, políticos, ricos – gostam de intimidar aqueles que consideram abaixo deles. Muitas vezes, isso é qualquer um. Se eu piscar uma vez, ele vai achar que pode me dominar. Não sustentar seu olhar seria dar permissão para que o abuso continue.

Por fim, ele é o primeiro a olhar para o lado, arrumando a arma no coldre despreocupadamente. Sinto o estômago revirar. Armas sempre me deixam nervosa.

– Tudo bem. Enfermeira Norse, arrume roupas para ela. Vamos levá-la agora.

A enfermeira concorda, colocando o estetoscópio no pescoço antes de sair da sala. O tenente permanece ali e faz um sinal para que eu me sente na única cadeira do quarto. Recuso a indicação, continuando em pé ao lado da cama, me apoiando nela com mais força. Não posso perder a batalha contra o cansaço agora, não depois do que aguentei até agora. O soldado dá de ombros, se acomodando na cadeira de forma desleixada.

– Você será transferida imediatamente para uma unidade temporária, senhorita Varuna. – Ele arruma a arma novamente. Parece agitado. – Provavelmente vão fazer mais alguns testes em você. Exames de rotina, como avaliar as consequências de estresse pós-traumático ou verificar doenças infectocontagiosas. Depois, você vai prosseguir para uma das cidades especiais, onde será designada para uma família temporária.

– Os campos de trabalho de refugiados são chamados de cidades especiais nesta região? – pergunto espantada. É a primeira vez que ouço esse termo. O tenente ri.

– Você não é mais uma refugiada, garota.

Tento recordar as aulas sobre o funcionamento do governo da União, no continente Pacífico, e o procedimento padrão quanto aos cidadãos *especiais* nas áreas fora de conflito, mas não consigo me lembrar de nada. De onde venho, pessoas com habilidades fora do comum são recrutadas pelo exército imediatamente, independentemente de idade, disposição ou interesse. A maior parte das pessoas aceita sem relutar, por ser seu dever como cidadão. Só que a verdade é que isso é o que o governo quer que pensemos. Jamais me pareceu certo se entregar para o governo assim, sem nem pensar duas vezes, mas isso nunca foi uma preocupação para mim até então. Seria *cidade especial* o termo utilizado para quartéis militares? Ai não! Eu havia me inscrito para tentar conseguir ir para campos de refugiados justamente para fugir de ser forçada a me alistar no exército.

Ao perceber meu silêncio e minha confusão, o tenente suspira. Provavelmente, pensa que deveria ocupar seu tempo com tarefas mais importantes. Todos os oficiais encarregados de conversar com garotas adolescentes confusas devem achar isso.

– Eu me esqueço de que os territórios em litígio têm uma política especial quanto a *vocês*. Nas regiões pacíficas, todas as pessoas que são como você moram em cidades próprias que possuem contato mínimo com a população normal. Não queremos que a raça humana seja degenerada com essas mutações, não é?

– Sim, senhor – respondo, tentando esconder o choque pelo tom impaciente dele.

– Agora que está ciente da sua condição, evite ao máximo se aproximar dos humanos normais. Mantenha conversas apenas com oficiais e pessoas do seu tipo. – Ele se levanta, não parecendo mais tão simpático quanto antes. – Só é permitido qualquer outro contato com autorização prévia. Não se meta em encrenca.

– Certo, senhor. Não irei, senhor.

Travamos mais uma batalha de olhares e, dessa vez, ele vence.

CAPÍTULO 2

Não faço ideia de quanto tempo passa depois da conversa. Perco a noção das horas depois de acordar desnorteada no Centro de Apoio, onde deveriam fazer testes complementares antes de eu ser enviada para meu destino final. Sem janelas no quarto em que me deixaram, não tinha como distinguir o dia da noite.

É só quando me colocam em um trem para uma das cidades especiais é que volto a me situar. Um rapaz sentado ao meu lado tenta iniciar uma conversa e eu o ignoro, lembrando-me do alerta do tenente Jessebel e do que repetiram à exaustão no Centro de Apoio. Em vez disso, me concentro na carta que levo em minhas mãos. Além dela, estou apenas com uma mochila e as poucas roupas cedidas pelo governo. Afinal, já basta ser anormal, não preciso desfilar nua por aí.

A carta contém o nome e o endereço da família que vai me acolher na maior cidade especial do continente Pacífico, Pandora. Localizada em uma região chamada Arkai – que é, na verdade, uma grande ilha –, Pandora fica lado a lado de uma cidade de pessoas normais chamada Prometeu, com apenas uma cerca separando as duas dentro da mesma ilha.

Fico rindo silenciosamente toda vez que lembro dos nomes. É ridículo como nem sequer tentaram ser sutis – dando o nome da mulher que liberou todos os males no mundo para uma cidade de anômalos, e o nome do titã que criou os humanos para a outra.

Tento imaginar minha nova vida nesse lugar, mas só consigo pensar em minha velha cidade, com suas casas feitas de madeira se amontoando umas por cima das outras, as barricadas e os vestígios de vegetação. Meu futuro lar não deve ser nada parecido, porque não é assim que as coisas são construídas nesta parte da União, principalmente na província de Arkai. Aqui, pelas fotos que nos mostraram na escola, as ruas são ornamentadas ao ponto do ridículo, e até as casas da população mais pobre são melhores do que as de muitos ricos da minha província.

Da mesma forma, quando leio Rubi, o nome da minha futura mãe na carta, só consigo pensar na senhora que cuidava da casa de órfãos onde eu morava. Vovó Clarisse dedicou sua juventude a ser enfermeira do exército durante anos de conflito e, depois de aposentada, passou a cuidar dos órfãos da guerra com um pequeno auxílio do governo. Não é a melhor casa do mundo, longe disso, mas pelo menos tinha comida e ninguém passava frio no inverno, como tantas outras crianças abandonadas. Além disso, vovó Clarisse acreditava que poderíamos ter um futuro melhor, nos obrigando a frequentar a escola e nos ensinando algumas outras coisas por conta própria.

Além de Rubi, os nomes Dimitri e Tomás também estão escritos no papel. Talvez sejam outras duas crianças órfãs como eu, sob a tutela da tal Rubi. Será que ela espera que eu a chame de mãe? Será que ela é legal ou antipática como as pessoas do hospital e do Centro de Apoio?

Em algum ponto da jornada, adormeço embalada pelo barulho das rodas de metal nos trilhos. Tenho sonhos confusos em que pessoas se afogando tentam gritar e acabam se afundando ainda mais sob as águas. Acordo com um susto quando o trem para de vez. Esse é um dos únicos expressos do mundo, segundo um cartãozinho que me entregaram quando embarquei, e o maior em atividade na União. A viagem é sem escalas e vai direto para a estação central de Prometeu, que é a maior cidade normal desse lado do mundo. Aparentemente, tudo por aqui é sempre o maior do continente.

Pego minha mochila e consigo ser uma das primeiras a desembarcar, parando um pouco para absorver a grandeza da estação. É, provavelmente, a coisa mais bonita que já vi, ainda mais impressionante que o trem. A estrutura da plataforma tem um estilo diferente, cheia de ferro e aço retorcido, com grandes placas de vidro. A princípio parece uma arquitetura aterrorizante, mas as construções por aqui têm tanto primor que acabam parecendo uma obra de arte. Só me mexo novamente quando alguém esbarra em mim e me empurra para o lado.

– Sai da frente, aberração!

Atordoada, começo a procurar minha nova família. Quando me entregaram a carta, garantiram que eles estariam me esperando e que eu saberia quem eram. Observando a multidão caminhando apressada, sinto-me como uma criança perdida. Pareço a única pessoa a não saber aonde ir nem o que fazer.

Centenas de pessoas caminham apressadamente com suas roupas coloridas e seus casacos longos, mas nenhuma vestida com a cor que as pessoas como *eu* precisam usar. Ajeito o casaco amarelo ao redor do corpo para não sentir frio quando avisto três pessoas com a mesma cor.

Aproximo-me ao mesmo tempo que eles começam a caminhar em minha direção, nos reconhecendo de longe. Uma mulher, um homem e um garoto. Presumo que o adulto seja meu futuro pai. Nunca tive um pai antes. Nem um irmão. A casa de órfãos em que eu vivia só aceitava meninas. De súbito, fico nervosa.

Paro na frente deles, arrumando a alça da mochila meio constrangida. Não sei como me apresentar. "Olá, sou Sybil! Por favor, tomem conta de mim?". Para meu alívio, é a mulher quem dá início ao diálogo:

– Você deve ser Sybil Varuna. Bem-vinda. Eu sou Rubi Berglung e esse é Tomás, meu filho. O grandalhão aqui não é meu filho, não entre em pânico. Ele é meu amigo Dimitri, que divide a casa conosco. – Ela termina de falar e eu estendo a mão, murmurando alguma coisa inteligível entre "obrigada" e "prazer em conhecê-la".

Faço o mesmo e cumprimento os outros dois, embora o garoto não gaste mais de dois segundos olhando para mim.

– Posso carregar sua mochila? Você deve estar cansada – diz Dimitri gentilmente. Fico querendo recusar, mas não resisto a ideia. Talvez ele me ache mal-educada e eu quero causar uma boa primeira impressão. Afinal, são as pessoas com quem vou dividir minha vida.

Rubi me lança um sorriso caloroso e me conduz com uma mão em meu ombro para a saída, marcada por um grande "A" amarelo acima da porta. Caminhamos em silêncio, que é provavelmente uma tentativa de me dar algum espaço. Agradeço mentalmente pela gentileza. Não sei se aguentaria viver com pessoas tagarelas, que precisam saber de tudo o tempo todo.

São esquisitos, os três. O acréscimo da minha presença os faz destoar ainda mais da multidão. Rubi é alta, com cabelos cor de fogo, lembrando realmente a pedra de mesmo nome. Com as roupas amarelas e a pele bege, fica parecendo um daqueles cones de segurança que proíbem a passagem. Já Dimitri é tão alto quanto ela, talvez o homem mais alto que já vi que se parece comigo. Cabelo escuro, pele marrom um pouco mais clara do que a minha e olhos castanhos. Lado a lado, ele poderia muito bem ser meu pai biológico ou um irmão mais velho, de aparência responsável. E o menino, Tomás, tem um cabelo castanho bagunçado, a pele um pouco mais rosada do que a de Rubi e olhos claros que chamam a atenção, como se fossem bonitos demais para não serem notados. Ele é quase da minha altura, apesar de parecer ser bem mais novo, e aparenta ser uma criança saudável e alegre.

Só que talvez as pessoas não olhem torto para nós por nossa aparência peculiar, e sim pelas nossas vestes amarelas. Não é fácil esquecer o que sou agora.

– Vamos pegar o metrô até Pandora – diz Rubi quando saímos da plataforma para o centro da estação. – Você está com todos os seus documentos?

– Sim, estão na mochila. – Tento parecer segura, sem muito sucesso.

– Certo. Preste atenção aqui. A plataforma 1 foi onde você desembarcou no trem expresso. As demais plataformas são de trens para outras cidades, com várias paradas. Você só pode pegar um desses com autorização. O mesmo serve para o metrô aqui dentro. Existem pontos de checagem a cada estação. Para voltar para Pandora, basta mostrar sua identificação e você estará liberada.

Faço que sim com a cabeça. Já havia sido informada quanto a esse ponto no Centro de Apoio. Aliás, o objetivo deles parecia mais me treinar para minha nova vida do que verificar se eu fiquei com algum trauma depois da tragédia do naufrágio.

– Mas qual documento devo usar? – pergunto, pensando nos inúmeros papéis que recebi.

– Aquele de plástico pequeno com a sua foto – Dimitri orienta. – Os outros devem ficar em casa. O maior é só para quando você for mudar de província em viagens autorizadas, é o que chamamos de passaporte.

– Hum, certo.

– Vou tentar conseguir uma autorização para virmos comprar roupas para você na semana que vem; não acho que consiga se virar só com o que te deram – Rubi diz, reparando as roupas do governo.

– Ah, não precisa ter esse gasto. Tenho roupas o suficiente aqui.

– Você deveria ter dito que as crianças da guerra eram assim, Dimitri. Eu teria adotado uma delas antes ser promovida, se tivesse me avisado – ela brinca, apertando a mão que está no meu ombro carinhosamente. – Não é um gasto te dar coisas novas e boas, Sybil. Não se preocupe com isso. Bem, aqui estamos nós.

Saímos da estação e chegamos a um prédio tão bonito e impressionante quanto tudo o que vi desde que cheguei. Não há muitos edifícios por perto, mas a rua que atravessamos é exatamente como nas fotos que vi na escola: cheia de árvores, uma calçada ampla e bem cuidada, a ciclovia movimentada e a via dos carros bem pequena, ao centro.

Uma vez, em uma das minhas aulas, uma garota perguntou por que as ruas de carro eram tão estreitas no continente Pacífico. Minha professora respondeu que era porque, diferentemente das nossas, elas não foram feitas para tanques de guerra, mas para veículos oficiais. Grande parte da movimentação em territórios pacificados acontece por meio de transportes subterrâneos, a pé ou de bicicleta. Para nós, acostumados com a guerra, é uma atitude idiota. E se o conflito os alcançasse, o que fariam? Demoliriam os prédios para criar passagem?

Só que enquanto passo pela segurança para pegar o metrô em direção à cidade das *aberrações*, fica claro para mim que a guerra nunca chegará até aqui. Essas pessoas não têm noção alguma dos horrores de um sítio. São todos muito educados, inclusive os soldados que nos revistam procurando por armas e produtos não autorizados. Nunca imaginei que oficiais poderiam abrir uma mala com delicadeza. Sorrir, então, estava fora de questão. São todos anômalos, a julgar pelos símbolos amarelos em suas fardas.

Tomás começa a reclamar no momento em que pedem para que ele abra sua mochila, mas é silenciado por Rubi. Contrariado, o menino fica de cara feia durante todo o processo da revista e chega a mostrar a língua para um dos soldados. Congelo no lugar quando ele faz isso, aguardando uma reação violenta do alvo da sua impertinência, mas o homem só ri, chamando-o de sapo de brincadeira. Passamos pela triagem e percebo que fiquei tensa durante todo esse tempo. Rubi, Dimitri e Tomás agem como se aquilo fosse normal, assim como os soldados. Duvido que eles já tenham visto uma revista se transformar em uma carnificina por causa de uma bomba caseira.

Continuamos caminhando, descendo várias escadas rolantes e atravessando diversos túneis.

– E então? – Dimitri se mostra curioso. – O que achou?

– Do quê? – pergunto sem entender.

– Da revista amigável pela qual acabamos de passar.

– Diferente. – Dou de ombros, tentando não deixar meu incômodo transparecer.

– Você se acostuma.

– Ou não – Tomás diz, finalmente prestando atenção em mim. – É um saco que eles tenham de fazer isso. Lembra daquela vez que roubaram o meu chiclete? Não leve chicletes na mochila, eles sempre roubam. Nem chocolates.

– Tomás, eu já disse que tem chocolate suficiente em Pandora para você comer quando quiser – Rubi o repreende e faz um sinal para que eu os siga pela direita.

– Mas não são tão bons quanto os que encontro aqui. – O garoto cruza os braços, irritado. Ele muda a expressão quando avista uma loja. – Mãe, mãe, mãe! Posso comprar uma pizza? Sybil deve estar morrendo de fome, vai. Uma fatia só. Eu divido com ela. Eu tenho dinheiro.

– Ei, ei, calma aí, querido. Assim você vai machucar alguém– Rubi o segura pelo braço, impedindo-o de esbarrar em outra pessoa. – Sybil, você quer um pedaço de pizza?

– Hum, pode ser. – Fico desconfiada. Na verdade, não tenho ideia do que seja uma pizza, mas Tomás ficou tão animado que só pode ser algo gostoso.

– Compre a de pepperoni. Ela vai gostar.

– Você também quer uma de pepperoni, Dimitri? – Rubi pergunta.

– O que é pepperoni? – Fico confusa e recebo um sorriso de todos.

– É a coisa mais gostosa do universo – Tomás responde e provavelmente minha ignorância culinária funciona como uma deixa para que ele subitamente mude de ideia e passe a gostar de mim.

O garoto puxa meu braço, me guiando em direção à barraquinha de pizzas. Os dois adultos nos seguem rindo.

Compramos um pedaço de pizza para cada um e seguimos por escadas e corredores. Chego a pensar que estamos indo a pé para Pandora pelo tanto que andamos, mas finalmente paramos em uma plataforma. Há pelo menos cinquenta pessoas esperando ali, vestidas com roupas amarelas de todo tipo, e um relógio indica que o próximo trem chegará dali quinze minutos. Rubi encontra um lugar com quatro cadeiras vagas e nos sentamos. Tomás abre a caixa com seu pedaço de pizza e começa a comer de forma desajeitada. Sinto um cheiro maravilhoso e meu estômago revira, fazendo um barulho que denuncia minha fome.

– Pode comer se quiser, Sybil. – Rubi me entrega uma das caixas. – Tomás, cadê seu guardanapo, querido? Eu já disse para não comer assim.

– É mais gostoso. – Ele lambe os dedos de uma das mãos para tirar a gordura e eu dou risada. – Come. Vai. Está uma delícia. Tudo daqui é melhor do que em Pandora, então é bom você não se acostumar.

Abro minha caixa e encaro o triângulo de massa coberto de queijo derretido e rodelas de algo que suponho ser o tal pepperoni. Não sei nem como começar a comer isso sem me sujar. Pego um dos guardanapos, fazendo o possível para não derrubar o recheio. Olho para a pizza por uns segundos antes de dar uma mordida. Ah! Como uma comida pode ser tão boa? Os alimentos em Kali são escassos e todos os temperos que produzimos são trazidos para o continente Pacífico. Só com muita sorte você consegue algo além de sal para colocar na comida. É por isso que existe uma infinidade de sabores aqui, mas nunca imaginei que iria poder experimentar isso um dia. Mastigo bem devagar e me sinto maravilhada com a explosão de sabores. Tomás começa a rir de mim, mas não fico envergonhada. Tenho quase certeza de que devo estar com uma expressão muito engraçada. Quando acabo meu pedaço de pizza, nós quatro estamos rindo.

– Você nunca tinha comido pizza? – Rubi pergunta gentilmente.

Sinto as bochechas queimarem e balanço a cabeça. É constrangedor que algo tão comum para eles seja um luxo para mim.

– Pelo menos você não teve medo das escadas rolantes! – Dimitri diz. – Rubi, lembra quando cheguei aqui? Quase 18 anos nas costas e me recusando a descer uma escada que andava sozinha?

Rubi dá uma gargalhada e Tomás arregala os olhos.

Eu sorrio, balançando a cabeça.

– Você tinha medo de escada rolante, tio Dimitri?

– Até eu fiquei impressionada com isso, tenho que confessar – digo em tom de brincadeira.

– Agora tem escadas rolantes em Kali? – Dimitri parece surpreso.

– A tecnologia eventualmente chega para as crianças da guerra. – Dou uma piscadela. Ele ri e me dá um tapinha paternal no ombro.

– Não tão rápido quanto aqui. É melhor se preparar. Se a pizza te impressionou, o resto vai te deixar ainda mais de boca aberta.

CAPÍTULO 3

Sessenta e sete minutos e uma baldeação depois, descemos do metrô em uma parada chamada Bonanza. Esse é mais um dos nomes ridículos que existem por aqui, mas não comento nada. Durante o caminho, Rubi, Dimitri e Tomás tentam me inteirar sobre o que eu encontraria ali, como funcionam os transportes e a escola. Fico ouvindo e tento absorver o máximo que posso, mas esqueço praticamente tudo assim que subimos as escadas rolantes e saímos na superfície.

A única coisa que consigo pensar é... *uau*. Rubi explica que nosso bairro é o mais alto da cidade, e que dali posso ver grande parte de Pandora e... é incrível. Se eu me impressionei com as ruas estreitas e a arquitetura do prédio da estação de Prometeu, a cidade de Pandora é de tirar o fôlego.

Caminhamos por uma rua de paralelepípedos, ladeada por casas geminadas de tijolos aparentes com flores embaixo de todas as janelas. O resto da cidade se estende como um tapete de casas de diversos tamanhos e modelos convergindo para um centro com prédios altos e metálicos, como os ponteiros de um relógio. Consigo ver que cada conjunto de residências forma um grande hexágono, e suponho que cada um desses seja um bairro.

– Quantas pessoas moram aqui? – pergunto, piscando os olhos algumas vezes, impressionada com a quantidade de casas.

– Atualmente? Um pouco mais de quinhentas mil – Rubi responde.

Faço um barulho de espanto. Da parte de Kali de onde venho, as cidades são pequenas, e a maior delas tem pouco mais de dois mil habitantes. Dessa forma, é mais fácil proteger e controlar as idas e vindas dos cidadãos. Na cidade do orfanato de Vovó Clarisse, onde eu morava, havia por volta de quatrocentas pessoas, e todas se conheciam, se não por nome ao menos por profissão. A ideia de morar ali com quinhentas mil pessoas é assustadora.

– Sybil? Você está bem? – Rubi encosta nas minhas costas, preocupada.

– É só... impressionante. – Balanço a cabeça, desviando o olhar da cidade lá embaixo.

– Você vai se acostumar. Vamos? A casa é um pouco longe da estação, e logo o sol vai se pôr.

Concordo com a cabeça, olhando mais uma vez para a cidade. Lembro de Vovó Clarisse dizer que deveríamos nos apegar à primeira impressão dos momentos bons, pois essa impressão é única. Sei que, a partir de agora, Pandora se tornará mais e mais comum, então me esforço para gravar a sensação que tenho ao ver a cidade pela primeira vez

O caminho para a casa é uma subida em curva. Dimitri pede que eu preste atenção para aprender a rota. Viramos na quinta rua à esquerda, na altura de uma loja de bicicletas. Depois, são mais seis ruas até chegar à casa, na esquina da rua da escola onde estudarei. Os três parecem completamente acostumados a caminhar esse tanto, mas sinto uma dor irritante nas panturrilhas. Esse tempo todo que fiquei fora de Kali me deixou mais fraca.

Entramos pela porta dos fundos, atravessando a área de serviço e indo parar na cozinha. A casa é como todas as outras do bairro, com dois andares, feita de tijolo aparente e com um quintal bem maior do que o jardim da frente. Minha nova casa é grudada na casa da esquerda e Dimitri me explica que um dia, muito tempo atrás, as duas costumavam ser uma só.

Rubi me oferece água e pergunta se quero comer mais alguma coisa, enquanto os outros dois somem pelos aposentos. Aceito a água e vou conhecer o resto da casa. Depois da cozinha, tem uma sala de estar pequena e confortável, com dois sofás e uma lareira. Há também um banco de madeira embaixo da única janela do térreo, onde um gato gordo dorme despreocupado. Rubi me diz que o nome do gato é Dorian, e ele parece feliz quando o olho com curiosidade. Nunca tive um bicho de estimação antes. Vovó Clarisse achava que cães e gatos eram só mais uma boca para alimentar. Uma vez, porém, um cachorro havia seguido uma das meninas para casa e ele estava tão magro que tivemos pena de deixá-lo sozinho. Todas nos juntamos para alimentá-lo e até Vovó Clarisse nos ajudou, paparicando-o com restos de comida e ossos. Porém, nossos esforços foram em vão, porque em uma manhã acordamos e o encontramos morto, provavelmente envenenado.

Meus olhos vagam por uma estante cheia de livros e param em algumas fotos cobrindo uma das paredes. Todas as pessoas nas fotos parecem tão felizes que chega a doer. Sinto um desejo estranho de estar ali também, ao lado deles.

Subindo as escadas, encontro quatro cômodos. Um quarto para cada integrante da família e um quarto de hóspedes. Penso por um instante se dormirei na sala ou acampada no quintal, mas Rubi aponta para uma segunda escada. A casa é maior por dentro! Subo cada degrau lentamente, sem saber o que esperar, e me deparo com um sótão.

Um sótão inteiro. *Só para mim.*

Quando fui sorteada para sair de Kali e trabalhar em uma fazenda de refugiados, imaginava que dividiria um galpão com pelo menos dez outras garotas. Jamais pensei que poderia ter um quarto só para mim em toda a minha vida. Nunca tive um antes, então qual era a vantagem de desenvolver fantasias que nunca se tornariam realidade? Isso é quase um sonho. Aliás, tudo até agora foi meio surreal. O naufrágio, o período de testes, a designação para uma família. Eu ainda estou sem acreditar que isso está realmente acontecendo.

Rubi entra no quarto e me informa que posso fazer o que quiser com ele. Faz questão de mostrar alguns livros que ela pensou que poderiam me interessar. Percorro o cômodo, parando em frente da escrivaninha e pego um globo de neve. Dentro dele está um prédio antigo, com uma arquitetura parecida com a da estação, e, quando balanço, pequenas partículas brancas e brilhosas caem e se acumulam no telhado. Muito bonito.

– Tomás insistiu que comprássemos para você, como presente de boas-vindas. – Ela sorri para mim e sorrio de volta, colocando o globo de neve no lugar.

Sinto-me mais confortável agora que cheguei, e penso que talvez consiga me encaixar nessa nova família. Programo o despertador com a ajuda de Rubi e ela conta que a torneira do banheiro emperra às vezes e precisa de um truque para abrir direito. Depois, por fim, ela me deixa sozinha, mas não antes de avisar que caso tenha fome, posso pegar o que quiser da geladeira.

Pela primeira vez em dias, finalmente presto a devida atenção aos meus pensamentos. O que vem à mente não me agrada: mais uma sucessão de lembranças do naufrágio. Respiro fundo algumas vezes e decido fazer pequenas tarefas para afastar essas visões. Primeiro, desarrumo minha mochila e coloco as poucas roupas nas gavetas da cômoda encostada na parede. Depois, guardo meus documentos na estante. Por fim, faço uma lista mental de coisas que precisarei, como cadernos para a escola e outro par de botas de inverno. Quando não tenho mais nada para fazer, pego meu pijama e vou tomar banho.

O banheiro é simples, mas tem uma banheira. Eu a encho quase até a boca, vendo a água subir com uma fascinação estranha. Por fim, quando está quase transbordando, eu me acomodo dentro da água ainda quente, abraçando meus joelhos.

É meio difícil de acreditar que realmente sou uma *deles*. Uma anômala, uma aberração. A escola ensina que o início aconteceu quase trezentos anos atrás, quando a guerra começou. Quando as regiões da União foram atacadas com armas químicas pelos dissidentes – os habitantes do Império do Sol – a nossa resposta foi com armas nucleares. A teoria mais aceita é que a mistura desses dois tipos de armas com a tempestade solar mais forte dos últimos milênios causou um tipo de anomalia em humanos de várias regiões, fazendo com que seus códigos genéticos se modificassem em uma escala muito maior do que a normal. Depois de oitenta anos do ataque, após várias mortes por doenças causadas pelos sucessivos ataques químicos e biológicos, a população mundial foi praticamente dizimada, restando apenas alguns sobreviventes – e as *aberrações*.

Nos livros de história, chamam esse período de "Suspensão". Durante os vinte anos seguintes, os conflitos entre as regiões se extinguiram e se tornaram apenas um conflito entre humanos e pessoas com mutações. Por fim, antes que não sobrasse nenhum ser humano sequer, foi feito um acordo de sobrevivência mútua, no qual humanos deixariam os anômalos em paz, desde que eles não procriassem entre si. Em contrapartida, as pessoas com habilidades especiais se comprometeriam a colaborar com o esforço da guerra na União. A proibição da reprodução entre anômalos foi suspensa alguns anos depois, em razão do grande aumento da taxa de mortalidade entre eles – entre nós, acho, mas até hoje ainda sofrem controle do governo. Apesar do relacionamento conturbado entre *normais* e *aberrações*, as habilidades dos anômalos são uma arma poderosa na guerra.

Mesmo depois de quase um século, a União e os dissidentes continuam em guerra pelos territórios, mas os humanos e os anômalos convivem em harmonia. Claro que cada um em seu devido lugar: as aberrações em suas cidades dentro dos territórios da União ou em pelotões especiais do exército. Mesmo o governo fazendo de tudo para separar as pessoas em seus grupos, nem todas as crianças passam por testes para a verificação de anomalias genéticas, pois teria um custo muito alto para o governo; porém, qualquer indício de anormalidade é motivo para que bebês e crianças sejam submetidos à análise. Uma vez, quando ainda morava em Kali, minha colega de quarto se revelou uma aberração e imediatamente foi recrutada para o exército. Ela parecia normal até o dia em que teve a sorte de sobreviver intacta a uma explosão de mina terrestre.

Quando me lembro de Amita, sinto saudade de casa, e acho estranho como nossas situações são bem parecidas. Eu fui a única sobrevivente de um desastre, assim como ela, e descobri que sou *diferente*. Que, na verdade, sempre fui.

Penso em minha nova habilidade e afundo mais na banheira para ver se as pessoas no hospital não se enganaram. Por melhor que seja essa casa, e por pior que seja a alternativa, uma parte de mim quer mostrar que todos se enganaram e eu ainda sou normal. Abro a boca, tento engolir água, me engasgar e... nada. NADA! É como se eu estivesse fora da água, respirando normalmente. Tateio meu pescoço procurando por guelras, mas obviamente não as encontro. Se alguém me contasse que uma pessoa tinha uma habilidade dessas, eu não acreditaria que seria possível.

Termino o banho rápido, frustrada. Volto para o quarto e deito na cama, esperando que o cansaço da viagem me faça dormir logo e de maneira profunda. Em vez disso, fico com um sono conturbado e acordo várias vezes durante a noite por causa dos mesmos pesadelos terríveis. Desisto de vez de dormir horas depois, e fico sentada na escrivaninha do quarto, rabiscando uma carta para vovó Clarisse.

CAPÍTULO 4

Na manhã seguinte, acordo assustada com o barulho estridente do despertador e a carta para vovó Clarisse grudada pela baba no meu rosto. Tento me lembrar se Rubi havia dito algo sobre ir à escola, mas só fico em pânico por estar com a bochecha manchada de tinta. Demoro alguns minutos para me limpar e ouço uma batida na porta do banheiro.

– Você está bem? – É a voz de Rubi abafada pela madeira da porta.

– Sim, estou. – Abro a porta e dou meu melhor sorriso.

– Só houve um acidente e...

– Isso é tinta no seu nariz? – ela pergunta com um tom de curiosidade.

– Droga. – Volto para dentro do banheiro e esfrego o rosto novamente, passando ainda mais sabão.

Rubi entra, parecendo entretida. Agora, com calma, posso perceber que ela é bem mais nova do que imaginei a princípio. Não parece ter mais de 30 anos, o que me faz concluir que Tomás está aqui sob a mesma condição que eu. Me pergunto qual será o poder dele e vejo o sorriso dela aumentar. Por que ela está sempre sorrindo?

– Acabei de voltar da casa da senhora Maple, nossa vizinha. Ela emprestou um dos antigos uniformes da filha, que agora está na faculdade. Como não sabíamos que tamanho você vestia, não pudemos encomendá-los antes. E eu não esperava que você fosse tão pequena, então acho que as roupas vão ficar um pouco grandes.

– Obrigada. E tudo bem pelo tamanho – respondo sem graça enquanto me enxugo com a toalha. – Estou acostumada a usar roupas maiores do que eu.

– Você está bem? – Ela se aproxima, mudando a expressão para preocupação. – Ontem à noite, bem, ouvi gritos...

– Tive alguns pesadelos. Não se preocupe, consegui dormir depois.

– Se você quiser, podemos arrumar remédios para você dormir melhor. – Ela morde os lábios, parecendo um pouco ansiosa. – Você está com umas olheiras horríveis.

Fico desconfortável e olho para baixo, ajeitando uma dobra inexistente do meu pijama. A preocupação dela é comovente, mas não quero dar ainda mais trabalho. Ela já vai me alimentar e me abrigar, e não quero que ela se preocupe com as outras coisas. Como fico em silêncio, Rubi muda de assunto.

– Bem, o uniforme está em cima da sua cama. Não se preocupe quanto aos livros da escola e os cadernos; eles darão tudo quando você chegar lá. O que mais? Hum, Dimitri está fazendo panquecas para o café e deixou o jantar pronto na geladeira para você e Tomás comerem quando voltarem para casa. – Ela se aproxima de mim, segurando no meu ombro, e eu sou obrigada a encontrar o olhar dela. – E, Sybil, *nada* disso é um incômodo.

Claro que a última frase me deixa meio paranoica. Será que sou tão fácil assim de ler, e ela percebeu que o que menos quero é ficar dando trabalho? Ou será que o poder dela é exatamente esse, o de ler mentes? Não me sentirei bem se for o caso, porque... bem, é uma pessoa sabendo o que se passa na sua cabeça o tempo todo.

Um dos maiores motivos que levaram as pessoas normais a quererem uma separação das aberrações é esse. Alguns têm poderes inofensivos, como o meu, mas outros podem ler mentes, destroçar e explodir coisas, ou são tão fortes que conseguem parar um tanque de guerra somente com as mãos. Esse também é o motivo pelo qual precisamos usar roupas chamativas – por isso o amarelo, a cor da atenção. Conforme explicaram no Centro de Apoio, as roupas mostram o perigo que representamos.

Eu me arrumo como posso com o uniforme três tamanhos maior que o meu número. Rubi deixou uma caixa de alfinetes para ajustes em cima da escrivaninha e uso quase todos para poder apertar o vestido cinza nos lugares certos. No final, fico parecendo uma criança que pegou a roupa da irmã mais velha, o que só me deixa mais ansiosa.

Vou chegar na escola com as aulas em andamento, depois de uma tragédia, vinda de uma região de guerra, e tudo que possuo é de segunda mão. Não sei nada sobre a cidade, sobre o que posso fazer ou sobre a província em que estou vivendo. Em Kali, as pessoas sempre são receptivas com os novatos porque todos estão ali em condições muito parecidas. Mas, aqui, o que devo esperar? Como devo responder às perguntas?

Quando chego à cozinha, Tomás está sentado em uma mesa de quatro lugares concentrando-se em mastigar seu café da manhã, e Dimitri está próximo do fogão, usando um avental. Os dois me desejam um bom-dia e meu novo pai (ou seria tio?) me indica uma cadeira com um sorriso. Logo depois, coloca um prato à minha frente com várias rodelas de uma massa fina que devem ser as panquecas que Rubi mencionou. Elas me lembram o pão que vovó Clarisse fazia para nós. Pelo visto vou aprender muito sobre culinária nessa casa.

– Você gosta de panquecas? Coma bem, pois seu dia vai ser longo.

– Obrigada – respondo quase em um sussurro, observando Tomás de esguelha para saber como devo proceder para comer o alimento.

Eu o copio e jogo o conteúdo de um dos potes da mesa em cima da massa, uma calda escura de algo que não sei o nome. Corto um pedaço e levo o garfo à boca. *Hummm*! Será possível que não existe uma comida ruim nesse lugar? É como se o que eu estava habituada a comer fosse uma cópia de uma cópia malfeita de tudo que eles comem por aqui.

Enquanto devoro minhas panquecas, Rubi desce as escadas já completamente vestida com um terno para o trabalho. Ela rouba um pedaço de panqueca da frigideira de Dimitri e recebe um tapa na mão, seguido de um olhar de repreensão.

– Poxa, tenho de ir para o trabalho logo; o dia de folga de ontem deixou tudo bagunçado – diz ela, fazendo graça. – Faz umas para eu ir comendo no caminho?

– Devia ter avisado antes. Seu almoço está no pote com a tampa azul na geladeira. – Dimitri nem sequer levanta os olhos da frigideira, e separa quatro panquecas em um guardanapo e enrola, fazendo uma trouxinha. – Não se esqueça de perguntar para a Helena se ela quer que eu faça mais comida.

– Sim, sim, sim. Obrigada. – Rubi pega a trouxinha e dá um beijo na bochecha dele. – Não sei o que faria sem você aqui.

Quando ela se aproxima, abaixo os olhos e continuo a comer, me perguntando qual é o tipo de relacionamento entre os dois. Ela se inclina e beija Tomás na bochecha, pedindo que ele tome conta de mim e da casa. Depois, se despede de mim da mesma forma, e congelo em surpresa com o beijo carinhoso, me desejando sorte no primeiro dia de aula.

Assim que ela sai, Dimitri abandona o avental e percebo que ele está vestido para o trabalho, assim como Rubi. Ele se acomoda ao meu lado e sorri ao ver meu prato vazio.

– Estavam boas?

– Ótimas. Muito obrigada.

– Que bom que gostou. Tom, seu material já está arrumado?

– Sim, tio – o garoto responde antes de beber todo o leite do seu copo.

– Então guarde seu almoço na bolsa junto com ele.

É o pote com a tampa verde.

Tomás concorda e tira a louça da mesa, colocando-a na pia da cozinha. Depois, se dirige para a geladeira, pega o pote e desaparece escada acima.

– E você? Ansiosa? – Dimitri pergunta, e eu concordo com a cabeça. Eu me levanto e coloco a louça na pia como Tomás. Ele continua: – Meu trabalho é no caminho da escola de Tomás, então eu o levo todos os dias. A sua escola fica do outro lado, então pedi para Naoki, a filha do nosso vizinho, ir com você. Ela vai te esperar do lado de fora.

Concordo com a cabeça, me sentindo mais nervosa ainda. Já estou incomodando os moradores daqui, agora também vou dar mais trabalho para a vizinha.

– Aqui está a sua chave – diz ele, tirando um chaveiro de bonequinha de madeira do bolso. Eu me aproximo da mesa e o pego, colocando no bolso do uniforme. – Seu almoço está no pote com a tampa laranja. Você pode comer a comida do refeitório, mas, acredite em mim, vai preferir a minha. O pote com a tampa rosa é o de Naoki, então se puder, leve a dela também.

– Ela é a filha da senhora Maple que me emprestou essas roupas?

– Não. Ela é filha do senhor Saitou. Eles moram na casa da frente. O senhor Saitou é viúvo e trabalha à noite, então não tem tempo para cozinhar – responde ele, como se isso explicasse o porquê de estar fazendo almoço para todo mundo. – Na geladeira também há vários potes com outras refeições para você e o Tomás. Eu e Rubi geralmente chegamos tarde em casa, então...

Ele é interrompido pela campainha. Olha para o relógio e levanta uma sobrancelha, fazendo um sinal para a porta da frente.

– É Naoki. Vá pegar suas coisas, senão vocês vão chegar atrasadas.

Subo as escadas correndo e quando estou no segundo lance, consigo ver Tomás abrindo a porta. Desço alguns minutos depois com a mochila nas costas e encontro uma garota com um uniforme igual ao meu me esperando com um sorriso sincero e segurando os dois potes de almoço. Ela é alta comparada a mim e tem um cabelo preto muito liso. Além disso, tem os olhos escuros e arredondados, e um sorriso amigável.

– Você deve ser Sybil. Prazer em te conhecer, sou Naoki Saitou. Eu cumprimentaria você, se não estivesse meio ocupada aqui.

– Ah, desculpa! – Pego meu pote do almoço de suas mãos. Naoki se endireita e, em vez de apertar minha mão, como espero, ela me abraça.

Fico paralisada. Todo mundo aqui é extremamente amigável.

– Agora sim. Se vamos ser vizinhas, é melhor que sejamos amigas. É bom finalmente ter alguém da minha idade na rua! Vai deixar a caminhada mais rápida. Segura aí. – Ela me passa o pote dela e abre a mochila, para depois guardá-lo lá dentro. Tira o meu da minha mão e ela espera enquanto eu faço o mesmo. – Isso aí, boa garota! Já começou bem.

Eu sorrio e ela abre a porta, gritando um tchau para Dimitri e Tomás. Naoki parece mais moradora da casa do que eu e não para de tagarelar por todo o caminho. Descubro algumas coisas no monólogo interminável: em que série ela está, quais matérias faz, quantas ruas devo andar até chegar à escola, quem vai de bicicleta e quem não vai, a melhor maneira de usar o uniforme sem parecer idiota, quais professores são chatos e quais são legais, onde posso esquentar a minha comida, como pegar livros na biblioteca e quem é legal ou não. Quando finalmente chegamos ao colégio, chego à conclusão de que a mutação da garota com certeza é tagarelar. Muito. Pelos cotovelos, sem parar, eternamente. Caminhamos até a secretaria da escola e Naoki se despede, me desejando boa sorte, e diz que vai me esperar no fim do corredor. Eu me acomodo em uma das cadeiras e aguardo até que me chamem, entrando na sala da diretoria um pouco apreensiva. Naoki explicou que como estou entrando depois do início do período letivo, seria difícil organizar as minhas aulas. Além disso, aparentemente, minha escola anterior tinha um currículo muito diferente, então não pegarei todas as aulas que deveria ter no meu ano, que é um abaixo dela. Quando perguntei como ela sabia disso tudo, recebi como resposta um sorriso enigmático.

A diretora é uma mulher de meia-idade, com o cabelo começando a ficar grisalho e olhos que me lembram os de algum animal selvagem. Ela dá um sorriso ao me ver e indica uma cadeira, oferecendo um chocolate quente que não tenho coragem e nem vontade de recusar. Coloco a mochila ao lado da cadeira e dou um sorriso para ela. A plaquinha em sua mesa a identifica como Diretora Hart.

– Ah, muito bom. Querida, você tem um sorriso lindo – diz a diretora, antes de se sentar. – Bem, tenho algumas perguntas antes de passar o seu horário. Por enquanto, é esse aqui. – Ela me mostra um papel com vários quadrados, alguns deles preenchidos. – Como você deve saber, temos aulas de matérias comuns e matérias para o desenvolvimento de habilidades. No entanto, as suas habilidades, pelo relatório que recebi do governo, estão em um nível muito rudimentar... Falei com os professores responsáveis e eles pediram para eu fazer algumas perguntas. Nada complicado, é mais como um teste para saber em que nível você se encontra.

– Tudo bem. – Dou de ombros. Não me importo em ficar para trás nas matérias, não mesmo. Talvez as pessoas mais novas sejam mais receptivas. – E quanto às outras matérias?

– Ah, claro. Você fará quase todas com as pessoas do seu ano, menos biologia e matemática. Estará dispensada das aulas de química porque seu currículo é muito mais avançado nessa área, e a educação física não é obrigatória, porque você já fez horas demais. Isso a deixa com alguns horários livres que poderá preencher com matérias extracurriculares ou treinamento. A escolha é sua.

Ela estende uma lista de matérias e passo os olhos por ela, fazendo uma leitura dinâmica. Há nomes como "Treinamento de Animais", "Literatura Comparada" e "Introdução a Explosões".

– Sem problemas. – Deixo a lista em cima da mesa e beberico meu chocolate, que já está um pouco mais frio.

– Bem, a primeira pergunta que tenho aqui é: você sabe nadar?

– Não.

– Não? – Ela parece surpresa. – Certo. Você é boa usando armas?

– Bem, você viu minhas notas de educação física. Na média – digo, me movendo na cadeira, desconfortável. A aula que eu mais detestava na escola em Kali era educação física. Éramos obrigados a fazer o princípio do treinamento militar, e inclusive aprendíamos a mirar e a limpar armas.

– Certo. – Ela anota algo no papel. – Você gosta de animais?

– Gostar eu gosto, mas eles não gostam muito de mim.

– Uhum... E como você se sente em relação à água?

– Ela é necessária para viver, né? – Depois do naufrágio, não era como se eu magicamente tivesse adquirido um gosto pelo elemento.

– Fora isso.

– Normal. – Ela anota mais alguma coisa.

– Você já reparou algo fora do comum nesse quesito? Por exemplo, se os seus dedos não enrugam quando você fica muito tempo em contato com a água, ou se você nunca sente frio ou nunca pegou alguma doença em razão da mudança de clima?

– Nunca reparei, não.

– Você fica doente com frequência?

– Não. Minha avó costuma dizer que sou forte como um touro, apesar de ser mirradinha.

Ela anota mais alguma coisa e espero mais perguntas. É bem parecido com os inúmeros questionários que eu havia respondido no Centro de Apoio e no hospital, e eu fico me perguntando se eles não podiam simplesmente ter repassado as informações adiante e me poupado do trabalho de responder tudo novamente.

Por fim, a diretora Hart levanta a cabeça e mostra meu horário novamente, quase todo preenchido.

– Vamos começar com essas. Se depois de algum tempo você sentir que as aulas estão ficando enfadonhas, é só falar com os professores que mudamos você de turma. O mesmo serve caso ache que estejam muito difíceis. Não há problema nenhum, nós podemos até errar, principalmente com alguém que não sabe muito sobre a natureza da sua mutação.

– Tudo bem. Agora tenho de escolher as outras matérias para preencher os horários vazios?

– Sim.

– Então vou querer essa daqui. – Aponto para uma chamada "Símbolos e Códigos Visuais". – E o que a gente faz nessa aula de "Estudos Avançados de Técnicas Especiais"?

– Ah, é basicamente uma aula de estratégia.

– Como jogar xadrez e coisas assim?

– É, mais ou menos. – Ela desvia o olhar de mim, encarando um ponto desinteressante na sua mesa. Por que falar dessa matéria a deixa inquieta? – Por que você não pega "debate"?

– Eu não gosto de falar em público – respondo. – Vou querer essas mesmo.

A diretora suspira, pegando meu horário e escrevendo as duas matérias nos espaços vagos.

– Eu não sei se TecEsp combina com o seu perfil, senhorita Varuna... Os alunos dessa matéria são especiais e apresentam maior compreensão da nossa sociedade e da nossa comunidade.

– Se eu tiver algum problema, venho aqui trocar – digo com um sorriso que considero apaziguador. – Fiquei interessada pela apresentação. Minha matéria favorita na outra escola costumava ser estratégia de guerra e táticas de guerrilha. Acho que não terei problema nenhum em acompanhar essa turma.

– Se você diz... – A diretora não parece muito convencida, mas entrega meu horário. – Susana está com todo o seu material e o código do seu armário. Na hora do almoço, se você aparecer aqui de novo, ela pode te levar até o zelador, onde vocês podem requerer uniformes que *caibam* em você. Acho que até quarta-feira você já os terá prontos e não precisará vir com essas roupas emprestadas.

A última parte soa ofensiva, um pouco como se ela não gostasse de ver uma garota com roupas desarrumadas na sua escola. Saio da sala da diretora e encontro Susana, a secretária, com uma pilha de livros em cima do balcão que separa a secretaria da sala de espera. Recebo mais um dos sorrisos que todos os adultos dão para mim. Seria de pena? Seria isso uma forma de tentar me compensar pelas minhas perdas? Ou uma forma de me acolher? Não tenho certeza se gosto disso.

– Bom dia – diz a secretária. – Você deve ser a senhorita Varuna, não? Deixe-me ver como ficou seu horário... Esses aqui são os das matérias que você pegou.

Arregalo os olhos, porque tem uns quinze livros empilhados ali, alguns mais grossos e outros mais finos. Susana olha com concentração para meu horário e depois abaixa atrás do balcão. Eu me aproximo e analiso os livros. O primeiro é *Princípios básicos da matemática*. Depois, *Idiomas antigos: etimologia e sintaxe* e por aí vai. Tem quatro livros que creio serem para a aula de literatura, sendo um deles *O retrato de Dorian Gray*, que já li.

A secretária faz outra pilha, essa com livros que não fazem muito sentido para mim. *Biologia das mutações: uma abordagem concisa*, um livro preto sem título, *Símbolos e cores na arte do entretenimento*, *Azul profundo: lições de um mergulhador*. Ela termina criando uma terceira pilha, com um caderno grosso e um estojo pequeno. Posso sentir seu olhar em mim, provavelmente com pena do tanto de coisa que terei de carregar sozinha até meu armário, seja lá onde ele for. Ao menos isso é um consolo, porque se eu tivesse de levar e trazer esses livros todos os dias de casa, provavelmente morreria esmagada pelo peso do conhecimento em uma semana.

– Aqui está seu horário. Escrevi atrás uma lista de livros por matéria, para que você não precise carregar tudo para cima e para baixo em todas as aulas. – Susana me devolve o papel e me entrega uma chave. O número 582 está preso no chaveiro. – Essa é a chave do seu armário. Você pode deixar os que não vai precisar aqui e vir buscar na hora do almoço, quando vier para tirarmos sua medida para o uniforme.

– Tudo b...

– Pode deixar que eu ajudo!– Eu e a secretária levamos um susto, com direito a um gritinho da parte dela.

Quando me viro, percebo que enquanto estávamos preocupadas com meus livros, um garoto havia entrado e se sentado em uma das cadeiras da sala de espera. Há quanto tempo ele estava ali? É mais um dos gigantes daqui, com pernas longas e um cabelo bagunçado cor de ferrugem. É a segunda pessoa em dois dias que vejo com o cabelo dessa cor. Seria algum tipo de marca ou efeito colateral de ter uma mutação?

– Brian, já disse para você não aparecer assim. – Susana leva uma mão ao coração. – Se você puder ajudar Sybil, eu adoraria.

– Não precisa, eu consigo me virar – respondo quase imediatamente. Pela expressão no rosto dos dois, provavelmente não era o que eu deveria falar. – Quer dizer, não precisa se incomodar. Não quero dar mais trabalho do que já estou dando.

– Ah, qual é o trabalho de ajudar uma donzela indefesa a carregar seus livros até o armário? – Brian diz e eu ergo uma sobrancelha, sem ter muita certeza se ele está brincando ou realmente me chamando de donzela indefesa. Ele continua: – Imagina como eu me sentiria sabendo que bandidos te atacaram no caminho e você perdeu toda essa fonte de conhecimento inesgotável? Não... Você me faz um favor. Não cont...

– Brian, por favor! – A diretora abre a porta e o chama para dentro. – Não assuste a menina nova.

Ele se levanta e arruma o cabelo antes de entrar na sala. Olho para Susana, em busca de explicações.

– Brian tem um *probleminha* com disciplina – responde ela se desculpando, com um sorriso de canto. – Os pais dele já fizeram de tudo, mas não conseguem impedir que ele seja... – ela hesita, procurando uma palavra adequada – ...espirituoso.

– Hum. Entendo – falo e coloco a mochila em cima do balcão, tentando enfiar os livros das aulas do dia dentro dela. Cogito ir embora, já que Susana está olhando para mim com aquela expressão que adultos geralmente têm quando acham que estão diante de um provável casal, mas como é o meu primeiro dia ali, não posso me dar ao luxo de ser antissocial. – Onde fica o armário, senhora?

– Ah, Brian sabe onde é – responde ela, dando um sorriso meio insinuante. – Ele é bem bonito, não é?

– É? Não percebi. – Fecho a mochila com dificuldade e com uma expressão neutra. Susana faz um bico, mostrando que não está satisfeita com minha resposta. Espero, sinceramente, que ela não decida insistir nesse assunto. – Senhora, no meu horário diz que hoje tenho aula de natação. Existe algum traje especial para isso? Tenho que fazer o pedido junto com meu uniforme?

– Ah, sim. Claro. Mas, por hoje, acho que a professora Rios consegue arrumar um maiô para você.

Não tenho outra escolha a não ser me sentar em uma das cadeiras e esperar pelo outro garoto, desgostosa. Susana não para de olhar para mim, seja lá qual for o motivo. Encaro um dos cartazes informativos na parede atrás dela, tentando ignorá-la, e percebo que estou desenvolvendo uma paranoia. Qualquer pessoa aqui dentro pode ser um leitor de mentes. E se Susana é uma delas e sugeriu que Brian é bonito porque ele demonstrou interesse em mim antes? É a última coisa que quero ou preciso na minha vida agora, um relacionamento romântico. Mas, se ela lê pensamentos, por que precisou perguntar?

Volto a contar os segundos, como costumo fazer quando estou entediada. Setenta e dois segundos depois, Brian atravessa a porta da diretoria. LITERALMENTE.

– Brian! Eu já disse para você PARAR com isso! – briga Susana, indignada. – Use a porta como as outras pessoas.

– Eu não queria deixar a novata esperando. – Ele dá um sorriso malicioso e pega a maior pilha de livros do balcão.

– Que diferença iria fazer você abrir a porta ou não? – Ela continua brigando com o rapaz. – Eu já disse que...

– Mãe, você realmente quer que a novata chegue atrasada? – Ele faz um sinal com a cabeça para que eu pegue a outra pilha. – Logo no primeiro dia de aula? Não, né? Foi o que eu imaginei. Vem, novata. Vou tentar andar devagar para você poder me alcançar. – Ele dá uma piscadela e sai em direção à porta.

Mais uma vez, não tenho certeza se me sinto ofendida ou agradecida. De qualquer forma, pego os livros que sobraram e o sigo apressada pelos corredores.

CAPÍTULO 5

A caminho do meu armário, encontramos Naoki sentada em um dos degraus da escada, me esperando.

– Brian! Você conseguiu resgatá-la! Que maravilha! – A menina bate palmas e pega os livros do meu colo. – Ainda bem que não te pegaram modificando o sistema de som ontem, ou Sybil aqui teria de carregar tudo isso sozinha.

– Você não tinha me dito que ela era só uma criança. – Ele franze a testa e se vira para me encarar. – Você está bem, pequenininha? Não doeu carregar todos esses livros?

– Brian, ela tem quase a nossa idade – Naoki fala, com um falso horror na voz. – Sybil, esse é Brian O'Donnel. Ele mora na diretoria e, nos tempos livres, frequenta uma casa que fica duas ruas acima da nossa.

– Sybil, essa é Naoki – Brian responde, imitando a amiga com uma voz estridente. – Ela é fofoqueira, tagarela e mora mais na sua casa do que na dela.

Os dois me fazem soltar uma risada de verdade, algo que não faço há muito tempo. Parecem um casal de velhos, sempre brigando e pegando no pé um do outro, ou uma dupla de comediantes, como se estivessem sincronizados para engatar um fluxo contínuo de gracinhas. Tenho a leve impressão de que tem algo ali que não é somente uma amizade, mas os dois continuam conversando animadamente, com eventuais interrupções da minha parte, até chegarmos em frente ao meu armário. Eles começam a me ajudar a arrumar os livros, fazendo comentários sobre as matérias e os professores, quando percebo outra pessoa se aproximando.

– Brian, meu velho. – É um garoto negro com olhos quase brancos. Ele cumprimenta Brian com uma série de tapinhas barulhentos nas costas. Depois que terminam, ele se vira para mim e para Naoki e dá um sorriso amplo. – Bom dia, Naoki. Está muito perfumada essa manhã. E quem é essa menina que não consigo reconhecer?

– Bom dia, Lê. – Naoki arruma o cabelo atrás da orelha e sorri gentilmente. – Essa é Sybil. Você sabe, a menina que está morando na casa de Rubi agora.

– Ah, a garota nova. Por isso o cheiro da comida de Dimitri está por todo o lugar. Você comeu panquecas, não foi? – Ele sorri para mim e eu me sinto um pouco invadida pelos seus olhos, como se conseguissem ver dentro de mim.

– Sim. – Olho para Naoki, desconfortável. Qual era a desse garoto?

– Leon, você sabe que isso assusta quem não está acostumado – diz Brian, pegando-o pelo ombro. – Sybil, não se preocupe. Leon não enxerga, então se guia pelos cheiros, sons e sensações. E ele é muito bom nisso. Você não está fedendo a panquecas.

– Muito bom, Brian. O que aconteceu com o livre-arbítrio? Quer que eu conte para ela que você recebeu uma suspensão semana passada por atravessar a parede do banheiro feminino pra ver as meninas trocando de roupa?

Brian fica da cor dos seus cabelos e os dois entram em uma briga de brincadeira, envolvendo socos e diversos "sua mãe gostou disso ontem à noite". Naoki revira os olhos, murmurando "garotos!". Termino de arrumar o armário, achando muito engraçado a troca de elogios entre os dois.

– Ele é cego? – pergunto a Naoki, ligeiramente constrangida porque minha curiosidade vence a impressão de que não é uma pergunta que eu deveria fazer, e fecho o armário. Os garotos estão tão entretidos em se empurrar contra os armários que nem parece que estamos ao lado deles.

– Sim, ele consegue saber se é dia ou noite pela visão, mas é basicamente isso. Não consigo imaginar como é o mundo para ele, mas ele tem todos os outros sentidos muito mais aguçados que os nossos. Ouve muito melhor do que nós, sente mais cheiros, mais gostos e tem um tato muito mais apurado.

– Deve ser um inferno – digo com sinceridade. Com isso, os dois garotos param. Leon se vira para mim com uma sobrancelha arqueada e me pergunto se eles estavam ouvindo nossa conversa.

– Então, qual é o seu horário? – ele pergunta, arrumando a mochila nas costas e se aproximando. – Naoki e Brian estão no terceiro ano, mas eu estou no segundo, como você. É bem provável que estejamos nas mesmas aulas.

Naoki e Brian trocam olhares preocupados e tenho vontade de perguntar o que tanto os perturba. Em vez disso, tiro meu horário do bolso do vestido e o leio em voz alta para Leon, que fica surpreso.

– TecEsp? Eles realmente deixaram você ficar em TecEsp?

– Por que a surpresa, Leon? Você sabe muito bem que uma vaga ficou disponível recentemente. – Naoki parece um pouco ressentida ao falar.

– Eu sei, é só que... – O garoto parece apreensivo, trocando o peso da perna.

– Qual é a dessa matéria, aliás?– pergunto ao reparar na mudança de humor dos meus novos amigos. Os três me olham como se eu fosse uma alienígena. Não sei se é porque tomei a iniciativa para falar algo, ou porque entrei em uma matéria sem nem saber o que ela era.

– TecEsp é uma matéria... perigosa – Brian finalmente responde. – Tem gente que brinca dizendo que ela é, na verdade, *Técnicas Avançadas para Suicídio.*

– *Você* brinca falando um absurdo desses – Naoki o repreende, revirando os olhos. – Sybil, não tem como descrever exatamente o que a matéria é sem que você tenha uma noção. Geralmente, eles só deixam disponível para pessoas que acham que vão acrescentar algo para a aula e se estava na lista de matérias disponível pra você, eles acreditam que você possa ser útil. Não desperdice essa oportunidade. Existem pessoas que matariam para estar nela.

– Pessoas como você – Brian acusa, com um meio sorriso. Naoki o empurra, visivelmente irritada.

– Pare de ser idiota!

– Por que vocês dois não param com isso e se casam logo? – Leon brinca. – Sybil, como suspeitei, estamos na mesma turma. Nossa primeira aula é História Mundial. Deixe esses dois brigarem em paz e vamos andando. Falta menos de cinco minutos para o sinal tocar e, se não chegarmos logo, não vamos pegar um lugar bom.

– Nos vemos no almoço. – Naoki me dá um abraço, ao qual retribuo de maneira desajeitada. Não estou habituada a essas manifestações de afeto constantes. Quando ela me solta, empurra Brian pelo ombro. – Vamos, seu imprestável. Se eu tiver que sentar perto do Pé Grande novamente, eu te mato.

– O que se pode fazer com um amor tão puro e juvenil quanto esse? – Brian coloca uma mão sobre o coração. – Sybil, não existe ninguém mais qualificado que Leon para assistir aulas com você. Você vai ver: ele é um n-e-r-d.

Leon suspira, impaciente, e faz um sinal para que eu o siga. Observo-o em silêncio enquanto subimos as escadas. Se Naoki não tivesse confirmado, eu nunca suspeitaria que ele não enxerga. Quando chegamos ao último andar do prédio – o terceiro –, Leon para no topo e espera que eu o alcance. Franzindo a testa, ele olha para o lado direito do corredor.

– Eles estão usando uma sala a mais aqui em cima. Que estranho. – Balança a cabeça e me conduz na outra direção. – Eu consigo saber de onde vêm os sons pela intensidade deles, caso você esteja curiosa – ele explica quando chegamos em frente a uma porta.

– Interessante – digo com um sorriso. Seria uma habilidade muito útil em uma emboscada ou algo do tipo. Se fosse em Kali, ele estaria na frente de batalha, mesmo tendo 16 anos.

Entramos na sala e rapidamente todos param de conversar. Ignorando o silêncio completo, o garoto ao meu lado se dirige a um dos lugares na frente e aponta para que eu sente na cadeira ao seu lado. Eu me acomodo no lugar, mas o olhar de todos está obviamente direcionado para mim. É claro que Leon não está vendo nada daquilo, então ele continua a agir normalmente, me dizendo de qual livro vou precisar e se oferecendo para me ajudar com a matéria que já foi dada.

O sinal toca e o silêncio permanece até que a professora entra na sala. Ela também parece espantada com a ausência de barulho e faz uma piadinha que não consigo entender, mas que ajuda a dissipar a tensão. Antes de começar a aula, oferece um sorriso gentil para mim.

– Classe! Hoje temos o prazer de dar as boas-vindas a Sybil, que veio lá de Kali – ela diz. – Não vou fazê-la passar a vergonha de vir aqui na frente se apresentar, mas gostaria muito que um de vocês se voluntariasse para poder contextualizar o assunto atual para ela.

Os olhares se voltam para mim e, depois de alguns segundos desconfortáveis em que ninguém se manifesta (nem Leon, ao meu lado), um rapaz loiro levanta a mão, no fundo da classe.

– Andrei? – A professora cede a palavra, reticente.

– Pelas últimas três aulas, nós discutimos a formação da União e como os países se unificaram e passaram a ser divididos em províncias. – O garoto fala como isso tudo fosse entediante. – E, hoje, segundo os capítulos que deveríamos ter lido, vamos aprender sobre o papel dos anômalos nisso tudo.

– Parece que você está prestando atenção nas aulas, apesar de... bem, ser você – brinca a professora, e a turma ri junto.

Fico desconfortável pelo menino e olho para Leon, esperando que explique o que está acontecendo. Não sei se ele percebe meu movimento, mas não fala nada. A professora prossegue:

– Todos nós sabemos que, quando a União surgiu, procuraram na história a melhor forma de governo, aquela que obteria o maior sucesso. A resposta foi óbvia: os romanos. Não foi o maior império em extensão, mas foi o que durou mais tempo, o que se mais expandiu, o mais organizado.

Quando ela faz uma pausa, para efeito dramático, um pedaço de papel surge na minha mesa. Olho para os lados, procurando quem enviou, mas todos estão olhando para frente.

– De lá, nós tiramos nosso sistema político: um senado composto por representantes de cada província, governados por um cônsul que é eleito por esses representantes. De lá, tiramos os nossos novos nomes, quando surgiu a necessidade de se renomear tudo e apagar o passado para recriar um futuro brilhante. Alguém pode me dizer onde é que nós entramos nessa história?

Abro o bilhete e leio: "*bem-vinda ao inferno, varuna. aproveite a estadia*", sem nenhuma letra maiúscula.

Fico tensa e a professora escolhe uma menina que senta na frente para responder.

– Nós estragamos os planos deles – declara a aluna.

– Prefiro acreditar que criamos um desafio que foi fundamental na construção da noção de nacionalidade do novo país – diz nossa tutora em um tom irreverente. – E nós demos um desafio interessante para eles: nomear o maior número de cidades mutantes com elementos da mitologia greco-romana.

– Como Pandora – digo em voz alta, automaticamente, e a professora parece surpresa de me ver participar.

– Exatamente, Sybil. – Ela me dá um sorriso. – Mas nós estamos nos antecipando um pouco. Vamos começar lá no início da União, lá quando apareceram os primeiros sintomas de que alguma coisa estava errada com o material genético dos cidadãos do nosso jovem país.

Outro papel aparece em minha mesa e tenho vontade de virar para trás para ver quem os está passando para a frente, mas fico com vergonha porque a professora pode ver que já estou distraída. Quando leio o novo bilhete, mordo os lábios para conter uma risada, sem muito sucesso.

"você poderia ter parado num lugar pior que pandora: tem uma cidade de anômalos chamada recanto das éguas mais pro sul do continente."

Leon, ao perceber minha agitação, se vira para mim, preocupado, e pergunta num sussurro:

– Você está bem?

– Sim – afirmo, olhando para meu caderno.

– Está conseguindo acompanhar?

– Sem problemas. – O que suponho ser verdade, mas os segundos de atenção que perdi ao ler o bilhete me deixam um pouco perdida.

Quando finalmente me situo, outro bilhete aparece embaixo do meu cotovelo na cadeira, mas o ignoro firmemente, na tentativa de me dedicar ao máximo pelo menos no primeiro dia de aula.

Minha determinação é gigante, porque enquanto a aula segue, mais bilhetes se acumulam na minha carteira. Chega a um ponto em que não vejo escolha senão lê-los e a cada pedaço de papel tenho de me controlar para não olhar para trás e tentar desvendar quem é a mente por trás deles. Todos os bilhetes têm a mesma caligrafia, e são escritos sem nenhuma letra maiúscula.

Talvez a intenção fosse me assustar – mas a cada papel que leio, me sinto mais tranquila. É praticamente um presente de boas-vindas.

CAPÍTULO 6

Sete horas depois, Leon me deixa na frente de um prédio grande, um pouco afastado da escola, e cuja estrutura que me lembra uma estufa. Agradeço por ele ter se incomodado em fazer aquilo e recebo um sorriso como resposta. Sinto minha cabeça doer um pouco depois de tantas horas de aula e de informações tão diferentes. Um cérebro pode entrar em pane por informações demais?

Abro a porta e o cheiro de cloro atinge minhas narinas. Paro por alguns segundos, chocada com a quantidade de água que tem ali. Quantos litros estão sendo desperdiçados ali? Tento me lembrar das minhas aulas de matemática em vão, mas chego à conclusão de que aquela quantidade de água seria o suficiente para suprir pelo menos mil pessoas durante um dia.

Fico sem saber o que fazer, ainda meio paralisada com a piscina. As coisas aqui são bem diferentes, e é impossível levar toda essa água até Kali, eu sei disso. Ainda assim, é tão injusto que eles possam se dar a esse luxo enquanto centenas de pessoas morrem de sede do outro lado do país. Meus pensamentos se dissipam quando uma mulher loira e com a pele rosada surge de uma das portas. Ela tem cabelos cacheados, altura mediana e olhos gentis. Veste uma roupa preta grudada no corpo, deixando suas longas pernas de fora. É realmente bonita.

– Senhorita Varuna! Estava esperando você. Susana me passou as suas medidas e arrumei uma roupa de banho exatamente do seu tamanho. Venha, venha, venha. Não podemos perder tempo! Quero descobrir o que você é capaz de fazer ainda hoje.

Vou atrás dela, um pouco atordoada com seu entusiasmo. A professora Rios me entrega uma roupa parecida com a dela, só que menor e com detalhes vermelhos. Eu me troco em uma das cabines do banheiro do vestiário, me sentindo ligeiramente insegura. Consigo entender a necessidade de não entrar na água com o uniforme, mas precisava ser algo tão *exposto*?

A professora bate palmas de alegria quando me vê e percebo que há mais alguém ali, já dentro da água. Sinto minhas bochechas corarem e contenho a vontade de me cobrir. Não quero parecer uma inculta que nunca viu uma piscina fora das revistas e dos livros.

– Ela ficou tão bonitinha no maiô, professora. – Pela voz é um garoto, embora eu não consiga ter certeza sem encarar a figura que está apoiada na borda da piscina, e para encará-lo, eu preciso parar de ficar vermelha. Tenho a vaga impressão de que já o ouvi antes, mas acho improvável. – Tão pequenininha. Tem certeza de que ela está na escola certa?

– Andrei, por favor – a professora o repreende com humor. – É claro que Sybil está no lugar certo. Não deixe a menina constrangida. Vamos, já para a água!

– Onde eu entro? – pergunto, parando na borda.

– Em qualquer lugar – a professora diz e logo depois se joga na piscina, fazendo um barulho enorme e espalhando água para todos os lados. Ela afunda e volta à superfície enquanto fico ali, paralisada e bastante nervosa. – Venha, a água está ótima. Somos só eu, você e Andrei nessa aula, então podemos nos dedicar a te ensinar a nadar. Só que não dá para fazer isso se você não entrar na água. Não fique com medo, você sabe que não pode se afogar.

Fico confusa. Não tenho certeza se ela diz isso porque sabe do acidente ou só para parecer simpática. Não me sinto confortável com a ideia de que todos saibam pelo que passei, que todos se comportem como se entendessem o que aconteceu. Não sei se quero continuar assim, não dessa forma. E se quando eu entrar na água, eu me *lembrar*? Demoro algum tempo para me convencer de que preciso seguir em frente e, quando finalmente me convenço, dou um passo na direção da borda da piscina. Embora o fato de eu não me afogar seja verdade, não tenho coragem de me jogar do jeito que ela fez. Uma coisa é testar minha habilidade na banheira, outra é nessa piscina enorme.

Sento na borda e entro aos poucos, ficando com os pés firmes na parte rasa. Sinto que o garoto está me observando e olho para ele, mas logo ele mergulha e some para o fundo. Continuo entrando e a água vai aos poucos envolvendo minhas pernas até a metade da barriga. A sensação é incrível e dou um sorriso. A professora me incentiva a mergulhar e, depois de alguns segundos ponderando, faço o que ela pede.

– Isso, muito bem. – A professora Rios se aproxima. – Antes de ensiná-la a nadar, quero descobrir exatamente o que você consegue fazer. Por exemplo, costumo dizer que Andrei é como um tubarão. Ele consegue nadar como ninguém embaixo da água e manter-se lá por tempo ilimitado, até onde conseguimos medir. Além disso, vários detalhes da anatomia dele foram adaptados para que ele consiga perceber as coisas na água tão bem quanto fora dela. E eu consigo manipular a água em estado líquido e em vapor, da maneira que tiver vontade.

– Você consegue fazer isso? Isso quer dizer que pode fazer chover? – pergunto maravilhada. – Ou fazer roupas secarem?

– Chover consigo só um pouco. Quanto às roupas, prefiro deixar que o sol faça esse trabalho – responde ela sorrindo.

Concordo com a cabeça, observando o vulto do garoto nadando ao redor das pernas dela, como se fosse um peixe. Ele se afasta, sem sequer se levantar para respirar. Me espanto por algum motivo idiota, porque, ao que me consta, também sou capaz de fazer a mesma coisa.

– Então, para podermos começar seu treinamento, preciso saber exatamente que tipo de habilidade é a sua. Sei que não é como a minha, mas talvez não seja exatamente como a de Andrei. Com base nisso, posso determinar exatamente o que você vai precisar aprender.

– Tudo bem.

– Então vamos começar com vários exercícios para que eu meça seus tempos e tente compreender as coisas, tudo bem?

– Sem problemas.

E pela hora e meia seguinte, ela me faz atravessar a piscina da forma que eu achar melhor (que é andando), me faz mergulhar para pegar objetos em várias profundidades da piscina, e faz uma brincadeira entre mim e Andrei para ver quem fica mais tempo embaixo da água. Empatamos.

Pela última meia hora de aula, ficamos livres para fazermos o que der vontade e escolho ficar lá boiando, das primeiras coisas que aprendi no hospital, olhando para o teto de vidro do galpão e pensando na vida. Claro que logo sou interrompida por meu companheiro hiperativo.

– Como foi seu primeiro dia no inferno? – ele quer saber, deixando só a cabeça para fora da água. Paro de boiar de costas e fico flutuando ao lado dele.

– Foi você que mandou os bilhetes?– pergunto, mas é retórico. Depois do seu comentário, fica óbvio. É aí que minha memória confusa se conecta com o turbilhão de coisas que aconteceu hoje, e faz a conexão de que era Andrei que explicou o conteúdo da aula hoje de manhã. O garoto dá uma risada engraçada e me contenho para não rir dela. – Bem, não se parece em nada com um inferno.

– Mas é. Você vai ver. Aliás, impressionante a demonstração de fôlego que você deu agora há pouco. Se a professora ensinar direitinho, você pode ser quase tão boa quanto eu.

– *Quase* tão boa? Como você é modesto. – Dou um meio sorriso e ele ri novamente. Mesmo que não queira, rio também. – Aliás! A professora Rios disse que detalhes da sua anatomia são adaptados…

– Você quer saber quais?– ele pergunta, levantando as sobrancelhas, um sorriso torto no canto da boca.

– Você tem guelras? – falo, e o sorriso imediatamente some.

Andrei olha para mim como se subitamente guelras tivessem aparecido no meu pescoço e nega.

– É só que não faz muito sentido para mim. Como a gente consegue ficar tanto tempo embaixo da água?

– No meu caso, meu pulmão tem uma capacidade um pouco maior do que a normal. Quando estou na água, meu metabolismo desacelera e eu gasto menos oxigênio, e assim fico lá por mais tempo. Ou algo do tipo – explica, mexendo as mãos enquanto fala. – Não sei qual é o seu caso. Dois anômalos semelhantes podem ser explicados por fisiologias extremamente diferentes.

Pisco duas vezes para tentar processar o que ele acabou de falar e, quando estou prestes a comentar alguma coisa, o garoto joga água na minha cara. Levo um susto e retribuo automaticamente. Começamos uma guerra involuntariamente, jogando cada vez mais água um no outro. Andrei engasga sem querer e tenho uma crise de riso.

Quando nos acalmamos, ele se apoia na borda da piscina.

– Sinto muito pela recepção da sala hoje de manhã. Nós não estamos acostumados a receber alunos novos. – Ele sorri, como um pedido de desculpas. Seu sorriso é tão contagiante quanto sua risada. – Não ajuda muito alguém ter tido que morrer para você entrar na nossa classe.

– Eles mataram alguém para me mandarem para cá? – digo, arregalando os olhos, assustada.

– Claro. Eles escolheram no uni-duni-tê e, BAM, deram um tiro na pessoa bem no meio da aula de história. – Sinto meus olhos arregalarem ainda mais e ele ri muito alto. A professora chama a atenção dele, e ele dá de ombros. – Claro que não, Sybil! O nome do outro menino era Seeley, foi convocado pelo governo por algum motivo e não voltou. Aquele seu amigo, Leon, foi junto. Aliás, os dois eram amigos íntimos, se é que você me entende. – Ele balança as sobrancelhas de forma sugestiva e mergulha, dando uma volta na piscina e depois voltando para onde estou.

Fico completamente chocada. Andrei está me dizendo que Leon era namorado do garoto morto? Me sinto culpada por estar ali, no lugar de alguém que era tão importante para Leon, e Andrei ri novamente ao ver minha expressão. A risada dele começa a me irritar.

– Eu estou só brincando, Sybilzinha. Ele se sentava no lugar onde você senta, ao lado de Leon. Não tenho certeza se eram namorados ou não. Os dois só tinham poderes um pouco parecidos e, bem, ... as pessoas por aqui se dividem em grupos, por poderes. É óbvio que você acaba ficando amigo de quem passa mais tempo com você, mas isso acaba criando uma hierarquia, é meio absurdo.

– Você está insinuando que, querendo ou não, vou ser obrigada a ser sua amiga? – pergunto, pensando se gosto da ideia de ser amiga de Andrei. Não gosto da ideia de ser obrigada a nada.

Ele sorri e percebo que há algo além de gaiatice no seu olhar. Não lembro de tê-lo visto na aula ou no refeitório, mas talvez seja porque seu cabelo está preso em uma touca preta do mesmo tecido da roupa que usamos. Também lembro do comentário que a professora fez e de como todo mundo riu.

– E por que você não ia querer? Eu sou uma pessoa maravilhosa. Tirando toda a parte da risada de hiena e a mania feia de fazer fofoca com todas as pessoas do mundo sobre quem namora quem.

É a minha vez de rir, e ele ri comigo.

– Soube que você está em TecEsp – o garoto fala, quando paramos de rir.

– Ah, sim. – Levanto uma sobrancelha. – Tem alguma coisa sobre mim que ninguém saiba?

– Hum, vejamos. A cor do seu sutiã hoje? Rosa, né? Então acho que não. – As risadas continuam. Apesar do comentário, não me sinto constrangida. Ele então diz, com um tom meio sombrio: – Você sabe, as notícias são passadas pelas paredes no inferno.

Formulo a teoria de que é mais fácil falar com Andrei porque ele lembra muito a minha melhor amiga. Quer dizer, ex-melhor amiga. Nina era uma garota barulhenta, com uma risada contagiante, e ela sabia tudo sobre todos e brincava sobre qualquer assunto. Era três anos mais velha que eu e havia sido recrutada e transferida para outra unidade do exército antes mesmo que eu fosse escolhida para vir para cá, e isso era a mesma coisa que estar morto. Para ela, eu provavelmente também estava morta. Sinto uma dor no peito, mas Andrei logo faz alguma brincadeira e acabo esquecendo. É assim que tenho suportado os últimos dias.

A aula termina com outra guerra de água, contando até com a participação especial da professora. Troco de roupa no vestiário e, quando saio, descubro que Andrei está me esperando do lado de fora. Só quando paro ao lado dele percebo que não é tão alto quanto as outras pessoas que encontrei antes, o que ainda assim significa ser maior do que eu. Seu cabelo loiro e comprido praticamente o transforma em outra pessoa e sua pele tem um tom amarelado; branca, mas diferente da pele de Brian.

– Você fica diferente sem a touca.

– Seu vestido parece um saco de batatas, mas você não me vê falando isso – ele brinca.

– Sua delicadeza me comove – digo e olho para baixo, torcendo para que ele não perceba que minhas bochechas estão coradas. De todas as coisas, ele tem de comentar justo sobre a minha roupa?! Arrumo a mochila nas costas e olho na direção da escola. – Preciso encontrar Naoki para voltar para casa.

– Ah, sim. Saitou. Ela é legal. Mais histérica que eu, se isso é possível. Ela já deu um daqueles gritos ultrassônicos para você ver? – Ele vê minha cara de espanto e faz um biquinho de frustração. – Você não sabia, é? Que tipo de vizinha ela é, escondendo a mutação dela assim?

– Eu não acho que seja muito educado perguntar sobre isso.

– Você me perguntou se eu tinha guelras – aponta, enfiando as mãos nos bolsos.

– Isso é diferente – digo, me defendendo.

– Não é não. Mas tudo bem, não sou conhecido pela minha sensibilidade e, honestamente, não me importo que você tenha perguntado. Mas nem todo mundo é assim, então não saia por aí perguntando sobre a anomalia dos outros. – Ele levanta uma sobrancelha e faz um sinal para que eu o siga. – Onde você combinou de se encontrarem?

– Na frente da escola.

– Vou ensinar um atalho, então.

Seguimos por um caminho que passa por uma horta, dando a volta no prédio principal da escola pelo lado de fora e, finalmente, chegando na entrada. Naoki está lá, sentada nos degraus da escada, e acena quando nos vê. Posso ver à distância que está curiosa.

– Oi – diz ela, mais tímida do que eu esperava. Essa é A mesma menina que me abraçou poucos minutos depois de me conhecer? – Como foram as aulas, Sybil?

– Ótimas. Naoki, esse é Andrei.

– A famosa Naoki. – Ele estende a mão, mais controlado do que instantes antes. Qual é a dos dois? – Ouvi falar muito de você durante as duas horas que passei nadando com Sybil.

Ele está fingindo que não a conhece, é isso? Foi Andrei que me falou sobre o poder dela! Me controlo para não rir.

– Ah, sério? – Ela olha para mim com um sorriso. – Sybil e eu somos vizinhas. Vou ajudar ela nesses primeiros dias.

– Ela me disse. Muito legal da sua parte, considerando que você nem é do ano dela e tudo mais. – Andrei enfia as mãos nos bolsos e parece um pouco nervoso. – Vocês vão para casa de bicicleta?

– Não, vamos andando. Não é tão longe assim – responde Naoki. – Você mora na direção da Colina?

– Ah, não. Moro para lá, na John Wayne. – Ele aponta na direção oposta à que viemos pela manhã.

– Na John Wayne? – Naoki parece surpresa. – Sério? Quem é o seu pai?

Andrei olha para mim com o canto do olho e depois para Naoki, umedecendo os lábios. Essa conversa toda me desperta a curiosidade. Pelo tom de Naoki, o fato de Andrei morar na tal rua quer dizer que ele é *importante*, ou que ao menos alguém da família dele é.

– Ninguém interessante, na verdade. – Ele dá de ombros. – Olha, eu preciso ir. Sybil, até amanhã. Não vá se afogar na banheira.

E, para meu alívio, ele volta ao normal, soltando sua risada característica enquanto caminha para a rua oposta à nossa.

CAPÍTULO 7

Os próximos dias moldam uma rotina. Todas as manhãs, eu e Naoki caminhamos juntas para a escola conversando, embora somente ela ocupe a maior parte da conversa. Não me importo com a tagarelice dela. Sempre gostei de ouvir histórias, e as das pessoas que moram nessa cidade são fascinantes. São tão diferentes de Kali! As prioridades são tão diferentes! É um alívio poder conversar sobre assuntos bobos em vez de estar sempre preocupada com o que iremos comer ou qual o próximo ataque.

Quando chegamos ao colégio, encontramos Brian e Leon nos esperando e nos separamos em seguida, cada dupla indo para as suas salas. Andrei me passa bilhetes hilários o dia inteiro, sentado logo atrás de mim para não ser pego enquanto esgueira os bilhetes para mim, e é quase impossível prestar tanta atenção nas aulas quanto Leon. Almoçamos todos juntos, inclusive Andrei. Por algum motivo que não consigo distinguir a princípio, aos poucos ele se inclui no grupo de amigos de Naoki junto comigo, como se ele também fosse um novato. Tenho vontade de perguntar várias vezes se ele não tem seus próprios amigos, mas não acho que seja um assunto que ele vá levar na brincadeira. Tampouco quero parecer grosseira.

Depois do almoço, sempre tenho treinamento na piscina com a professora Rios e Andrei. Volto para casa com minha vizinha, encontro Tomás em casa, esquento a comida para nós jantarmos e, mais tarde, Naoki vem para fazermos o dever juntas. Bem mais tarde, Dimitri chega em casa antes de Rubi e pergunta como foi nosso dia. Então coloca Tomás para dormir, me deseja uma boa noite e se acomoda em uma poltrona para ler um livro.

Rubi só chega muito depois, e é muito difícil vê-la nas noites dos dias de semana.

No entanto, a rotina muda subitamente quando as aulas de "Técnicas Especiais Avançadas" começam. Nos primeiros dias de escola, minhas tardes de sexta-feira eram livres e eu geralmente caminhava sozinha para casa antes de Naoki. Mas nessa sexta, Leon me avisa que vamos ter aula.

– Hoje? – pergunto espantada.

– Bem, tinha de recomeçar um dia, não é? – Leon responde e me dá dois tapinhas carinhosos no braço. – E que dia é melhor do que hoje? Nós podemos ir atrás da sua bicicleta amanhã. Naoki vai gostar de vir com a gente pra isso.

Faço um muxoxo. Ele, Brian e Andrei tinham prometido levar Tomás e eu ao bairro com as melhores lojas de bicicletas da cidade. Rubi acha que já é hora de Tomás começar a ir sozinho para a escola e, como fica longe de casa, a bicicleta é a melhor opção. Além disso, eu também preciso de uma. Aparentemente, só Naoki mora perto da minha casa, e se, nas palavras de Rubi, eu quiser visitar um dos meus "amigos bonitinhos", precisarei de um meio de transporte. Nem sei como vou aprender a andar de bicicleta já sendo mais velha, mas não deve ser muito mais difícil que aprender a controlar minha anomalia.

– Tudo bem. O que devo esperar da aula?

– Ah, você sabe – ele responde, vago. – Acho que nada além do que você via na sua outra escola, na zona de guerra.

– O quê? Estratégia de guerrilha, tiro ao alvo e sobrevivência em ambientes inóspitos?– pergunto com descrença. Não consigo entender o motivo dessas atividades serem úteis aqui, em Pandora, onde tudo é tão calmo e pacífico. Já tenho dificuldades em entender o motivo de treinarmos nossos poderes. Leon explica que é para que nossas habilidades não se atrofiem, e que faz parte do nosso pacto com o governo, seja lá o que isso quer dizer.

– Bem, não só isso – diz ele, evasivo. – Você vai ver. Não tem como saber sem ir para a aula.

– Você não acha que Naoki deveria estar matriculada nessa aula? Ou outra pessoa no meu lugar? – Fico pensativa. – Não acho justo que eu acabei de chegar e me ofereçam uma matéria que é exclusiva sem que eu nem saiba bem pra que serve.

– Não se preocupe, Sybil. Se você escolheu, mesmo sem saber o que é, a matéria é para você. As pessoas que estão nessa aula são as que fazem pouco caso dela.

– Como Brian e Andrei.

– Exatamente. Você sabe, eles são praticamente um programa de comédia ambulante. Se bem que acho que todo mundo riria só de ouvir a risada de Andrei – continua ele, rindo só de lembrar dela. – Sério, de onde você tirou essa figura?

– Das profundezas do oceano – respondo, e nós dois rimos. – Naoki me disse que fez uma pesquisa e descobriu que ele entrou na escola ano passado, mas não lembra de ver ele andando com mais ninguém.

– É bom que ele fez amigos. E que são amigos assim tão legais, é claro. Você sabe, nós somos as melhores pessoas dessa escola.

Isso não é inteiramente verdade, mas chega perto. As pessoas da escola se dividem em grupos, exatamente como Andrei havia me dito no primeiro dia de aula. Tem o grupo dos musculosos, meninos e meninas com anomalias físicas, que praticamente não cabem nos uniformes. Tem um grupo com pessoas longilíneas e de pele pálida, que conversam entre si em sussurros, e isso quando conversam em voz alta! Eles são bem silenciosos e Andrei me disse que são telepatas, e me disse para manter distância. O bando das pessoas animadas é um daqueles que fazem muito barulho e atraem a atenção de todos. Isso quando não estão colocando fogo "acidentalmente" em algo, como nas cortinas do refeitório. Há os mais novos e os mais velhos, há os que moram na mesma rua, os que passam o almoço na biblioteca, há os solitários que se sentam no fundo das salas de aula. Leon, Brian e Naoki conseguem migrar entre grupos diferentes, mas não há tanta receptividade quando se trata de mim e Andrei.

Além disso, há uma óbvia hierarquia que coloca um grupo de cinco ou seis pessoas acima de todos os outros. Até Leon, uma das pessoas mais gentis que já conheci na vida, os chama de "nojentinhos". Eles migram de grupo em grupo, provavelmente tentando garantir lealdade das outras pessoas. Eles nem sequer passam perto de nós, embora volta e meia eu veja um dos garotos ou uma das garotas lançando sorrisos felinos na nossa direção, como se estivessem planejando algo.

Minha conversa com Leon é interrompida pela chegada do professor e ele entra no seu estado de quase transe. Sempre é interessante observar a concentração dele na matéria. Em vez de copiar tudo no caderno como eu faço, ou só ignorar o professor como Andrei faz, Leon fica com a cabeça meio abaixada, praticamente imóvel, ouvindo tudo o que os professores falam. Se você perguntar qualquer coisa para ele depois da aula, ele consegue reproduzir as palavras exatas do professor. É como se fosse um gravadorzinho.

As aulas passam e, logo antes do almoço, não consigo conter minha ansiedade. Uma coisa foi escolher a matéria, outra é começá-la, principalmente depois de tanto ouvir sobre essas aulas. Tenho vontade de levantar da aula de biologia das mutações, caminhar até o corredor acima e arrancar Leon e Andrei da sala de aula para eles me acalmarem.

Sou a primeira a sair da sala quando o sinal toca e a primeira a se sentar na mesa do refeitório em que geralmente comemos. Tiro da mochila o almoço que Dimitri sempre deixa pronto para mim e cruzo as pernas, esperando que algum dos meus amigos chegue.

Em vez disso, quem se aproxima é uma garota de cabelo preto na altura dos ombros. Eu a reconheço como integrante do grupo dos nojentinhos, uma das garotas que se acha melhor do que os outros, e fico tensa. Já ouvi o suficiente para saber que aquele interesse súbito é um problema.

– Sybil Varuna, não é? – Ela se acomoda em uma cadeira na minha frente, apoiando os cotovelos na mesa. – Você é tão bonitinha, tão pequenininha, que é difícil não te reconhecer pelos corredores. Parece uma bonequinha.

– Obrigada – digo, olhando para a porta, nervosa. Volto a olhá-la e decido ser educada. – Desculpe, mas não ouvi seu nome.

– Foi porque eu não disse. – Ela dá um meio sorriso, que me lembra um leão faminto igual dos livros de biologia. – Anya Kurnikova. Eu sou do seu ano, mas da outra turma.

– Muito prazer, Anya – digo, encarando-a. Ficamos em silêncio e me lembro da série de autoridades que tive de encarar no último mês.

Ela é a primeira a desviar o olhar, examinando as próprias unhas.

– Fiquei sabendo que você está em TecEsp.

– Aparentemente toda a escola sabe disso– respondo bem-humorada.

– Bem, você realmente sabe o que significa estar nessa aula? – Anya se inclina na minha direção, arrumando o cabelo atrás da orelha. – Sabe o que eles fazem?

– Não, mas vou descobrir assim que o almoço acabar.

Anya fica furiosa, tirando os cotovelos de cima da mesa e se empertigando. Ela é tão branca que seu pescoço fica vermelho. Provavelmente não está acostumada ao pouco caso que eu estava fazendo dela.

– Você deveria desistir e dar a chance para alguém que pelo menos pertence aqui, sabe? Não vejo por que uma garota como você, vinda de não sei lá onde, foi escolhida para essa matéria enquanto existem pessoas muito mais capazes aqui.

– Ah, não, obrigada – digo e arrumo o cabelo atrás da orelha fazendo o mesmo gesto que ela. O refeitório está começando a encher e as pessoas olham para nós com curiosidade. Onde estão meus amigos? – Não faço questão.

– O quê?

– O que o quê?

– O que você disse? – Ela se levanta e coloca as mãos na cintura, irritadíssima.

– Se for pra eu desistir, vai ser para algum amigo meu entrar, e não para uma pessoa mal-educada igual você. – Meu tom é calmo e eu a encaro com persistência. – Se você me der licença, preciso almoçar.

A vermelhidão do pescoço de Anya sobe até o rosto e ela parece estar prestes a me matar. A forma como contorce o rosto faz parecer que ela está a ponto de chorar de raiva. Não consigo imaginar o porquê, já que eu nem mesmo tinha intenção de ofender.

No instante em que penso isso, sinto minha mesa começar a tremer. Fico alerta e coloco as mãos sobre ela, tentando entender o que está acontecendo. Então os tremores ficam mais violentos, ouço o vidro da janela atrás de mim rachar e meu instinto é me enfiar embaixo da mesa. Ninguém me disse que temos terremotos em Pandora. Por que não me avisariam de algo importante assim?

Demora alguns segundos para eu perceber que nenhum outro lugar, além de onde estou, está tremendo. *Nenhum outro lugar.*

Quando percebo o que está acontecendo, saio de debaixo da mesa indignada. Anya está rindo, mas o resto do refeitório fica em silêncio. Bom saber que eles não concordam com esse tipo de atitude. Anya faz o vidro atrás de mim rachar ainda mais, em um ponto que dá certeza que mais um pouco e ele cairá em cima de mim. Dou um passo para trás, mas tropeço em uma das cadeiras.

– Anya! – Não reconheço a voz que chama a atenção dela, mas estou mais ocupada em não cair do que em identificá-la. – O que você está fazendo?

E, tão subitamente quanto começou, o tremor para. É esquisito sentir o chão estabilizado novamente e me sento na cadeira, sem entender direito o que tinha acabado de acontecer. Por mais que eu esteja em Pandora há pouco mais de um mês, ainda é esquisito pensar que as pessoas daqui possuem *habilidades especiais*, como provocar tremores de terra localizados.

Uma garota negra e alta, que reconheço como uma das amigas de Anya, se aproxima dela e sussurra algo violentamente. Anya parece contrariada, como uma criança tomando bronca da mãe, e fica com os braços cruzados e a cabeça baixa.

Nesse meio-tempo, Naoki e Brian se aproximam e chegam ao meu lado, perguntando se estou bem. Respondo com um aceno de cabeça, observando Anya como se ela fosse venenosa.

– Você está bem? – É a menina negra que pergunta, virando-se para mim. O tom dela é de preocupação. – Se machucou?

– Eu estou bem. – Eu me levanto, arrumando o vestido do uniforme. Sinto os olhos de toda a escola em cima de mim, sinto suas expectativas. – Eu só acho que a sua amiga não vai ficar bem se alguém vir o que ela fez com o vidro.

Isso faz Brian rir. E Naoki. Anya fica furiosa novamente (dá para notar pela forma como ela fica vermelha), mas a menina negra faz um gesto e ela fica imóvel, paralisada, como se por mágica. Uri sorri para mim.

– Percebo que vocês dois têm uma amiga muito corajosa, Brian e Naoki.

– Percebo que você tem uma amiga muito irritada, Uri – Brian responde. – Você deveria controlá-la. Não pega bem para a sua imagem se uma das suas amigas for uma psicopata.

Espero uma reação tão ruim quanto a de Anya, mas ela não vem. Em vez disso, a garota ri.

– Todos nós conhecemos Anya, Brian. Não é segredo para ninguém que ela é uma psicopata. – Fico chocada, e ela faz um sinal com a mão para que eu releve. – Isso não apaga o fato de ela ser uma boa amiga.

– Ela poderia ter matado a Sybil – Naoki protesta com seu tom melodramático. – Sendo que ela não fez nada!

– Estou ciente disso. – Uri olha para Naoki rapidamente e depois volta a falar com Brian. Percebo que ele é o líder aos olhos dela. – Onde está Leon?

– Leon? Não faço ideia. Ele deve estar chegando – respondo e ela olha para mim, fixamente. Por fim, sorri.

– Diga a ele que peço desculpas pelo ocorrido. Anya não vai mais perturbá-los. Eu me certificarei disso.

Ela estala os dedos e Anya volta a se movimentar, seguindo-a, mas antes lança um último olhar de ódio para mim. Brian pega minhas coisas e Naoki me guia para outra mesa vazia, longe da janela quebrada. Eles parecem achar tudo aquilo normal, mas fico remoendo os últimos acontecimentos na cabeça enquanto começo a comer. Ficamos em silêncio.

– Então você já tem uma inimiga? Você é rápida, Sybil. Muito rápida. – Andrei me assusta quando chega e derrubo um pouco do meu almoço no colo.

Ele e Leon se sentam nas cadeiras restantes, cada um com uma bandeja.

– Vocês deviam ter me avisado que eu teria tantos problemas escolhendo essa matéria antes, porque aí não teria escolhido nada – resmungo enquanto me limpo. – Sério, Andrei. Achei que o mundo estava acabando em um terremoto e tudo ia desmoronar.

Ele segura meu ombro de forma reconfortante e olha para Leon.

– O que você acha disso, como ilustríssimo alfa da nossa matilha, reconhecido por ninguém mais ninguém menos que Sua Majestade, Uri Kigaard?

– Acho que Anya deveria procurar outra coisa para fazer e nos deixar em paz.

É impressão minha ou Leon está de mau humor?

– Aliás, por que vocês demoraram tanto? – Naoki pergunta. – Se estivessem esperando na porta da sala da Sybil como sempre fazem, nada disso teria acontecido. Vocês sabem: Anya só se aproveitou da ignorância dela para fazer o que fez. Vocês poderiam ter impedido.

– Sybil não precisa que ninguém a salve – responde Andrei e me sinto grata de uma forma estranha por ele reconhecer isso. – Sério, você já viu como um tapa dela dói?

Pela brincadeira, ele recebe um dos tapas doloridos, e aponta para mim dizendo: "Estão vendo?". Brian e Naoki riem, mas Leon continua sério.

Eu o cutuco e ele vira o rosto para mim.

– Você está bem? – pergunto em um sussurro.

Ele responde com um aceno de cabeça e volta a comer. Olho para Andrei buscando alguma explicação para a mudança de humor repentina de Leon, e ele dá de ombros. Fico em silêncio pelo resto do almoço e não como quase nada, para a felicidade de Andrei e Brian, que dividem o que sobrou do meu almoço entre eles com gratidão. Naoki fica silenciosa também, provavelmente ressentida por não fazer parte da aula de TecEsp que vamos fazer a seguir.

– É verdade que você disse para Anya que se fosse desistir, seria para dar lugar a algum amigo seu? – Leon pergunta, se virando para mim. Ele havia me dito que não precisa olhar para a pessoa para ouvi-la, mas as pessoas gostam disso.

– Sim. Por que eu daria a minha vaga para a Anya Treme-Terra quando a Naoki está morrendo de vontade de fazer a aula também?

Ele sorri para mim e balança a cabeça, sussurrando algo quase inaudível. Fico confusa e me concentro na conversa animada que Brian e Andrei estão tendo sobre algum tipo de filme novo que envolve aviões e missões de guerra. Brian é viciado em filmes e já disse várias vezes que quer ser diretor de cinema, por mais que seja impossível para um anômalo chegar tão alto em uma carreira. Andrei não tem a mesma pretensão, mas passa uma quantidade imoral de tempo assistindo televisão. É meio assustador que os dois não tenham se tornado amigos antes, tendo tanto em comum (inclusive o mesmo tipo de humor).

Naoki fica cada vez mais silenciosa e tenho a impressão de que ela está diminuindo na cadeira. Coloco uma mão sobre a dela e aperto, em um gesto reconfortante. Tenho vontade de dizer algo, mas ela pode achar que é por pena. Começo a acreditar que provavelmente eu deveria ter escutado a diretora e deixado outra pessoa entrar no meu lugar, considerando os problemas que uma simples matéria estava me trazendo.

O sinal toca, me deixando com o sentimento de que ainda vou me arrepender muito de ter escolhido "Técnicas Especiais Avançadas" para preencher meu currículo.

CAPÍTULO 8

– Cidades *especiais*. – A voz grave do professor me assusta e tenho um sobressalto. Andrei me segura pelo braço, para me acalmar. – Cidadãos *especiais*. Técnicas *especiais*. Se nós somos assim tão especiais, por que estamos presos aqui?

O auditório fica em silêncio e eu encaro a figura que acabou de entrar, ansiosa. Somos mais ou menos cinquenta alunos e o único lugar que acomoda todos nós é o anfiteatro. Várias cadeiras ficaram vazias e as pessoas se aglomeram por afinidade, o que quer dizer que eu, Leon, Andrei e Brian estamos em uma das fileiras da frente, sem mais ninguém por perto. O professor olha para nós e dá um sorriso.

– Estou brincando, é claro – ele continua, e a sala inteira parece voltar a respirar. – Estava com saudade de vocês. Ficaram bem enquanto eu estava fora? O quê? Vocês choraram imensamente todos os dias que ficaram sem mim? – Todos riem e o professor coloca a mão no peito, dramaticamente. – Assim vocês querem partir meu coração!

– Professor, a última coisa que a gente quer é partir seu coração – comenta uma garota que nunca vi antes, em tom de flerte, e as amigas dela dão risadinhas. – Como o senhor está?

– Muito bem, Lalita. Muito bem – ele responde, piscando para ela. Depois, caminha até nossa direção, e sua expressão fica séria. – Infelizmente, tivemos uma perda na última viagem de campo que realizamos. Leon, quer falar algo sobre Seeley antes de começarmos?

– Não, senhor – Leon responde baixo e se mexe na cadeira, parecendo desconfortável.

– Tudo bem. Eu entendo. Classe, vamos fazer um minuto de silêncio pela memória de Seeley Santos. – Ele fica quieto por tempo o suficiente para o silêncio ser desconfortável, e torna a andar pela sala. – Pronto. Bem, para substituir nosso garoto maravilha, nós temos uma aluna nova. Sei que muitos de vocês questionaram essa escolha, mas, quando eu soube que nossa Sybil Varuna nasceu e cresceu em Kali, não consegui resistir à vontade de tê-la como parte do nosso grupo.

Sinto minhas bochechas corarem e ele faz um sinal para que eu vá até a frente, perto dele. Prendo a respiração e balanço a cabeça em negativa, nervosa, mas ele insiste. Por fim, é necessário que Andrei me empurre da cadeira para que eu desça os degraus. Quando fico ao lado do professor, me sinto uma criança comparada a altura dele.

– Sybil, por que você não se apresenta?

– Não acho que seja necessário, senhor. – Tento não parecer mal-educada, mas estou tão chateada com a situação que não me esforço muito.

– Sybil, por favor. Olhe para os seus colegas; eles estão morrendo de vontade de conhecê-la melhor. Eles já se conhecem bem demais. Dê um sopro de novidade em suas vidas.

Ele, então, põe a mão nas minhas costas e me direciona para o centro da sala, praticamente me empurrando. Percebo que todos mantêm os olhos questionadores fixos em mim; só Andrei exibe um sorriso zombeteiro. Fico com vontade de dar um chute nele. Olho melhor para meus amigos e vejo Leon segurando um papel escrito "você consegue" de cabeça para baixo. Respirando fundo, sigo seu conselho.

– Meu nome é Sybil Varuna, tenho 16 anos e vim para cá no programa de refugiados de guerra – digo. Dou uma olhada para o professor, enxugando o suor das minhas mãos no tecido do uniforme. Ele faz um sinal impaciente para que eu continue. – O navio em que eu estava naufragou e eu fui a única sobrevivente.

– Incrível, Sybil!– O professor comenta como se eu tivesse 5 anos. – E como isso aconteceu?

– Aconteceu algum tipo de pane nos motores e nós batemos em uma formação rochosa submarina. O navio foi quase todo evacuado quando finalmente afundou. – Respiro fundo e ergo a cabeça. Não devo satisfação para nenhuma dessas pessoas. – Nós ficamos por horas na água, que estava em temperatura congelante. Não sei bem os detalhes, mas o socorro demorou para chegar e todos se afogaram ou congelaram antes que isso pudesse acontecer.

Tento deixar a minha voz o mais impassível possível, um esforço homérico dada a situação em que fui colocada.

– Todos menos você. Porque você é uma de nós. Você é especial.

– Assim me disseram – respondo, olhando para o chão na esperança de que um buraco se abra e me engula.

– Assim disseram a você. – Ele ri. – E seus pais? Eles estavam com você?

– Essa é uma pergunta bem maldosa – digo, levantando o rosto para encará-lo e ignorando a posição de superioridade que ele tem simplesmente por ser meu professor. – O senhor provavelmente viu a minha ficha e sabe muito bem que sou órfã. A maioria dos menores de idade que se elegem pro programa de refugiados não tem família.

– Oh, a garota é corajosa! – Ele faz chacota e a turma inteira ri de mim. Eu me sinto constrangida novamente e tenho vontade de sumir. Essa aula é feita exclusivamente de humilhação pública? – Mas seus pais provavelmente eram como nós.

– Eu não os conheci, senhor. – Tento ser ríspida, para ver se ele para com a provocação. – Não saberia dizer.

– Foram eles que nomearam você?

– Sim. – Umedeço os lábios, irritada. Não tenho certeza se gosto desse professor. Na verdade, a cada segundo que passa, tenho mais certeza que *não* gosto dele. – Fui encontrada em uma cestinha na porta de uma igreja com o meu nome escrito em um papel.

– Sério?

– Claro que não. – E é a minha vez de fazer a turma rir. O professor não parece ficar sem graça e ri junto com o pessoal. – Tive a sorte de ser deixada na porta de um orfanato, e lá eles sortearam meu nome e meu sobrenome.

– Mesmo?

– Sim – respondo e percebo certa decepção no rosto dos meus colegas.

– Tem certeza? Pois me parece muita coincidência seu sobrenome ser Varuna, o nome do navio de guerra tripulado por anômalos mais famoso da União, e você ter justamente uma habilidade relativa à água.

Dou de ombros. Não há o que comentar sobre isso, porque realmente é uma coincidência. Uma coincidência bem esquisita, mas minha vida nunca foi exatamente normal. Tenho certeza absoluta de que fui uma das crianças entregues para a adoção no momento em que nasci, ainda pela parteira. Se meus pais tivessem me dado um nome, teriam talvez me dado outra coisa para mostrar que eu tinha pertencido a eles algum dia. Eu havia visto crianças serem deixadas com dinheiro, cartas, pingentes, heranças de família. Não era o meu caso. Ninguém estava interessado em mim.

– Tudo bem. Alguém contou a você quais são as regras dessa aula?

– Não, senhor.

– Vejo que vocês estão se mantendo nelas – diz ele se voltando para a classe, que responde com risadinhas. – São três regras muito simples: você não diz para ninguém o que acontece aqui; você não faz alarde que é parte da turma; você sempre respeita os outros membros. Se você descumprir as regras, sua vida vira um inferno, certo?

Olho para ele, esperando ouvir que é brincadeira, mas pela primeira vez ele não esboça nenhum sorriso. Toda a sala está séria. Sinto o peso da responsabilidade sobre meus ombros e concordo com a cabeça, nervosa. É por isso que ninguém me dizia o que exatamente acontecia nessa aula? E por que tanto segredo? Que tipo de coisas eles fazem aqui? Dissecam animais, cometem assassinatos? Segredos nunca me fizeram sentir bem, porque sempre há alguém que quer tirá-los de você. E eu já vi exatamente o que acontece quando alguém está determinado a descobrir.

– Sybil? – O professor chama minha atenção. – Obrigado pela apresentação. Pode voltar a se sentar.

Subo os degraus de volta para as fileiras e me acomodo em minha cadeira, entre Leon e Andrei. Não percebo que estou tremendo até que Leon pergunta se estou bem. Respondo com um "sim" baixinho, e Andrei envolve uma de minhas mãos nas suas, numa tentativa de me acalmar. O professor começa a tagarelar sobre as melhores formas de tentar prever o que um inimigo vai fazer sem ser um telepata.

O tempo e o andamento da aula de TecEsp me acalmam um pouco, mas acabo por desenvolver uma aversão tremenda ao professor. Ele é chamado de Z e ninguém sabe seu nome verdadeiro. É o homem mais pretensioso do universo, com suas tentativas de ser engraçado e sua mania de se apresentar como sendo melhor do que os outros. Além disso, todos os outros alunos da turma o idolatram, como se ser agraciado por um comentário maldoso de parte dele fosse uma bênção divina.

E é por causa dele que, agora, sempre começo as sextas-feiras emburrada. Naoki não entende meu mau humor, mas é algo que não posso compartilhar com ela. No final, quem ouve a maior parte das minhas reclamações é Andrei, em vários bilhetinhos distribuídos nas aulas ao longo da semana ou durante longas conversas em nossos encontros na piscina. Ele sempre me ouve pacientemente, parecendo se divertir com minha verborragia incomum quando se trata desse assunto.

Na verdade, não há nada em TecEsp que seja muito diferente das aulas extras ministradas em Kali. Volta e meia o professor nos leva para um dos ginásios, nos separa em grupos e nos faz treinar o uso conjunto dos nossos poderes. Às vezes, ele nos divide em dupla e pede para que joguemos xadrez, a fim de aumentar nossa concentração e rapidez de pensamento. O professor Z também gosta de fazer monólogos intermináveis sobre a situação dos anômalos no mundo, sobre outras cidades, sobre as leis que estão sendo votadas em Prometeu e outros assuntos desse tipo.

Algumas vezes Naoki pergunta o que acontece durante as aulas, enquanto estamos deitadas no chão do meu quarto com ela trançando meu cabelo. E por mais que ela me reassegure que minhas evasivas não a magoam, eu sinto o ressentimento dela. Ela está naquela escola há mais tempo do que eu e não teve direito à vaga disponível. Por que *eu* sou mais especial que ela? Por que pessoas que não olham nem sequer duas vezes para ela passaram a me cumprimentar diariamente?

Toda essa situação também não me deixa confortável. Por mais que a minha amizade com Naoki esteja se solidificando, eu me sinto muito mais íntima até de Brian do que dela, como se meu segredo fosse uma barreira física entre nós duas. Ela pode dormir na mesma cama que eu, passar o dia inteiro na minha casa, pegar emprestado meu cachecol e outras dezenas de coisas banais, mas não pode ouvir tudo o que eu tenho a dizer, pois isso implica tocar em assuntos dos quais ela não faz parte.

Fico tão infeliz com tudo isso – tanto Naoki quanto a matéria em si – que depois da quinta aula de TecEsp, Andrei sugere que eu saia da matéria, já que estou tão incomodada. Quando pergunto a opinião de Naoki sobre o assunto, ela quase surta.

– Isso é um absurdo! Ninguém sai de TecEsp, a não ser que se forme ou morra. Eu só faria isso se quisesse me tornar uma pária social.

Desisto logo da ideia, antes que o conflito entre nós duas aumente.

CAPÍTULO 9

O inverno chega e passo duas semanas pensando que qualquer dia desses serei encontrada congelada em minha cama pela manhã. Mesmo ligando os aquecedores no máximo e dormindo com cobertas e pijamas grossos, durante a noite, o frio sobe pelos meus ossos e me faz ficar tremendo. Toda vez que acordo no meio da madrugada me sentindo gelada, penso na ironia da situação. Sobrevivi a temperaturas ainda mais baixas dentro da água, sem grande esforço, e agora não consigo suportar o início do inverno!

A sorte é que, com a minha habilidade, não tenho problema nenhum em continuar meus treinos na piscina. Finalmente a professora Rios (que, aos poucos, se tornou minha professora favorita) me ensina a nadar e estamos trabalhando formas de se locomover embaixo da água sem precisar fazer muito esforço. Descobrimos que, enquanto Andrei é naturalmente mais hidrodinâmico e consegue nadar incrivelmente rápido, eu ainda tenho dificuldades com essa parte. Se fico muito cansada, o ar começa a faltar e preciso subir para respirar.

Para minha vantagem, ele não é resistente ao frio. A piscina da escola é aquecida, mas quando Andrei sai da água quente começa instantaneamente a bater o queixo. Já eu, enquanto estiver molhada, não sou capaz de sentir frio. Talvez o ideal para mim seja começar a dormir dentro da banheira.

E quando começa a nevar, finalmente, sinto um alento, e o frio diminui. É uma relação meio ilógica e, enquanto Naoki e os outros põem ainda mais casacos, tenho vontade de tirar o casaco e rolar na neve. Ahhh, a neve! É uma coisa branca, úmida, entre gelo e água, tão agradável de sentir na pele. Nunca vi nada parecido e começo a desejar que neve todos os dias, para desespero dos meus amigos. E, quando conto isso para a professora Rios, ela ri e obriga Andrei a sair para termos uma aula ao ar livre. É uma das aulas mais divertidas do ano! Terminamos com uma guerra de bolas de neve. Obviamente, a professora Rios ganha, já que ela consegue manipular a água.

O inverno me dá saudade de vovó Clarisse e me faz escrever longas cartas com muitos detalhes sobre meu cotidiano em casa e na escola. Consigo imaginá-la sentada na cozinha, lendo-as para as outras órfãs da casa, e tento acrescentar o máximo de histórias que consigo para animá-las. Vovó me responde com cartas igualmente longas e, ao lê-las, sinto falta das pessoas que um dia foram minha família, mas não sinto saudades de Kali. Não consigo pensar em nenhum aspecto de Pandora que em Kali seja melhor. Faço uma promessa a mim mesma de que conseguirei uma maneira de tirar Vovó Clarisse de lá. Acredito que até um campo de refugiados aqui em Arkai seja melhor do que a mais luxuosa casa da zona de guerra.

Em uma de suas cartas, vovó me conta que uma menina do abrigo finalmente teve um filho, mas ela resolveu dá-lo para a adoção. Além de ser difícil criar uma criança em Kali, tenho quase certeza de que a menina é um ou dois anos mais nova que eu. Não sei exatamente como isso aconteceu, mas suspeito que ela provavelmente foi enganada por algum soldado que depois a abandonou. Não seria a primeira, nem a última, infelizmente.

Soube também que o garoto considerado por vovó meu "namoradinho" havia morrido em uma explosão de mina. Ela tem essa mania irritante de achar que todos os garotos com quem sequer trocamos uma palavra são nossos namorados, mas não era o caso. Benji era um garoto três anos mais velho que eu que praticamente me perseguia, para meu desconforto extremo. Não éramos amigos e eu tinha certeza de que estava só esperando meu aniversário de 18 anos para pedir minha mão em casamento à vovó Clarisse, sem se importar com o que eu queria. Eu o odiava e geralmente me escondia quando o via se aproximar. Mesmo assim, fico deprimida com a notícia da sua morte.

Em todas as cartas, vovó deixa claro que está contente por eu estar feliz e sempre as termina com um "você sabe que eu te amo" antes da assinatura. Algumas vezes Dimitri pede que eu leia as cartas em voz alta para ele e nós trocamos experiências e histórias de onde viemos. Descubro que ele veio para cá com 17 anos e foi adotado pela mesma família que adotou Rubi. Desde então, os dois são como irmãos. Quando Rubi ficou grávida de Tomás e o pai do garoto sumiu, Dimitri a convidou para morar com ele e, assim, criaram uma nova família.

Conforme me habituo às pessoas e à vida em Pandora, meus pesadelos ficam menos frequentes. Em compensação, quando voltam, são três vezes piores do que antes. Os desconhecidos que gritavam por ajuda são substituídos pelas pessoas de Kali, e as vozes delas me assombram por horas quando acordo.

No entanto, a última parte dos sonhos é sempre a pior. Se antes eu boiava na água, vendo-os se afogar, nesses sonhos eu os sinto se aproximando e tentando se segurar em mim para não afundar. São pessoas desfiguradas, com os dedos nodosos e o rosto coberto por uma pele esticada que não parece pertencer. Não consigo reconhecê-las pelas feições, mas de alguma forma sei quem são. Uma criatura ruiva me segura pelos tornozelos, um garotinho me puxa pela cintura. Uma garota de cabelo preto segura meu joelho e um garoto de pele negra puxa meu cabelo. Tento me soltar para não afundar, porém mais um vulto loiro se junta a eles e não consigo mais me manter na superfície. Tento gritar, mas engulo água e engasgo.

Quanto mais tento me soltar, mais afundo. As pessoas continuam gemendo e pedindo por ajuda, mesmo embaixo d'água, e não sei o que fazer. Engulo mais água e, subitamente, ela se transforma em fogo. Os gritos se tornam ainda piores e o calor é insuportável. Minha pele arde e tento berrar, mas a água que engoli também se transforma em fogo e eu sufoco. Não consigo respirar e tenho vontade de arrancar minha pele fora, mas não consigo me mexer. Tento puxar o ar, mas meu pulmão parece que vai explodir. É essa a sensação de se afogar? De se sufocar? É assim a sensação de morrer?

Acordo desesperada, com os lençóis jogados no chão e a cama parecendo um campo de batalha. Meu estômago embrulha e respiro fundo várias vezes, só para garantir que consigo.

– Sybil? – Tomás pergunta em um sussurro e ergo os olhos, vendo o garoto parado na porta do meu quarto com uma expressão assombrada. – Você está bem?

– Melhor agora. – Minha voz sai rouca. Sinto a garganta seca.

– Eu trouxe água. – Ele estende o braço rigidamente, sem entrar no quarto, e percebo, com um humor inesperado, que ele está esperando um convite para se aproximar.

– Obrigada. – Dou um sorriso fraco e me levanto para pegar o copo da mão dele. – Quer entrar?

Tomás concorda com a cabeça e se acomoda na cadeira da minha escrivaninha, parecendo preocupado e constrangido. Eu me sento na cama, com as pernas cruzadas, tentando ainda afastar as imagens do pesadelo.

– Eu também tinha pesadelos quando era pequeno – diz ele, tentando me reconfortar. Sinto uma gratidão imensa por aquele menininho. Ele não tem a obrigação de se preocupar e, ainda assim, está aqui, tentando fazer algo por mim. – Eles eram horríveis. Tinha uns monstros com uns tentáculos e umas aranhas gigantes que devoravam tio Dimitri e a mamãe.

– Que horror! – digo, fazendo uma careta. – Eca! Tentáculos!

– É! Eu sei! – diz o menino com veemência e se acomoda na cadeira, seus pés balançando a centímetros do chão. – Toda vez que eu tinha pesadelo, mamãe sempre aparecia e ficava comigo até eles irem embora. Se você quiser...

– Não precisa se preocupar comigo – respondo com um meio sorriso.

Ele cruza as pernas em cima da cadeira e me encara com olhos estranhamente sérios. Às vezes ele me dá a impressão de ser muito mais velho do que realmente é.

– Nós somos a sua família agora. A gente não se preocupa porque tem de se preocupar, mas porque nos importamos com você. – O discurso é muito adulto e tenho certeza de que ele está repetindo algo que ouviu de Rubi ou de Dimitri. De qualquer maneira, sinto um aperto no peito e dou um tapinha na cama ao meu lado.

– Você quer ficar aqui até que eu volte a dormir? – pergunto e Tomás hesita um pouco antes de concordar com a cabeça. – Mas amanhã você tem aula e tem que acordar cedo.

– Você também. E eu consigo ficar uma noite sem dormir – ele diz e estufa o peito, em um tom de desafio.

Dou um sorriso e tento não rir, com medo de ofendê-lo.

– Então tudo bem. Mas, se você quiser, minha cama é gigante e você não precisa ficar acordado.

– Sério? – diz ele, meio surpreso. – Não tem problema?

Balanço a cabeça e me enfio nas cobertas, deixando espaço para ele se acomodar. É esquisito nos primeiros minutos, mas logo nos acostumamos. Só depois que Tomás cai no sono, com a cabeça encostada no meu ombro, que percebo que mal consigo me lembrar do horror do pesadelo. Arrumo o cabelo de Tomás gentilmente, sentindo uma gratidão imensa pelo que ele fez e com a certeza de que faria o mesmo por ele.

E percebo que ele está certo: eles são minha família agora.

Não poderia ter conseguido uma melhor.

CAPÍTULO 10

Nesses dois meses, eu e minha nova família visitamos Prometeu três ou quatro vezes. Em uma dessas visitas, vamos só eu e Dimitri e fico sentada em uma sala de espera, em um sofá anormalmente grande, balançando os pés enquanto ele trata de assuntos do seu trabalho. Nós dois estamos usando o amarelo obrigatório para nos distinguir nos territórios normais, mas, dessa vez, ele está com um conjunto de terno dessa cor e eu, com um vestido. Parecemos pai e filha, prontos para irmos para algum culto esquisito em que as pessoas só se vestem de amarelo.

Enquanto eu espero, lendo um dos livros para a escola, um garoto se senta ao meu lado. Levanto os olhos ao perceber que ele usa uma camisa chique de linho amarela.

– Livro interessante – diz ele e sorri abertamente. Seus dentes são muito brancos e contenho a vontade de cobrir meus olhos.

– Ah, sim. É para a escola.

Tento voltar a ler, mas ele se inclina mais em minha direção.

– Eu li isso para a escola também – ele comenta e suponho que ele já tenha se formado, apesar de não parecer ter mais que 17 anos. – Antes de descobrir que ela não serve para nada.

– Legal – murmuro, relendo a mesma frase pela quinta vez. Quem sabe assim, obviamente me concentrando, ele me deixa em paz.

– Esse vestido que está usando é bem bonito. Você fica bem de amarelo.

– Obrigada.

– Eu nunca te vi por aqui. Você não vem sempre, vem?

– Não – respondo com impaciência.

– Hum, eu venho. Sempre que meu pai tem algo para resolver aqui na prefeitura ou no senado. – Ele não se importa com minhas respostas curtas e eu o encaro com uma expressão de desinteresse. O garoto ignora e continua tagarelando. – Por isso suspeitei que você fosse nova, porque senão eu teria visto você antes. Eu, com certeza, me lembraria.

Concordo com a cabeça, fingindo ao máximo que estou lendo. Não entendo o interesse que ele tem em mim. Será possível que ele vai me contar a vida dele inteira só porque tive a infelicidade de me sentar ao lado dele?

– Você sabe, meu pai é um cara muito importante – ele continua, sem tirar os olhos de mim. Tenho vontade de dar uma resposta mal-educada, mas me contenho. – Para aberrações como nós. Isto é, se não fosse por ele, duvido que você estaria lendo esse livro aí para a escola. Provavelmente estaria sendo usada como escrava para produzir comida como aqueles mendigos que vêm da zona de guerra.

Isso me faz parar e fechar o livro com um estalo alto, encarando-o irritada. O gesto o faz sorrir de forma convencida. Olhando-o diretamente, posso ver que ele tem cabelos escuros e olhos claros, um rosto anguloso e um queixo quadrado.

– Os refugiados trabalham por comida e abrigo, em um lugar seguro onde não serão explodidos por uma mina ou uma bomba, ou onde não precisam ter medo de serem assassinados. Eu tenho certeza de que o que você chama de condições de escravidão são condições humanas e aceitáveis – digo, colocando o livro no meu colo. – Além disso, também existe uma chance de se tornar cidadão legal das províncias do continente Pacífico e viver uma vida com condições mais dignas, sem ser acordado por avisos antibomba no meio da noite ou perder um conhecido por semana.

Ele me encara surpreso, mas parece contente por ter chamado minha atenção. Provavelmente era esse o seu objetivo desde o início, porque minha aparência não dá espaço para dúvidas quanto à minha origem.

– Desculpe se você se ofendeu, não imaginava que você era a favor dessas pessoas roubando nossos impostos.

– Desculpe se sou uma mendiga que está roubando seus impostos.

– Oh, oh, oh! – Os olhos dele brilham, como se tivesse obtido uma vitória. Dá um sorriso que tenho certeza de que Naoki ia achar lindo, mas só acho desagradável. – Eu devia saber, com essa aparência exótica. Baixinha assim, com esse cabelo e essa cor de pele diferente...

Reviro os olhos, irritada, e volto a abrir o livro, mas o garoto não desiste.

– Em qual das cidades você mora? Em Pandora? Em Medusa? Ou em Equidna?

– Realmente espero que não seja no mesmo lugar que você – respondo, ríspida.

– Você não deveria falar assim comigo. – O tom dele muda, e ele me lembra uma criança contrariada. – Você sabe quem é meu pai?

Balanço a cabeça, impaciente. Mesmo que o pai dele seja uma estátua de ouro que jorre pizza líquida pelas mãos, ele não merece nenhum tipo de respeito na minha opinião. Não depois de me insultar daquela forma. Eu não imaginava que pudessem existir pessoas que pensassem dessa forma, ou que ao menos pronunciassem as opiniões com tanta certeza.

No momento em que o garoto decide me contar sobre o pai, uma porta se abre e várias pessoas saem dali. A reunião de Dimitri chegou ao fim e ele se aproxima de mim com um sorriso, que diminui consideravelmente quando percebe a minha expressão e quem está sentado ao meu lado. Dimitri olha para o garoto e faz um sinal para que eu me levante.

Atrás dele, reparo em um homem muito bem-vestido com um terno fino e de bom gosto, apenas com uma gravata em um tom amarelo mais escuro e mais discreto do que as roupas que eu e Dimitri vestimos. Ele para em frente a nós e abre um sorriso frio e calculista, cheio de dentes, como o de um tubarão.

– Vejo que sua filha conheceu meu filho. – Percebo que seu sorriso é quase idêntico ao do garoto, porém ainda mais predatório. – Ela se parece bastante com você.

Dimitri coloca uma mão em meu ombro, paternalmente. Espero que ele negue o fato, mas ele só agradece o elogio com um aceno de cabeça.

– Vocês deveriam nos visitar qualquer dia desses. É só me avisar, Koukleva. Temos uma piscina aquecida e um jardim de inverno maravilhoso.

– Pode deixar que me lembrarei, Fenrir. Obrigado pelo convite – Dimitri diz, apertando meu ombro ainda mais. Tomo isso como um sinal para que eu não fale nada.

– Qual escola ela frequenta? –pergunta o garoto para Dimitri, como se eu não existisse mais agora que está na presença de um homem que pode falar por mim.

– A mais próxima de nossa casa – Dimitri responde rápido. – Se vocês nos permitem, ainda temos vários assuntos para resolver. Com licença.

– Ah, sim, claro. Despeça-se do senhor Koukleva e da senhorita, Áquila. Não seja mal-educado.

– Até breve. – Ele aperta a mão de Dimitri e se inclina na minha direção, me dando dois beijinhos no rosto com seu melhor sorriso de tubarão júnior.

Dimitri me puxa com pressa e praticamente me arrasta para fora do prédio. Minha reação imediata é esfregar as bochechas para limpar qualquer vestígio.

– Você está bem? – Ele se abaixa, me examinando dos pés à cabeça. – Se eu soubesse que o filho dele estaria lá, nunca teria trazido você.

– Eu estou bem. Ele só foi bem irritante.

– Sybil, você não disse nada para ele, disse? Não falou seu nome, onde você mora ou algo desse tipo?

– Não – respondo, meio ofendida. – Ele é um idiota. Por que eu faria isso?

– Bom – diz ele, suspirando aliviado. – Desculpe por isso, de verdade. Você não sabe o quanto fiquei preocupado quando reconheci o garoto ao seu lado…

– Espere aí, não é como se ele fosse um lobo mau que devora meninas vivas. – A expressão de Dimitri me diz exatamente o contrário. – Ele só é um garoto mimado babaca, né?

– Sybil, Áquila pode manipular as vontades. Já ouvi histórias terríveis sobre ele. A última coisa que eu quero é algo desse tipo acontecendo com você.

– Manipular vontades? Como obrigar os outros a fazer o que ele quer?

– Você acha que o pai dele o leva para as reuniões só porque quer dar uma volta, como eu fiz com você? Claro que não. – Ele passa uma mão pela testa, preocupado. – Além disso, os dois são daquele tipo de pessoa que acha que uma mulher não vale nada. Você viu bem.

– O que era essa reunião, a propósito?

– Queremos construir mais um bairro em Pandora, mas o governo não quer financiar. É isso. Alguns lugares estão realmente superlotados. – Dimitri balança a cabeça, me abraçando pelo ombro. – Mas isso não importa agora. Aonde quer ir? Quer tomar um sorvete, mesmo estando mil graus abaixo de zero?

Eu rio, nervosa com essas últimas revelações, e ele me leva para um café, onde acabamos tomando um delicioso chocolate quente. Eu poderia fazer uma ode de cinquenta páginas à comida de Arkai! Depois, passeamos pelo centro da cidade e observo com atenção a forma como a neve se acumula nos postes, nas calçadas e nos peitorais das janelas. Compramos presentes para Tomás e Rubi e mais um par de botas forradas com pele de coelho para mim.

Quando finalmente voltamos para casa, o acontecido praticamente está apagado de minha mente.

CAPÍTULO 11

A primavera chega e traz com ela passarinhos e inúmeras flores coloridas. O tempo passa inacreditavelmente rápido e não consigo decidir se parece que faz um século que cheguei aqui ou se foi apenas há um dia.

É em uma sexta-feira de primavera, quando o clima está agradável o suficiente para me fazer arriscar sair sem meia-calça por baixo do uniforme pela primeira vez em meses, que o professor Z nos obriga a participar de uma atividade especial em equipe.

Já sei que especial é sinônimo de *completamente idiota* quando se trata das aulas de TecEsp, mas não tenho nenhuma escolha. Dessa vez, somos divididos em grupos de quatro pessoas para uma espécie de Caça ao Tesouro. Reúno-me imediatamente aos meus amigos, mas o professor anuncia que a escolha dos grupos será por sorteio, para então dar uma explicação irritante sobre como nem sempre na vida estaremos com pessoas em quem confiamos e que a aula serve para ser um teste de rapidez, camaradagem e adaptação. Por isso, faz com que cada um de nós tire um número de um saco de papel e nos agrupa dessa maneira.

Acabo em um grupo com duas garotas um ano mais novas e um garoto um ano mais velho que eu. Não consigo me lembrar por nada no mundo quais são seus nomes, mesmo depois de se apresentarem, então crio apelidos. A garota mais alta e magricela vira "Pernilongo", principalmente por ter asas delicadas escondidas sob o uniforme e pernas esqueléticas e compridas. A outra garota me lembra um urso, então a chamo de "Ursa Menor", porque ela é mais baixa e com o tronco largo, e sua habilidade parece ser uma força além do comum. Por último, o "Cientista Maluco", um garoto magro, com os olhos meio vidrados, cuja habilidade é pensar mais rápido do que todo mundo. Ele pisca sem parar e tem dificuldade para se expressar, porque raciocina muito mais rápido do que consegue falar. Chega a dar pena.

Não somos a pior combinação na aula, e espero que Cientista Maluco consiga bolar algum tipo de estratégia para que sejamos mais rápidos do que o resto da turma, ainda dentro das regras. O professor determina que desde que cheguemos ao prêmio final sem matar uns aos outros, podemos fazer de tudo para vencermos. Não há muito que eu possa fazer enquanto estivermos fora da água, então torço para que uma parte dessa atividade insuportável pelo menos envolva o uso dos meus poderes. Senão, provavelmente serei forçada a entrar em buracos pequenos demais para os outros, mas não para mim (não seria a primeira vez que isso aconteceria em um exercício).

Começamos todos com um papelzinho azul, cada um com uma dica diferente. O nosso diz:

Não importa a distância ou a barreira
A tradição é o mais importante
Lançamentos que ultrapassam fronteiras
Saltos o deixam exultante

Demoramos alguns instantes para chegar à conclusão de que o nosso próximo destino é a pista de atletismo (a parte das barreiras ajudou bastante) e corremos até lá, passando pela piscina coberta e pelo ginásio de esportes. Quando chegamos, percebemos que nossa pressa é infundada. Não tem mais ninguém lá.

A ausência de outras pessoas me faz crer que provavelmente cada grupo tenha sido levado a achar pistas em locais diferentes, que, no final, levarão ao mesmo tesouro. Ou talvez cada grupo possua um tesouro diferente, embora seja pouco provável. O professor Z tem uma mania irritante de querer competição entre os alunos.

Não temos a mínima ideia de onde a pista pode estar quando chegamos na arena de atletismo. Ela é dividida em várias partes: do lado de fora, há uma pista de terra batida, que é onde acontecem as competições de corrida. No meio há um gramado, com a estrutura para os saltos em vara e os arremessos de martelo e disco. Tem um vestiário pequeno e um lugar no qual guardam os equipamentos e os obstáculos. Cientista Maluco relê o versinho em voz alta, e é frustrante que não haja uma dica mais específica. Naturalmente, nos dividimos para procurar pela próxima pista nos diferentes lugares.

Em vez de nos ajudar, Cientista Maluco senta na grama, encarando o poema e murmurando.

– Ei! Você não vai ajudar a gente? – Pernilongo pergunta, cruzando os braços com raiva.

– Eu estou ajudando – ele declara. – Estou analisando o poema.

– É óbvio que é aqui – diz irritada Ursa Menor. – Não tem nenhum outro lugar com barreiras, lançamentos e saltos na escola.

– Acho que vocês estão fazendo uma leitura muito literal do poema. E se, na verdade, forem barreiras psicológicas? E se a distância for o nosso sucesso? Podem ser as salas de aula. Pode ser a sala de história!

Nós três trocamos olhares e eu me controlo para não rir. Ursa Menor balança a cabeça, como se não conseguisse acreditar no que está ouvindo.

– Vá procurar a próxima dica nos equipamentos – ela fala para o garoto, com um tom que não dá margem para discussão. – Estamos no lugar certo.

– Como você pode ter tanta certeza?– ele a desafia, levantando o queixo.

– Ah, por favor, vamos terminar logo com isso! – exclamo. – Se continuar assim, vamos ficar o dia inteiro discutindo.

Cientista Maluco considera minhas palavras por alguns segundos antes de se levantar, limpando a grama da calça e resmungando que ainda descobriríamos que ele estava certo. Eu, ele e Pernilongo ficamos na sala de equipamentos enquanto Ursa Menor procura do lado de fora.

Depois de alguns minutos vasculhando martelos e discos e uma infinitude de protetores corporais na sala de equipamentos, Ursa Menor aparece na porta da sala de equipamentos com um papel verde na mão.

– Onde estava? – Pernilongo pergunta, entusiasmada.

– Na caixa de areia do salto com varas!– a outra garota responde animada. – Vamos para o próximo?

Ela me entrega o papel e leio a próxima charada em voz alta, para todos:

Você pode até não me ver
Mas eu vejo você
Todo dia, na entrada
Enquanto você come uma empada

A rima é tão ridícula que nós quatro temos uma crise de riso. Na entrada, enquanto come uma empada? Qual é o problema do professor? Dessa vez, Cientista Maluco se mostra prestativo e nos informa que há uma câmera de vigilância virada para a entrada do refeitório. É óbvio demais: comida, o olho que tudo vê. Praticamente cruzamos o terreno da escola correndo para voltar para o prédio. Quando chegamos, encontramos apenas dois funcionários, que nos lançam olhares de indiferença e voltam a seus afazeres.

Para pegar a próxima dica, Pernilongo liberta suas asas e voa sem muita dificuldade, encontrando um papel rosa grudado atrás da câmera. Quando a menina pousa, nos aglomeramos ao seu redor cada vez mais animados. Estamos indo muito rápido. Se continuarmos assim, vamos ganhar!

O murmurinho interminável no ar
Várias escolhas levam a um só saber:
Não se distraia ou pode se perder
Entre as minhas paredes, só não deve ficar

Ficamos em silêncio, encarando o papel. Posso quase ouvir nossos cérebros virando as engrenagens para tentar decifrar o verso. O que pode ser? Um lugar com barulho, pelo murmurinho presente na rima. Várias escolhas? Se perder? Pode ser qualquer lugar. Pode ser um...

– Corredor! – eu falo em voz alta, e os outros concordam.

Mas o problema é… existem zilhões de corredores em toda a escola! Ursa Menor bufa e fica mexendo sem parar na barra da blusa enquanto pensamos como ir atrás da próxima pista.

Cientista Maluco bola um plano meio bobo que consiste, basicamente, em nos fazer percorrer todos os corredores da escola com a maior eficiência e velocidade possíveis. Cada um ficaria com um andar e no final nos reencontraríamos na frente dos banheiros do primeiro piso do prédio principal. Ele calcula que a probabilidade é que o papel esteja nesse prédio, já que a última dica foi aqui também.

Por falta de melhor opção, aceitamos e nos dividimos. O cara é um gênio, não é possível que dê errado. Precisamos permanecer em silêncio, já que os outros alunos estão tendo aula. Fico com o corredor do último andar, percorro-o de uma ponta até a outra, olhando em armários, paredes, extintores de incêndio, alarmes e entrando até no banheiro. Bebedouros, portas, maçanetas, janelas…

Não encontro nada. Por um instante, desejo ter a habilidade de Leon. Ele provavelmente saberia em dois segundos onde está a dica, por sentir perturbações na vibração normal do corredor. A percepção dele é surpreendente.

Desisto da minha busca, descendo as escadas e encontrando Pernilongo sozinha com uma expressão de poucos amigos. Ela se levanta, na esperança de que eu tenha achado algo, mas faço um sinal negativo e ela volta a se sentar. Sento ao seu lado e parece demorar uma eternidade até que Cientista Maluco desça também. Ele faz o mesmo sinal que eu e se acomoda ao meu lado, meio frustrado. Se Ursa Menor não encontrar nada, teremos de partir para o outro prédio.

Quando ela finalmente desce, está com um papelzinho amarelo entre os dedos e é praticamente levantada no ar por nós três com as comemorações, mas não nos arriscamos com medo de não conseguir carregá-la. Não faço ideia de quanto tempo se passou, mas acho que ainda estamos com vantagem sobre os outros grupos. Nós nos reunimos ansiosos, lendo a próxima dica.

Me espalho até o céu
Me espalho por toda parte

Por séculos dou abrigo e vida
Bela como uma obra de arte

Essa é difícil. Muito difícil. O que é que se espalha até o céu e por toda a parte? E a parte da obra de arte não ajuda muito. Pode ser... sei lá, o ar? Como isso não é plausível, começamos a considerar possibilidades cada vez mais absurdas. Os prédios? O próprio campus? A diretora? E se fosse algo mais abstrato ainda, como a *vida humana*? Essa última consideração vem de Cientista Maluco, é claro.

No fim das contas, Pernilongo tem uma epifania de que a vida humana não pode, por séculos, dar abrigo e vida, porque não faz sentido algum. Ursa Menor tenta ver se Cientista Maluco concorda com Pernilongo quando ela diz que talvez fosse uma árvore. O problema desse raciocínio é que, se há muitos corredores nessa escola, não consigo sequer contar o número de árvores. No entanto, Pernilongo parece ser uma especialista nesses assuntos, porque insiste que não pode ser nenhuma outra árvore senão a mais antiga da escola.

Quando descubro que estamos indo para uma cerejeira, fico me perguntando que tipo de árvore é essa. Sigo-os mesmo assim. Ao avistar a enorme árvore, entendo por que o poema enfatiza o fato de ela se *espalhar*. É uma senhora árvore, com raízes saindo da terra como grandes cobras marrons e numerosos galhos nodosos em todas as direções. Seus galhos estão cobertos de pequenas flores cor de rosa e dá para entender a parte sobre ser uma obra de arte. Cientista Maluco para ao meu lado, com as mãos nos bolsos, admirando-a.

– Antigamente, as pessoas se reuniam nos territórios do Império para assistir essas árvores florescerem – diz ele, parecendo empolgado em poder mostrar seu conhecimento. – Para elas, a fragilidade das flores de cerejeira é um lembrete de como a vida humana é ínfima perto de toda a grandiosidade da natureza.

– Isso é bonito – respondo com um meio sorriso, pegando uma das flores na mão e passando o dedo pelas pétalas. Ela se desmancha quando pressiono demais. Penso em como basta uma bobagem, um deslize, para que as pessoas percam suas vidas. Lembro de todas as pessoas que conheço que se foram por motivos tão pequenos, mas irremediáveis. – E faz tanto sentido!

Ursa Menor nos chama e saio do meu transe, lançando um sorriso meio sem graça para Cientista Maluco quando nos separamos.

Começamos a vasculhar os lugares onde poderia estar escondida a próxima pista. Pernilongo levanta voo e procura nos galhos mais altos. Eu subo em cima de algumas raízes e passo as mãos pelo velho e riscado tronco da árvore, em busca de algo, enquanto Ursa Menor e Cientista Maluco procuram entre as raízes. Eu me movimento com cuidado para não quebrar nenhum galho; a ideia de machucar essa árvore parece uma heresia.

Ficamos um tempo interminável ali e Cientista Maluco volta a reclamar que estamos perdendo minutos preciosos que nos custarão nossa vitória. Ignorando seus resmungos, enfio minha mão em um buraco na árvore, tão pequeno que meus dedos quase não passam. Vasculho com os dedos e sinto um pedaço de papel. Dou um berro animado e Pernilongo logo desce, flutuando ao meu lado. Puxo a mão de uma vez, prendendo o papel entre os dedos. Eu não deveria ter feito isso; sinto arranhões e uma ardência seguida de dor intensa. Meus olhos se enchem de lágrimas, mas mordo os lábios e tiro a mão pelo espaço que sobra. Torço para que nenhum inseto venenoso tenha me picado.

Curiosamente, o papel é da mesma cor do sangue que sai lentamente pelo arranhão nas costas da minha mão. Ursa Menor entra em pânico e tira um lenço do bolso do uniforme, colocando-o em cima do meu ferimento. Tento avisar que não é nada grave, mas ela insiste em fazer um curativo improvisado. Quem diria que alguém daquele tamanho pudesse ser tão sensível? Agradeço, meio sem jeito. Enquanto isso, os outros dois tentam decifrar a próxima pista:

Estou entre o céu e a terra
Mais fundo que o mar, mais precioso que o ar
Poucos são os que chegam a me encontrar
No lugar onde falha a guerra

Se o poema da árvore foi difícil, esse é ainda pior. Porém, uma sensação de reconhecimento brota aos poucos na minha mente. A cada releitura, sinto que sei qual é o lugar a que o verso se refere. Só preciso me concentrar mais. Meus companheiros não percebem que fiquei subitamente calada e continuam uma discussão acalorada sobre a pista. Provavelmente é um lugar aonde ninguém vai aqui na escola... Sinto a resposta ali, na ponta da língua, mas não consigo elaborar.

E, então, claro como o dia:

– É a piscina! – berro. – É o único lugar onde tem água aqui! Essa parte final... de poucos serem capazes de encontrar. Se o tesouro estiver bem no fundo da piscina, só eu e Andrei podemos pegá-lo. É lá.

Os três me olham espantados. Ursa Menor e Cientista Maluco duvidam, mas Pernilongo não questiona, talvez em solidariedade por eu não ter falado nada contra sua ideia da árvore. Como não temos melhor alternativa, seguimos, meio correndo, meio andando, em direção ao galpão que abriga a piscina.

CAPÍTULO 12

No momento em que abrimos a porta e sentimos o cheiro de cloro, sei que estamos no lugar certo. Encontramos o professor Z sentado em uma cadeira ao lado da piscina, lendo um livro. Ele levanta os olhos para nós e sorri.

– Ah, vocês já chegaram? Incrív...

Ele é interrompido por um grupo barulhento e ofegante que entra às pressas. Olho para trás e encontro Andrei. Trocamos sorrisos cúmplices.

– Ah, inusitado. – O professor se levanta. – Bem, são dois de vocês agora. Podem continuar.

– O quê? – Cientista Maluco pergunta. – Continuar para onde?

– Para o lugar aonde poucos vão, para encontrar o tesouro. – Ele aponta para a piscina, impaciente. – Ali!

Meu grupo olha para mim e fico um pouco constrangida. Mesmo que eu tenha desejado isso momentos atrás, não quero ser a pessoa que vai pegar o tesouro, e quero muito menos competir com Andrei! Ele ganharia sem esforço.

E, quando me viro para trás, olho Andrei já tirando os sapatos e a camisa para entrar na água. Ele está de roupa de banho? Ele tira a calça e percebo que ele vai pular na piscina só de cueca. Constrangida, desvio o olhar.

Eu realmente tenho de fazer isso?

Olho para meu time e sei que sim, eu preciso terminar esse teste. É o mínimo para recompensar o trabalho em equipe que tínhamos feito. Fico nervosa de pensar que todo mundo vai me ver só de calcinha e sutiã, mas quando percebo que Andrei está prestes a entrar na piscina, decido que não me importo muito.

Respiro fundo e entro no modo competição: tiro meu uniforme em uma velocidade recorde e, só com as roupas de baixo, pulo na piscina a tempo de ouvir Andrei berrar um:

– NÃO VALE!

Logo depois, as vibrações na água indicam que ele me seguiu. Nado rápido, procurando alguma coisa diferente no fundo da piscina que conheço tão bem como se fosse minha casa.

Desconfio de que o professor deixou o final do teste para ser ali a fim de a competição ser entre as duas únicas pessoas da turma com habilidades aquáticas. O que será que ele pretende com isso? Sinto outra perturbação na água e começo a me preocupar se realmente só estamos nós dois ali na piscina. Não vejo Andrei em lugar nenhum enquanto nado, mas a piscina é grande e o meu alcance de visão é pequeno. Continuo a procurar e sinto algo me pegar pelo calcanhar e puxar. Eu me viro, chutando com força com o outro pé. Se for Andrei, ele está acostumado. Se for outra pessoa... Bom, quem mandou me puxar?

Tento ver quem está atrás de mim e reconheço um garoto do terceiro ano que é muito grande. Não consigo me lembrar de sua anomalia. Ele se aproxima e fico assustada. Sinto suas mãos se fecharem nos meus punhos, me puxando para a superfície.

Dói. *Muito.*

É como se os ossos da minha mão estivessem sendo esmagados. Não tenho certeza se é por causa da força física ou se é apenas no psicológico, mas só mantenho um pensamento em mente: preciso afundá-lo. Ele me arrasta na direção da borda da piscina e tento chutá-lo, sem sucesso. Ele me carrega como se eu fosse uma boneca. Ouço gritos desconexos e sei que em algum lugar fora da piscina meu grupo está torcendo por mim.

A água se agita novamente e o garoto me solta, finalmente, trazendo alívio imediato para minhas mãos. Tenho quase certeza de que a dor era psicológica. Percebo vultos confusos através da turbidez da água e vejo Ursa Menor dentro da piscina praticamente pendurada no pescoço do garoto. Com um sinal, ela aponta para o fundo e não hesito em obedecê-la. Mergulho, dessa vez nadando o mais próximo do piso de azulejos possível. A água está agitada e suponho que a luta entre meu atacante e minha aliada continua, mas tento ignorar e volto a bater as pernas para me mexer.

Não faço ideia do que possa ser o tesouro, mas, pela lógica, deve estar no lado mais fundo da piscina. As únicas pessoas que conseguem mergulhar os seis metros de profundidade sem maiores problemas são eu e Andrei. É uma competição que consigo aguentar.

A água fica cada vez mais escura e a marcação na lateral da piscina indica que já nadei sessenta metros, e estou a três de profundidade. Prossigo, estranhando o fato de estar só. Andrei entrou junto comigo e ele nada mais rápido que eu. Paro na marca dos cinco metros de profundidade, me segurando nas bordas para não flutuar. Dessa distância, o outro lado da piscina é quase impossível de ver, mas percebo algum movimento e trato de voltar a nadar. Dessa vez, vou com uma mão na parede, porque ainda não consigo não boiar. A professora Rios diz que preciso controlar a quantidade de ar que guardo nos pulmões, mas quando tentei fazer isso na última aula, quase morri engasgada.

Eu me impulsiono para baixo, tateando o chão atrás de algo. Não acho que Z vá fazer com que o tesouro seja óbvio, então espero algo pequeno, como uma pedra ou algo do tipo. Cada segundo no azul profundo da piscina, enquanto procuro o tesouro, é um segundo a mais de tensão. Fico preocupada com Andrei. Ele já deveria ter aparecido. Se ele já tivesse achado o tesouro, com certeza me avisaria. Eu faria a mesma coisa. Fico mais agoniada quando penso que ele pode estar com problemas, então decido fazer uma busca sozinha e depois emergir. Não adianta nada ficar ali até me cansar e, depois, subir no desespero.

Quando estou prestes a desistir, vejo algo dourado no canto direito da piscina. Fico animada e nado até lá, percebendo que é um anel. Seria aquele o tesouro? Dou um sorriso e estico a mão para pegá-lo.

Faltam milímetros, quando sinto algo me atingir em cheio na barriga, me jogando contra a borda da piscina com força. Demoro alguns instantes para recobrar os sentidos e vejo uma garota de pele bege escura, os cabelos negros esvoaçantes por toda a parte, tateando furiosamente o fundo da piscina atrás do anel. Suponho que o ataque dela fez com que a água o levasse para longe e volto a procurar o tesouro. A garota vê minha movimentação e fica irritada, me empurrando contra o chão da piscina. O empuxo da água luta para me levar para cima, enquanto ela me empurra para baixo. Tento segurar suas mãos para impedi-la, mas minha agressora se esquiva com uma rapidez invejável. Então, decido partir para a violência e a seguro pelo pescoço.

Meus dedos se fecham ao redor dele e sinto algo pegajoso em sua pele. A garota arfa e leva as mãos ao pescoço, arrancando as minhas de lá violentamente. Demoro um pouco para perceber que ela tem *guelras* e enfio os dedos exatamente *dentro* delas. A garota tenta gritar, mas é impossível embaixo da água, soltando apenas uma série de bolhas na minha cara. Pelo menos, ela me solta e aproveito a folga para nadar para longe. Não consigo deixar de sentir nojo e, mesmo embaixo d'água, tenho vontade de lavar as mãos. Sinto alívio e uma pontada de culpa ao pensar que é bom que nem eu nem Andrei tenhamos guelras.

Ainda procuro o anel e o vejo flutuando um pouco mais à frente, perto da marca dos oitenta metros de distância. A garota não volta a me atacar e fico aliviada, até olhar para trás e ver que ela está prendendo Andrei no fundo da piscina. De onde ele veio? Bem, se consigo me livrar dela, ele também consegue. Continuo nadando e, finalmente, pego o anel, enfiando-o no meu dedo anelar. Cabe direitinho e fico maravilhada, admirando a joia no meu dedo.

Não tenho muito tempo para deleitar o fato de o anel ter sido praticamente feito para mim, pois a garota-peixe me ataca novamente, me jogando contra a parede. Parece que é a única coisa que ela sabe fazer e, dessa vez, estou preparada e me recupero logo, segurando-a pelo pescoço e usando todo o meu peso para prendê-la contra o chão da piscina. Ela se debate e começamos a subir na água. Ela consegue se virar e nos afundar novamente, apertando meu pescoço. Tento espelhar seu gesto, mas ela se afasta, ficando fora do alcance das minhas mãos. Minhas pernas estão presas entre as dela e não há muito que eu possa fazer para me soltar. Prendo minhas mãos ao redor da dela, tentando fazer com que me solte. Não é possível que esteja tentando me matar, é? A única regra é que mortes não são permitidas, e essa regra me conforta.

Então seu peso sai de cima de mim e eu nado para cima com toda a velocidade, experimentando a recém-adquirida liberdade. Andrei e ela se atracam no fundo da piscina como se estivessem em um ringue, um rolando por cima do outro, ela puxando o cabelo dele e o arranhando, ele a prendendo entre os braços. Fico parada e ele olha para mim, fazendo um gesto para que eu suba. Andrei sabe que eu estou com o tesouro. Ele sabe disso, e está me dando a chance de ganhar a competição, mesmo que sejamos de times diferentes.

Andrei está lutando com uma psicótica de guelras para que eu possa vencer. Sinto meu coração apertar. Duas opções passam rapidamente em minha mente. Uma delas é ir até lá e ajudá-lo. A outra é subir e vencer a competição, ali e agora. Pondero por alguns segundos e a garota-peixe o pega pelo cabelo comprido e o joga contra o outro lado da piscina, com força. Espero vê-lo nadando na minha direção, em vão. A garota se aproxima de onde ele está e temo o pior. Faço a escolha com rapidez e tomo impulso na parede, nadando com velocidade.

Andrei está flutuando na água, subindo devagar, e a garota-peixe o puxa para baixo, parecendo satisfeita. E distraída. Aproveito esse momento para atacá-la por trás, puxando seu cabelo e a empurrando na direção da parede. Ela bate a cabeça e parece desnorteada. Puxo Andrei, abraçando-o pela cintura e nadando para cima. Com duas pessoas, uma delas desacordada, é bem mais difícil. Penso que talvez nossa perseguidora nos deixe em paz, achando que desistimos, porque ela não parece saber qual é o tesouro que deveria estar protegendo. No entanto, ela me persegue enquanto subo, tentando puxar meu pé para me afundar, mesmo parecendo estar confusa e descoordenada. Se eu soubesse que uma batida de cabeça na parede a deixaria desse jeito, teria testado esse golpe antes.

Chegamos à superfície e Andrei desperta de uma vez, sorvendo uma grande quantidade de ar e se segurando em mim com força.

– Sybil? – diz ele, meio confuso. – Você...

– Me ajuda a nadar até a borda porque não estou aguentando mais – respondo, ofegando. É bom poder respirar novamente.

Ele obedece, sem falar mais nada, e chegamos a uma lateral. Metade da turma está lá, esperando, ansiosa, e observando nós dois.

Quando saímos da piscina e me lembro de que Andrei está apenas usando uma cueca preta e um par de meias combinando, sinto vergonha porque ficamos tão perto um do outro. Também estou só com um conjunto de calcinha e sutiã pretos e as meias brancas do uniforme e, para piorar, todos estão olhando para nós! Mesmo querendo sair correndo e me esconder dentro dos vestiários, nossos colegas parecem não se importar com a ausência de roupas e nos abordam, dando gritos e oferecendo abraços. O professor começa a aplaudir.

– Onde está? – pergunta ele, olhando para mim e para Andrei freneticamente.

Levanto a mão esquerda e lá está o tesouro, em meu dedo anelar. Meu grupo explode em comemorações e sou arrebatada pelos braços de Pernilongo e Ursa Menor. Cientista Maluco não me abraça, mas dá dois tapinhas no meu ombro com um sorriso vitorioso, como se o mérito fosse todo dele. Não sei o motivo de estarmos tão felizes, afinal não vamos ganhar nada com isso. Ou vamos? Será só pelo prestígio de vencermos? Ou pela alegria da competição?

– Andrei ajudou também – eu digo quando me soltam, puxando-o para perto. Meu grupo agradece, mas o de Andrei lança olhares feios para ele.

– Muito obrigada, Andrei – diz Pernilongo, arrumando o cabelo atrás da orelha e oferecendo o sorriso que as meninas sempre oferecem a ele.

– Por nada – ele responde, com seu jeito despreocupado de sempre, e passa uma mão pelo meu ombro. – A gente precisa se vestir. Estou ficando com frio.

Concordo com a cabeça, me abraçando e me cobrindo como posso.

– Vocês terminaram de comemorar? – o professor pergunta, se aproximando com os braços cruzados. – Bom, muito bom. Sybil, parabéns. Você fez um trabalho formidável. Andrei, muito bom trabalho também, mesmo não sendo do mesmo grupo que ela. Demonstra que vocês dois conhecem bem a habilidade um do outro, e podem trabalhar bem em equipe.

Por algum motivo, eu me sinto constrangida e passo uma mão pelo braço, me aquecendo. Andrei cruza os braços dele e olha para o professor como se soubesse que algo ruim vem a seguir.

– Estamos atrás de pessoas com esse espírito. Assim como você, Ava. Sua interferência foi louvável, fazendo o que pôde para ajudar Sybil, mesmo não sendo exatamente sua especialidade.

Ursa Menor dá um passo à frente, parando ao nosso lado. Então, esse é o nome dela. Ava. É bonito. Dou um sorriso para ela e ela parece orgulhosa de estar ali. Andrei se remexe desconfortável e me segura pelo pulso, provavelmente querendo me dizer algo.

– E Leon. Você demonstrou habilidades de liderança incríveis, como sempre. Não esperava menos de você.

A multidão abre espaço para Leon se aproximar e ele para ao meu lado com a expressão impassível, a mão encostando de leve na minha. Andrei o encara, mas Leon não percebe, é claro. Não entendo a impaciência dele até o professor continuar a falar.

– Muito bom, pessoal. Por hoje é só, estão dispensados.

Aos poucos a turma começa a sair do galpão. Eu me viro para pegar minhas roupas e acompanhá-los, mas Andrei me segura no lugar. Em pouco mais de um minuto, estamos os quatro destacados pelo professor sozinhos com ele. Z nos olha de cima a baixo e anuncia:

– Sybil, Andrei, Leon e Ava: vocês vêm comigo. Acabaram de ser *escolhidos* para uma missão ultrassecreta do governo.

CAPÍTULO 13

Minhas mãos não param quietas.

Mexo nos cordões do casaco amarelo, mexo no botão de metal da calça, mexo no cabelo, mexo no cabelo de Andrei, mexo nas mãos dele, bagunço e arrumo o cabelo de Tomás, tranço e destranço meu próprio cabelo.

Eu só desejo, de verdade, que não tivesse lutado com tanta vontade para pegar aquele maldito anel, que continua repousando no meu dedo. *Uma missão ultrassecreta do governo*. Se eu quisesse fazer parte de uma coisa dessas, teria me alistado no exército ainda quando morava em Kali! Também não teria lutado por um anel com uma adolescente com uma mutação esquisita que a deixava com cara de peixe dentro da água!

Desde o teste da aula de TecEsp, já se passaram 62 horas. Um pouco mais que o tempo necessário dado por Z para voltarmos para casa, avisarmos nossos responsáveis, fazermos eles assinarem a papelada de autorização e arrumarmos uma mala com o essencial para ficarmos fora uma semana.

Ao saberem da notícia, Dimitri e Rubi ficaram preocupados, mas quando perceberam o nível de ansiedade provocado em Tomás (e em mim), fingiram estar bem com isso. Só no dia seguinte, quando Rubi insistiu para fazermos uma atividade de "meninas", conversamos sobre a missão.

– Você sabe o que significa participar de uma dessas missões? – perguntou ela enquanto caminhávamos na direção da rua principal, onde fica o metrô.

– Que eu provavelmente vou ter que fazer alguma coisa idiota tipo pegar um tesouro pirata no fundo do mar? – Dou a resposta debochada que Andrei me deu quando fiz a mesma pergunta, no dia anterior, enquanto voltávamos para casa.

Rubi balança a cabeça, ainda séria.

– Não é tão simples assim – respondeu ela, e ficou calada por alguns instantes. Fiquei apreensiva ao ver sua expressão de cansaço. – Se houvesse alguma forma de impedir você de ir, eu faria isso.

– Mas é só você não assinar os papéis.

Rubi olhou para mim com um meio sorriso e me abraçou pelo ombro.

– Não é tão simples assim. Você soube do garoto...

– Que morreu na última vez? Sim – interrompi, apressadamente.

– Eu não quero te deixar nervosa... – Bom, ela estava fazendo um péssimo trabalho, pois eu me sentia mais ansiosa a cada minuto que passava. – O fato é que essas ações podem ser perigosas. Há certa controvérsia sobre a utilização de crianças nessas missões, mas continuam usando. Principalmente, porque, depois que crescem, fica mais difícil convencê-las a fazer coisas ridículas como buscar *tesouros* no fundo do mar.

Fiquei em silêncio e enfiei as mãos nos bolsos da calça, pensativa.

– Isso é o governo de Pandora ou... você sabe. Da *União*?

Rubi espelhou meu silêncio anterior enquanto passávamos em frente a uma loja de bicicletas. Ela suspirou.

– Z é meu chefe – contou ela abruptamente, e não esperou eu me recuperar do choque. – No meu departamento, nós fazemos missões como a que você vai fazer. Eu faço parte de logística e pesquisa, não da pesquisa de campo. Não é um trabalho bonito o que fazemos, Sybil. Não é necessariamente certo, também. E nós somos basicamente tratados como armas pelos nossos superiores, e não como *pessoas*. Você sabe, é o único motivo pelo qual nos deixam treinar e desenvolver nossas habilidades. Para que possamos *ajudar* a ganhar essa guerra idiota que travam há décadas.

Olhei para ela ainda mais chocada do que antes. Embora soubesse que aquilo era verdade, nunca tinha visto ninguém colocar em palavras tão claras quanto ela. Não consegui evitar olhar para os lados, com medo de que alguém nos ouvisse e nos delatasse para as autoridades. Essa atitude não combinava muito com o povo de Pandora, mas alguns hábitos são difíceis de morrer.

– Eu odeio o Z – eu falei, decidindo que, já que estávamos falando a verdade uma para a outra, deveríamos continuar assim. – Tem algo esquisito nele, e ele não parece nada confiável. Isso sem falar que ele é todo convencido! Eu não me sinto segura participando de uma missão organizada por ele.

– Você é muito sábia para uma garota de 16 anos, Sybil. – Foi a resposta que ela me deu antes de me apressar para descer as escadas do metrô. – Se você precisar de qualquer coisa durante a missão, fale comigo. Em hipótese alguma fale com Z ou outro subordinado dele.

Concordo com a cabeça e seguimos para nosso passeio no centro de Pandora, em uma tentativa frustrada de me acalmar antes da missão.

Com todo o mistério envolvendo a nossa missão, não é de espantar que eu mal pregue o olho na noite de sábado para domingo. Nem que fique anormalmente calada e inquieta enquanto nos dirigimos para o centro de Prometeu no carro do pai de Andrei, que parece não se importar com meu nervosismo e aproveita a situação para treinar suas melhores piadas de gosto duvidoso enquanto tento não ter um colapso nervoso. O jeito caloroso de Charles Novak consegue me deixar um pouquinho mais relaxada. Ele e o filho compartilham o mesmo senso de humor autodepreciativo e o mesmo rosto, embora os cabelos curtos do pai sejam escuros e os olhos, muito claros.

Durantes os vinte minutos que ficamos no carro, fico conhecendo um pouco mais da profissão do pai de Andrei. Ele é um apresentador de TV em um programa matinal de culinária direcionado ao público feminino, mas seu sucesso não se dá só pelo dom na cozinha, mas também pela personagem que interpreta: Madame Charlotte. Andrei fala dele como se fosse um gênio artístico, embora os dois prefiram que não saibam sua real identidade. Há toda uma mística em torno de Madame Charlote que ninguém quer quebrar e há toda uma cultura ao redor de tentar descobrir mais sobre a apresentadora, com base nos pequenos fatos que ela solta nos programas. Parece muito divertido.

Dimitri se revela um fã incondicional das receitas de Madame Charlotte e fica muito animado ao descobrir a verdade. Eles se dão bem imediatamente, tagarelando por grande parte do caminho sobre temperos e receitas que me dão água na boca. Rubi se diverte e propõe um duelo de jantar qualquer dia desses lá em casa, o que faz o senhor Novak rir alto e prometer arrasar com um "ratatui" (seja lá o que isso queira dizer). Tento me concentrar na conversa, mas minhas mãos gélidas me lembram para onde estou indo. Tomás está sentado no meu colo e fica ocupado verificando minha mochila pela décima quinta vez. Começo a desenvolver a teoria de que meu irmão mais novo tenha alguma espécie de transtorno de ansiedade, o que acho ser bem incomum para um menino de 11 anos, mas considerando que moramos numa cidade exclusivamente para gente "especial", talvez isso não seja tão raro assim. Sinto o olhar de Andrei, e quando me viro, ele levanta uma sobrancelha.

– Essa conversa sobre comida está me deixando com fome – digo, antes que ele possa fazer algum comentário sagaz.

– Certo. Sei. – Ele mexe as sobrancelhas e olha para a frente. – Você está tão nervosa que sua mão deve estar a uns trinta graus abaixo de zero.

– Isso não é nem possível – Tomás diz, fechando minha mochila e olhando para o outro garoto. – E pessoas como nós têm a temperatura um ou dois graus mais alta do que as pessoas normais.

– Até Sybil, a garota picolé?

– De onde saiu esse apelido, Andrei?

– Você não sabia que os círculos mais subterrâneos da nossa escola a chamam assim? Porque você não sente frio.

– Isso não é verdade, eu sinto frio! – falo indignada e só quando ele começa a rir, vejo que está brincando comigo. – Ah, agora você vai ver quem é que vai querer não sentir frio!

Encosto uma das mãos nas costas dele, por debaixo da blusa, e ele se assusta com um sobressalto. Tomás e eu começamos a rir. Andrei faz cócegas em mim como vingança e eu faço cócegas (sem querer) em Tomás, que ri tanto que mal consegue reagir.

Quando finalmente paramos em frente ao grande prédio da Inteligência, onde Rubi trabalha, minha barriga está doendo. Atribuo às risadas, mas sei que também é de nervosismo. Descemos do carro e minhas pernas começam a tremer quando encontramos um homem magro vestido de amarelo e com óculos tortos nos esperando. Ele cumprimenta Rubi, Andrei e eu, mas não parece notar os outros. Ele avisa que Z chegará em quinze minutos para o início da missão e decidimos gastar esse tempo tomando sorvete em uma lanchonete do outro lado da rua. Apesar de toda a conversa anterior e das risadas, quando penso em comida, fico enjoada.

– Você está nervoso? – sussurro para Andrei quando ficamos próximos, segurando o braço dele. Ele esfrega minhas mãos geladas enquanto espera o sorvete, tentando esquentá-las sem sucesso. – Nem um pouquinho?

– Não – ele responde e pega seu sorvete de menta com chocolate. – Nem um pouquinho.

– Você não está bêbado ou algo assim, está?

Ele ri.

– Meu pai me deu calmantes. – Ele pisca os olhos duas vezes antes de encostar a testa na minha. Ficamos assim por um instante, e meu coração bate mais rápido. – Não se preocupe, Sybil. Se você prometer cuidar de mim, prometo cuidar de você.

Eu sorrio, balançando a cabeça e me afastando dele. Enxugo o suor das mãos na calça, sem entender o motivo de ficar tão mais nervosa subitamente. Atravessamos a rua lentamente e Tomás insiste em segurar minha mão para atravessá-la.

– Sybil, você traz um presente para mim?– ele pergunta entre as lambidas no seu sorvete de chocolate. – Bem grande e legal? Por favor? Por favor?

– Sybil não vai fazer uma excursão de férias, Tomás – Dimitri o repreende, diminuindo o passo para deixar Rubi, Charles e Andrei andarem na frente. – Ela provavelmente não vai poder trazer nada.

– Mas uma coisa bem legal... como um cristal! O irmão da Elaine Alves participou de uma missão e trouxe um pedaço de vidro verde muito incrível e agora ela fica exibindo para todo mundo – conta Tomás, enquanto lambe o sorvete que escorre pela sua mão. – Vai, Sybil. Por favor? Aí posso mostrar para ela como a minha irmã é mais legal que o irmão dela...

– Tudo bem, Tomás – concordo com um sorriso. – Mas como você quer ganhar um presente se você *nunca* me deu nada?

Ele faz uma expressão de surpresa, como se nunca tivesse reparado que precisaria me dar algo em troca para ganhar uma coisa também.

Quem compra os presentes de Rubi é Dimitri, e vice-versa. Rio da cara dele, mas ele fica todo sério.

– Quando você voltar, eu prometo que te dou um presente. – Ele fala de forma solene e depois sorri, mostrando covinhas fofas, e eu agradeço com um forte abraço.

– Eu estava brincando, não precisa se preocupar com isso – eu falo para o reassegurar.

– Mas não é porque você precisa, é porque eu quero te dar algo – Tomás fala, ecoando o que já ouvi Dimitri falar para ele algumas vezes antes e dou um sorriso.

– Sybil – Andrei me chama e ergo os olhos, vendo que o professor Z nos espera com os braços cruzados na frente do prédio, junto ao homem magro de óculos e a Leon e Ursa Menor, quer dizer, Ava.

– Um minuto – peço e dou um beijo na bochecha de Tomás. – Cuide da sua mãe e do seu tio enquanto eu estiver fora, viu?

– Eu prometo. E vou vigiar Naoki também.

– E nós prometemos nos comportar – Rubi completa, rindo. Ela me abraça e sussurra no meu ouvido enquanto me aperta:– Lembre-se: qualquer coisa que precisar, peça a *mim*. Não conte com mais ninguém.

Por fim, me despeço de Dimitri e arrumo a mochila nas costas, me juntando aos outros. Andrei se despede do pai e se abaixa para abraçar Tomás antes de entrarmos no prédio. Olho para ele pelo menos trezentas vezes no caminho da entrada até o elevador e quando chegamos lá, Andrei segura minha mão, discretamente, e me acalmo um pouco. Nós quatro praticamente nos empilhamos em um dos cantos do elevador, enquanto Z e seu assistente ficam perto da porta. Acho que o medo do que pode acontecer dali em diante nos faz ficar unidos como pinguins durante uma tempestade de neve.

Eles nos guiam até uma sala de espera e nos deixam lá com a promessa de que voltarão em menos de uma hora, sem mais explicações ou instruções. A sala tem vários sofás espalhados, uma mesa de reunião com cadeiras e um pequeno refrigerador, mas nenhuma janela. Se não fosse minha mania de andar por aí com relógio e de contar segundos quando estou nervosa, não teríamos ideia de quanto tempo ficamos ali, esperando.

É quando estou arrumando o cabelo de Ava, com um penteado trançado que aprendi com vovó Clarisse, que ouvimos passos através da porta fechada, mas ninguém entra na sala. Talvez parte da missão seja nos ensinar a ter paciência, talvez parte da missão seja apenas nos enlouquecer. Seja como for, o primeiro a se levantar é Leon, enquanto ainda estão no corredor. Depois Andrei se coloca ao lado dele, em alerta. Por fim, termino o cabelo de Ava às pressas e nós duas nos juntamos a eles.

A porta se abre e três soldados entram, satisfeitos por nos verem em pé e esperando. Um deles, o superior, dá um passo à frente. Não usam nada de amarelo. Nenhum deles é como *nós*.

– Boa noite, senhores – diz ele, em um tom respeitoso. – Espero que não tenham esperado muito.

– Ah, imagina. Nem deu nem tempo de crescer musgo nos meus pés – Andrei soa sarcástico e olho para ele chocada. Como ele ousa falar assim com um militar?

No entanto, o homem só ri.

– Da próxima vez anoto suas preferências... Novak? É isso? – ele diz, e a ameaça em sua voz é audível. Em vez de desviar o olhar, Andrei encara o homem de igual para igual e me sinto estranhamente orgulhosa. A rebeldia de Andrei me faz sentir um aperto agradável no peito.

– Ficarei satisfeito em informar seus superiores da sua competência, se isso acontecer. – O tom de Andrei é quase displicente, mas surte o efeito desejado. O oficial o encara demoradamente antes de fazer um gesto para as cadeiras.

– Sentem-se. Deixe-me explicar o que vocês farão dessa vez. – Ele se vira para Leon com um meio sorriso que o garoto não pode ver. – Parece que você terá problemas com esse daí, hein?

– Andrei é um bom garoto com gente que ele conhece – Leon responde, e eu quase solto uma risada involuntária. – Pode acreditar em mim, ele não dará problema algum.

Andrei tem a decência de permanecer calado dessa vez e nos acomodamos nas cadeiras em volta da mesa de reunião.

– Então... – Ava começa, cruzando os braços. – Do que se trata tudo isso? Por que vocês precisam de nós e *para quê*?

– A pergunta que não quer calar – diz o oficial, se acomodando no outro extremo da mesa. Os outros dois soldados se posicionam cada um de um lado. – Compreendam... a tarefa para a qual vocês foram escolhidos é algo extremamente sigiloso. Todas as informações e todos os detalhes devem ser mantidos em segredo. Todos sabem que vocês sairão em missão, não há motivos para mentir quanto a essa parte. Mas eles vão perguntar o *que* vocês vão fazer e não importa quem pergunte, sejam seus pais, amigos, namoradinhos ou até professores, vocês estão proibidos de falar sobre o assunto. Nunca comentem nada sobre a missão com outra pessoa que não participou dela. Uma palavra dita, e destruirão tudo pelo qual lutamos tão ferrenhamente.

Ficamos calados. O militar não nos deixa confortáveis e suas últimas palavras soam falsas, como se fossem outro idioma. É mais ou menos como o princípio das aulas de TecEsp, mas duvido que essa seja uma aula idiota de treinamentos aleatórios. Algo tão sigiloso desse tipo e eles confiam em quatro adolescentes que ainda vão para a escola? Só eu acho algo de errado nisso?

– Como vocês podem ter tanta certeza assim de que vamos ficar calados? – É Ava quem finalmente pergunta, em um tom insolente.

O oficial se curva em nossa direção e abre um sorriso assustador. Inconscientemente e como se fossemos um só, nós quatro recuamos.

– Vocês não vão querer saber o que vai acontecer caso abram o bico – ele responde com um meio sorriso, claramente contente em se aproveitar do nosso medo.

Ficamos em silêncio e prendo a respiração. São momentos decisivos, os que passamos em silêncio sob os olhares dos soldados. Por fim, é Leon que se pronuncia.

– Certo. Qual é a missão dessa vez?

– É muito simples.

Mas não é. Nunca é. *Simples* é uma palavra que não existe mais na minha vida.

CAPÍTULO 14

Depois de ouvirmos as instruções para nossa missão, vamos para o subsolo e somos levados para os nossos quartos, separados. Meu quarto tem paredes brancas, uma cama de ferro com um colchão fino e uma mesinha no canto com um copo de água e uma jarra; não diferente de todo o resto, não há janelas.

Começo a suspeitar que o governo da União tem uma aversão estranha a luz natural. Deito na cama, deixo minha mochila aos meus pés e tento repassar meu papel na missão estapafúrdia que faremos, mas minha cabeça dói. Só quero dormir, mas quando finalmente consigo fechar os olhos e relaxar, ouço uma batida na porta.

Caminho, cambaleante, e abro a porta, imaginando que provavelmente é Andrei querendo encher meu saco, dormir na minha cama ou talvez as duas coisas. No entanto, quando minha visão foca, é Ava que vejo, os braços ao redor de si, com o cabelo ainda com as tranças que fiz.

– Posso entrar?– ela pergunta e parece muito mais jovem do que antes.

Lembro-me de que é a mais nova de todos nós e dou passagem, com um sorriso.

– O que você achou disso tudo?

– Quer sentar? – Faço um gesto para ela se acomodar na minha cama e ela concorda. Sento ao lado dela. – O que eu acho disso tudo? Nós entramos no lugar, pegamos o que temos de pegar e depois voltamos para casa. Simples assim.

– Não é simples assim. – Posso perceber o medo em sua voz e coloco uma mão no seu ombro para reconfortá-la. Honestamente, eu não tinha me permitido ficar com medo ou estaria devorando minhas unhas nesse exato momento. – Você sabe que não é. Aquele menino, o Seeley... Ele... morreu. E se eu morrer, Sybil? Eu sou a mais nova de vocês, tenho menos treinamento e...

– Opa, também não é assim. Você sabe que só cheguei aqui faz o quê? Cinco meses? Seis? Eu nem sei nadar direito. – Tento reconfortá-la, mas só fico mais nervosa.

Seguindo o raciocínio de Ava, é provável que se alguém for morrer na missão, serei eu.

– Mas você é uma sobrevivente, Sybil. Você sabe atirar com qualquer arma que eles derem para você e sabe sobreviver em situações extremas por dias se precisar, porque ensinaram isso para você a vida inteira. Mas eu... o que sei além de esmagar algumas pedras e derrubar pessoas?

– Vai por mim: esmagar algumas pedras é muito mais legal do que ser um monstro marinho.

Ela ri, mas vejo que não acredita em mim.

– É frustrante, sabia? Ter essa coisa. Ninguém parece me levar a sério só porque... eu sou assim. Os meninos não gostam de meninas mais fortes que eles.

Ah, não! Isso está virando um consultório sentimental? Não sou psicóloga e não entendo praticamente nada sobre namoro. Não que eu nunca tenha beijado alguém. As coisas acontecem muito cedo em Kali e sempre tem uma ou outra pessoa bonitinha disposta a sanar as curiosidades de uma jovem dama. Mas, tirando isso, não faço ideia de como é ter um relacionamento amoroso ou algo dessa instância. Todos os casais que conheço são... *amigos*. Suspeito que o amor é só um tipo diferente de amizade.

– Com certeza existe alguém que gosta de você; você só não percebeu ainda – digo sem jeito.

Por que ela está preocupada com meninos em uma situação como essa? Há alguns segundos, ela estava questionando se ia *morrer*. Não é possível que essas duas coisas sejam equivalentes.

– Não, não tem. – Ela suspira com o corpo todo, encurvando a coluna. – Você tem tanta sorte de ter Andrei.

Tiro a mão das costas dela. Sinto meu rosto ficar quente e fico desconfortável. A conversa está cada vez mais surreal.

– Ele é meu amigo, Ava.

– Eu vi vocês de mãos dadas no elevador.

– Porque ele é meu amigo, oras! Amigos ajudam uns aos outros, independentemente do gênero – respondo meio nervosa e não sei por que me sinto tão consternada. Provavelmente por ela insistir em algo tão irritante.

– Tudo bem, não precisa ficar nervosa. – Ela cruza os braços, mas me dá um sorriso. – Isso quer dizer que tenho alguma chance com ele?

Não devia, mas fico chocada. Ava tem interesse em Andrei dessa forma? Como assim? Tudo bem, Andrei não é feio. Muito pelo contrário... Mas Ava? E Andrei? Ava e Andrei? Nem os nomes deles combinam! Como ela pode achar que tem chances com alguém com um nome tão parecido com o dela?

– Eu não sei – acabo respondendo, sentindo um aperto no peito esquisito. – Se você quiser, eu pergunto.

– Não, não! Não precisa. – Ava fica corada e abaixa o rosto. – Eu não acho que ele tenha olhos para mim.

– Só porque você é mais forte fisicamente do que ele? Ava, por favor. Você está me ofendendo se acha que meu melhor amigo é esse tipo de pessoa. – Deito na cama, olhando para o teto.

Ava fica em silêncio e depois se deita ao meu lado, olhando para cima como se o teto branco fosse o céu estrelado.

Minha cabeça ainda está um turbilhão com as ideias que Ava colocou nela. Além do nervosismo sobre o dia seguinte, há também uma sensação estranha todas as vezes que penso na possibilidade de Andrei beijá-la. Será que ele já beijou alguém? Será que ele prefere meninas fortes como Ava? Uma vozinha chata me diz que não pode ser, enquanto outra se sente extremamente triste só de pensar que é possível. Talvez ele nem mesmo beije meninas. E por que isso deveria me chatear tanto? Meu coração bate rápido e acho que estou ficando louca. Decido que devo estar ficando doente ou algo assim, porque parece ser a única explicação para o que estou sentindo.

Ainda estamos em silêncio, uma ao lado da outra, quando batem na porta novamente. Ava é a primeira a se levantar e eu a acompanho, caminhando lentamente atrás dela. Dessa vez, tenho certeza absoluta que é Andrei. Uma parte de mim, uma parte muito cruel, anseia por ver a reação dele ao encontrar a outra garota ali no meu quarto.

Abro a porta e lá está ele, encostado na soleira com um sorriso. Quando vê Ava, o sorriso desaparece e ele fica subitamente acanhado.

– Eu... eu achei que você estava sozinha– diz ele, inseguro. – Volto depois, não era urgente. Só queria falar sobre uma coisa que o Tomás me disse...

– Não, Andrei. Pode entrar – digo e abro a porta. Ava ficou de pé do lado da minha cama, parecendo ansiosa. – Nós só estávamos conversando sobre amanhã. Ava está nervosa.

– E você? – Ele me olha, parando na minha frente com as mãos nos bolsos. – Melhorou desde mais cedo?

– Um pouco – respondo, dando de ombros e olhando para Ava. – Conversar bobagens ajuda um pouco.

Ele entra e se joga na minha cama, parecendo confortável demais de uma hora para outra. Fecho a porta e olho para Ava de maneira encorajadora, mas ela só parece confusa.

Eu me sento ao lado de Andrei na cama, com as pernas cruzadas, e convido Ava. Ela opta por se acomodar no chão, perto da cabeceira da cama.

– Então, Ava – diz Andrei enquanto tenta me empurrar para fora da cama, me chutando com os pés. – Como você se sente sendo a pessoa mais brilhante do nosso grupo?

– O quê? – Ela levanta o rosto e o encara, as orelhas ligeiramente vermelhas. – A mais brilhante?

– Óbvio. Você é a mais nova e... Sybil! Pare de me empurrar para fora da cama!

– Pare você de me empurrar para fora da MINHA cama – respondo, empurrando-o para o lado e me acomodando no espaço que consigo. Ele suspira e revira os olhos, voltando para Ava.

– Como eu ia dizendo, você é a mais nova e foi escolhida para participar dessa missão. É claro que você é brilhante.

– Você acha? – diz ela, um pouco relutante. – Acho que só me chamaram pela minha força física.

– E quantas pessoas como você existem em nossa escola? Um monte, mas eles escolheram você. Você só pode ser a melhor. – Ele joga o braço por cima do meu ombro e me puxa para me acomodar na curva do seu braço. – Não é, Syb?

– Com certeza – digo, apoiando os cotovelos no tórax dele para tentar me desvencilhar dos seus braços. Ava ainda parece estar confusa e não consigo entender o motivo. – E você me salvou daquela coisa na piscina. É óbvio que tem um bom coração.

– Obrigada. – Ava sorri e abaixa a cabeça, arrumando uma mecha de cabelo atrás da orelha. – Eu só não vejo como posso ajudar na missão...

– Eu também não faço ideia do motivo de eles precisarem de duas pessoas com habilidades parecidas, mas, ei, eu não estou sofrendo, estou? Só curta o momento. Nós vamos ganhar uma viagem de helicóptero de graça, vamos conhecer o território inimigo de perto e, talvez, pular de paraquedas. Não é incrível?

– Às vezes acho que você não bate bem da cabeça – diz Ava, e sou a primeira a rir, sendo acompanhada por Andrei e depois por ela. – Mas fiquei mais tranquila, obrigada.

Ela se levanta e eu a acompanho, perguntando para onde ela vai. Quando ouço que ela voltará para seu quarto, começo a protestar, mas ela insiste. Ficamos só eu e Andrei no quarto. Ele continua deitado na minha cama, olhando para o teto.

– Ela gosta de mim, não é? – ele pergunta.

– Como você adivinhou? – eu digo. Depois de toda a conversa estranha, nem me dou ao trabalho de provocá-lo falando que ele é convencido demais.

A cama é estreita, mas sou pequena o suficiente para dividi-la, e me acomodo ao lado dele.

– Você só faltou escrever com canetinha na testa dela. Por favor, seja mais sutil da próxima vez – responde, dando tapinhas no meu ombro.

– Ai! E você, o que acha dela?

Não consigo evitar pergunta, e me convenço que é só para satisfazer minha curiosidade.

– A única coisa que eu acho agora é que você deveria dormir. – Ele levanta o braço e me acomodo, usando a parte interna macia como meu travesseiro. – Prometo que não deixo nenhum monstro vir pegar você durante a noite.

– Deixa de ser bobo – respondo, mas quem está sendo boba sou eu, refletindo sobre o que Ava tinha dito sobre mim e ele. Ela está certa em dizer que eu tinha sorte em ter Andrei, mas será que estava certa ao falar que somos mais do que amigos? O que significa ser *mais* que amigos? Ser amigo já não está de bom tamanho? Por que ela foi inventar de puxar esse assunto num momento tão tenso? É muito mais fácil pensar nisso do que no que está por vir. Tento mudar minha linha de pensamento e encosto o queixo no seu tórax. – E se eles quiserem pegar você, Andrei? O que vai fazer?

– Vou me esconder atrás de você, óbvio. Se eu me encolher bem, consigo ficar disfarçado. – Ele me abraça pela cintura, fazendo meu coração acelerar. – Pode dormir, Sybil. Amanhã nós teremos muita coisa para fazer.

– Andrei.

– Que foi?

– Você tem certeza de que tudo vai dar certo?

– Sim – ele diz, mas sua voz não parece confiante. – Acho que sim. Não pense muito nisso, vá dormir.

– Você deveria estar dormindo há muito tempo. Eu imagino que não dormiu nada na noite passada.

– Não sou eu que não durmo direito por causa de pesadelos, Sybil – diz ele, em um tom gentil. – Pode ficar tranquila; vou estar bem aqui se você precisar.

– Foi isso que Tomás te falou? – Fico surpresa, mas logo percebo que não deveria. Isso é a cara dele. – Aquele tagarela!

– Ele adora o fato de ter uma irmã mais velha tão incrível como você. – Posso quase ver o sorriso na voz de Andrei, mesmo de olhos fechados. – Eu adoraria.

Sinto o estômago embrulhar e fico em silêncio por algum tempo sem saber o que responder. A respiração de Andrei fica cada vez mais lenta, indicando que caiu no sono. Por mais que eu goste de ter alguém no quarto comigo, ele deveria voltar para o dele. Tenho medo de me mexer e acordá-lo. Posso ouvir seu coração batendo embaixo dos meus dedos e a respiração calma, o peito subindo e descendo.

– Andrei? – digo e minha voz sai meio rouca, como se eu estivesse doente.

– Sim?

– Boa noite.

– Boa noite – ele responde e eu sei que ele está sorrindo.

CAPÍTULO 15

Leon nos acorda na manhã seguinte, com uma expressão confusa quando abro a porta e se depara com nós dois no quarto. Andrei o chama de bisbilhoteiro e eu fico escandalizada com a piada de mau gosto. É óbvio que Leon devolve com algum comentário igualmente terrível, o que indica que está de bom humor. Desde que fomos escolhidos para a missão, ele estava anormalmente quieto e pensativo. Enquanto ouvíamos a explicação do que teríamos de fazer, ele parecia estar em transe, longe dali, sem processar nada.

– Você está muito engraçadinho hoje, Andrei. Vamos ver até onde você continua assim – diz Leon, se acomodando na cama. – Vistam-se e peguem suas coisas; estão nos esperando para irmos embora. Ainda temos um trem para pegar.

– Nós *estamos* vestidos, Leon! – digo revoltada e me sento ao seu lado, dando um empurrãozinho nele. Ele ri. – Você mandou a gente dormir com a mesma roupa que usaríamos pra viajar, lembra?

– Bem, eu imaginei que já que vocês estavam no mesmo quar...

– Leon, por favor – Andrei o interrompe. – Seu quarto é exatamente do lado desse aqui. Pare de tentar deixar Sybil mais constrangida ainda.

O garoto ao meu lado ri e percebo que é *exatamente* a intenção dele. Isso resulta nele recebendo um tapa bem merecido no braço, mais ou menos na mesma hora em que Ava entra no quarto. Quando é que meu quarto virou um ponto de encontro?

Pela expressão da menina, ela fica chocada. Posso até ler seus pensamentos: "ele é cego, Sybil! Como você está batendo nele? Coitadinho!" Leon, como é de esperar, está achando tudo muito engraçado. Ele se diverte de forma doentia quando as pessoas acham que nós estamos cometendo uma crueldade sem tamanho só porque ele não enxerga. É uma injustiça tremenda, já que ele é provavelmente mais capaz de se locomover e observar as coisas do que qualquer outra pessoa presente.

– Não fique chocada, Ava. Ele mereceu – Andrei diz com humor e pega minha mochila. – Nos encontramos na porta do meu quarto, tudo bem? Preciso pegar minha mochila.

– Você está com as suas coisas, Ava? – Leon se levanta e me puxa para eu ficar de pé ao seu lado.

– Sim – ela responde quase em um sussurro e penso em quão injusto é tudo isso com ela. Ela é a mais nova, e é a única que não é nossa amiga, como um peixe fora d'água.

– Sybil, passe no meu quarto e pegue minha mochila, já que Andrei fez o favor de levar a sua – diz ele para mim, dando um tapinha nas minhas costas. – Vai lá. Nos encontramos na porta do quarto de Andrei.

Tentar adivinhar as intenções de Leon é quase sempre impossível, então não questiono e vou para o quarto dele. Ponho a mochila preta nas costas, percebendo que está muito mais leve do que a minha. Talvez proponha uma troca com ele. Só quando me abaixo, vejo algo diferente na lateral do criado-mudo. Eu me aproximo e empurro o móvel o suficiente para ver que são símbolos entalhados na parte de trás. Passo os dedos pelas fendas, curiosa. Leon até seria capaz de fazer algo assim, mas não é do seu feitio. Será que é algum vestígio da última missão? De perto, os entalhes não fazem muito sentido, então me afasto para ver se têm algum significado maior ou se é puro vandalismo.

Fuja enquanto pode – diz a mensagem. *Fuja*.

Sinto um calafrio e empurro de qualquer jeito o criado-mudo na direção da parede, praticamente correndo para sair do quarto. Por que alguém faria uma coisa dessas? A sensação de que quem quer que tenha escrito a mensagem teve um fim trágico é inevitável e me pergunto se ainda há como fugir, mesmo que eu quisesse.

Eu me junto ao grupo na frente do quarto de Andrei e tento fingir que nada aconteceu enquanto somos guiados para a próxima etapa da missão. Estamos estranhamente silenciosos quando somos colocados em mais uma sala para esperar.

É difícil não ficar uma pilha de nervos. A quantidade de tempo que nos deixam esperando é inacreditável e começo a pensar que pontualidade não existe no vocabulário dos nossos superiores. A mensagem entalhada me assombra e faço planos para o caso de termos de fugir, mesmo sabendo que nunca dariam certo.

Quando finalmente nos buscam, entramos em um carro que nos leva para uma estação militar, onde pegamos um trem de carga e somos acomodados em um dos últimos vagões, junto com vários caixotes de madeira imensos. Sentamos perto de uma das paredes e o trem começa a andar. O barulho repetitivo das rodas nos trilhos me deixa mais calma, mas não consigo relaxar. É claro que precisamos seguir dessa forma clandestina até nosso destino, porque é uma missão secreta, e, por isso, conjecturo todas as possibilidades. Se poucas pessoas sabem onde estamos, é muito mais fácil fingir que ocorreu um acidente e dar um fim em nós.

Compartilho isso com o grupo e Andrei ri da minha cara, como se eu estivesse sendo ridícula. Ava fica nervosa e sai pela janela aberta para tomar um ar. Provavelmente é forte o suficiente para escalar até o teto do trem sem cair. Leon fica calado. Eu me esqueço constantemente que ele já participou de uma dessas missões e que perdeu um amigo (embora ele se recuse a falar sobre Seeley quando o assunto vem à tona). Andrei também parece se lembrar disso e se acomoda ao lado de Leon. É assim que ele é. Percebe exatamente quando as pessoas precisam de apoio.

Os dois começam a murmurar baixinho e não consigo ouvir nada além de sussurros por causa do barulho do trem. Fico frustrada e coloco a cabeça para fora da janela, para tentar ver onde está Ava. O vento bagunça meu cabelo e tenho de tirá-lo do rosto várias vezes antes de perceber que existe uma escada bem escondida logo ao lado da janela. Se fosse noite, nunca conseguiria vê-la. Olho para cima e chamo por Ava, mas minha voz se perde no vento.

Considero subir para encontrá-la, mas mesmo me debruçando na janela, não consigo alcançar a barra mais próxima. Ava aparece na beirada do teto e me pergunto como está se equilibrando. Ela me vê e desce os degraus, entrando de volta no vagão.

– E aí? – pergunto preocupada. Ela parece mais calma, mas seu cabelo cacheado está todo bagunçado e suas bochechas estão vermelhas.

– A vista é linda! – exclama ela com um sorriso e senta em cima de uma das caixas. – Estamos passando por um tipo de plantação, com várias plantas altas, do mesmo jeito, se estendendo até o horizonte. Do outro lado, tem um campo com uma grama bem aparada, com vários animaizinhos brancos. Não sei se são vacas ou ovelhas.

Sorrio e olho pela janela. De onde estou, só consigo ver o campo com a plantação. Ava continua tagarelando sobre o que viu nos instantes em que ficou lá fora e me acomodo ao seu lado, rindo e fazendo comentários. Ela então muda de assunto, dizendo que andar de trem a lembra de um livro.

– Qual? – Eu me mostro curiosa e ela fica muito vermelha.

– É um romance bobo – ela responde quase pedindo desculpas, cruzando as pernas. – Sabe? Daqueles ambientados na época do início da guerra, entre um espião dos dissidentes e uma mocinha rica da União. Eles se apaixonam em um trem e ele fica dividido entre sua lealdade para com o país e o amor por ela. É tão legal, dá vontade de ter vivido nessa época.

– Parece interessante. – Tento me fazer interessada, mas o assunto do livro é algo que não me agrada. Não acho a romantização da guerra que esses livros fazem algo interessante. É estranho pensar que quem gosta de histórias como essa talvez nem tenha tido uma experiência sequer com conflitos e guerras. Esse tipo de romance jamais chamaria a atenção das pessoas em Kali.

– Hum, não é o seu tipo de livro – diz ela, percebendo meu desconforto. – Eu vivo te vendo carregando livros da biblioteca por aí. O que você gosta de ler?

– Eu não gosto de livros sobre a guerra... – Dou de ombros. – A maior parte dos que eu leio é assim... espera aí. – Desço da caixa de madeira e procuro em minha mochila pelo tomo vermelho que peguei da biblioteca.

Entrego para ela e ela ri.

– *Pânico na Colina*?

– Sim! É um suspense sobre um grupo de adolescentes que vai para um acampamento em uma colina e eles começam a morrer, um por um. Um deles descobre que tem uma mutação e é quem acaba salvando todo mundo. Quer dizer, salva os que ainda estão vivos...

– Eu não gosto de livros com anômalos como protagonistas – diz ela sem graça, me devolvendo o livro. – Nem desse tipo de história. Fico com medo.

– Entendi. Deve ser a mesma razão de eu não gostar de livros sobre a guerra. – Coloco o livro no colo e estico as pernas. Pela expressão de Ava, provavelmente soei mais grossa do que pretendia.

– E-eu… – diz ela, hesitante –, sempre esqueço que você veio de Kali. Como era viver lá? Você não sente saudade?

Saudade? Não. No máximo de Vovó Clarisse. Mas do resto? De ter que racionar água e comida? Ter trapos e roupas de segunda mão para vestir, ser revistada o tempo inteiro? Nem um pouco. Quanto aos meus amigos, nunca tive muitos. Tentava não me apegar. Em Kali era assim: um dia se está jogando carta com seus melhores amigos, e, no outro, em seus funerais. Sem falar na agonia diária de nunca saber quando vai acontecer um combate. Quando eu era pequena, sofri muitas vezes por perdas de crianças que, mesmo não tendo o mesmo sangue que eu, eram consideradas parte da família por morarem debaixo do mesmo teto. Só que conforme crescemos, é como se uma carapaça se criasse em volta do peito para nos proteger do sofrimento.

Tento explicar como posso, para não parecer uma pessoa sem coração.

– Era tudo ruim. Tudo. A comida, a vida, a escola. O céu era sempre cinza, as árvores estavam sempre ressecadas, a água era sempre insalubre. Você não sabe, mas antes de vir para cá, eu nunca tinha visto tanta água junta em um lugar só como na piscina da escola. Sinto saudade de algumas pessoas, mas não tenho vontade nenhuma de voltar.

– Mesmo que você seja uma *aberração*?

E aí está a pergunta. E aí está toda a questão.

Eu já suspeitava que Ava tivesse sérios problemas com o fato de ser uma de nós, mas ela nunca havia falado nada tão abertamente sobre esse assunto. Até agora. Sinto pena e seguro a mão dela, tentando arrumar algum jeito de fazê-la se sentir melhor. É óbvio que eu não trocaria ser uma *aberração*, como ela diz, e viver em uma casa boa, com uma cama confortável, comida abundante e família querida por ser normal e viver em uma zona de guerra. Tento me convencer que ela não faz ideia de como é ultrajante alguém achar que há algo de bom em viver na miséria. Ela é só imatura. Como é o ditado popular mesmo? *As crianças viram adultos mais cedo em Kali.* Ava é só uma criança.

– Mesmo que eu seja uma aberração. Aliás, não vejo nada de errado nisso. É superlegal ser quase um peixe – falo em um tom mais animado e ela ri, um pouco triste.

– Quero ver se diria o mesmo se sua mutação fosse mais física...

– Eu ficaria igualmente satisfeita se me trouxessem para cá. Se fosse em Kali, eu provavelmente morreria logo, porque aí me colocariam na linha de frente das batalhas. – Solto um suspiro e sinto um aperto no peito ao me lembrar de todas as pessoas que conheci e nunca voltaram. – Ava, você não tem noção nenhuma do que é viver com medo o tempo inteiro. Você não sabe o que é não ter nada além de alguns grãos para comer porque um armazém foi explodido no último ataque. Você deveria ver o fato de ter nascido em Pandora, com um poder especial, como uma bênção, e não um fardo.

Ela olha para nossas mãos, para a caixa e para a janela, se recusando a me encarar. Solto a mão dela e a observo, em silêncio. Por mais que ela ache o contrário, Ava é uma garota muito bonita. Tem um cabelo cacheado lindo, com tons de cobre e chocolate; tem sardas no nariz que a deixam ainda mais bonitinha, e os olhos verdes são como os campos de plantação lá fora. Ela é forte, mas não demasiadamente, e os músculos das suas costas parecem saídos de uma obra de arte. Minha primeira impressão continua: ela é como uma ursa, sempre com uma energia intensa em cada movimento.

– Ava – eu a chamo e ela olha para mim, triste. – Por que você está assim? Eu daria qualquer coisa para conseguir levantar o tanto de peso que você consegue.

– Sybil, você não entende. Sabe como me chamavam quando era pequena? "Homenzinho." Eu sempre fui *musculosa* desse jeito. É legal para uma menina ter um poder de telepatia ou de criar fogo ou algo assim, mas um poder físico? Todas as pessoas riem de mim. Até os meninos que têm mutações parecidas com a minha não querem ser meus amigos. Eu só sou útil em momentos de treino, mas, fora deles, sou a "menina estranha".

Sinto-me ofendida e culpada ao mesmo tempo. Não deveria tê-la apelidado de Ursa Menor, mesmo que só mentalmente. E me sinto ultrajada por ela achar que não a entendo. Eu entendo sim. É o mesmo motivo pelo qual ninguém respeita Naoki: quem quer ser amigo de uma garota tagarela que pode explodir seus tímpanos caso se descontrole? Mesmo com as anomalias, ainda assim somos submetidos às expectativas da convivência social.

– Ava, se você for ouvir tudo o que as pessoas esperam de você, vai viver a vida que elas querem. Várias pessoas vão achar que você é só músculo e nenhum cérebro, mas você tem de se perguntar se isso é real. A impressão que elas têm de você não é a verdade. Não é o respeito delas que vai fazer você melhor ou pior! O que os outros acham de você não te define, e o que importa é como *você* se vê.

– É muito fácil para você falar – diz ela com a voz seca e me sinto mal com seu rancor.

– Sim, é muito fácil para uma órfã que veio para cá ser semiescrava em uma fazenda de refugiados. – Ela parece um pouco arrependida e se encolhe um pouco. Pego a mão dela e aperto de novo. – Ava, você não está sozinha. Pare de achar que tem algo de errado em você. Se as pessoas acham coisas ruins de você pelo que você faz, elas não te merecem. Você é maravilhosa.

Ela solta minha mão e murmura que precisa de um tempo sozinha. Sai pela janela de novo e solto um suspiro, com medo do que ela possa fazer. Não sei se minha conversa ajudou ou atrapalhou, e me sento meio infeliz no espaço que Andrei abre entre ele e Leon.

– Bom trabalho com ela – Leon diz, dando dois tapinhas em meu joelho. – Poderíamos adotá-la.

– Vocês ouviram? – Eu olho para Andrei e ele nega com a cabeça. Olho para Leon. – É claro que você ouviu.

– Supersentidos, Syb. Não me culpe. Ele dá de ombros e se vira para Andrei, explicando: – Ela tem sérios problemas de autoestima.

– Eu já tinha percebido – responde ele, abraçando os joelhos. – A escola pode ser difícil pra quem não consegue se encaixar.

– Como você antes de me encontrar? – eu o provoco e ele ri.

– Eu diria que sim, mas você vai ficar convencida e insuportável depois disso. – Ele arruma o cabelo atrás da orelha. – Recebi um convite de Uri para fazer parte do grupo dela no primeiro mês de aula.

Leon faz um barulho que parece o de um gato atropelado e eu engasgo. Depois, começo a rir.

– O quê?

– É. Eu recusei. Ela é idiota, convencida e acha que consegue manipular e mandar em todo mundo. Odeio gente assim. E aí ela operou sua mágica para que ninguém falasse comigo. E confesso que também tive um pouco de preconceito de me aproximar de alguns grupos. Depois, eu só desisti. Eu podia ser um exército de um homem só. Uma ilha.

– Ah, você é mesmo uma ilha. Grande, adora boiar, não sai do lugar. – Eu puxo um dos braços dele. – Mas Uri? Uri veio falar com você?

– E me tornou um rejeitado. Você está achando isso muito engraçado, né? – Ele tenta ficar sério, mas seus lábios formam um sorriso discreto.

– Ela faz isso com todo mundo que acha que vale a pena e é uma "ovelha desgarrada" – Leon diz. – Ela planejava fazer isso com Sybil, mas, por sorte, Naoki é vizinha dela. Senão, teríamos perdido nossa amiga.

– Eu não andaria com ela.

– Andaria sim! Você confia em todo mundo – diz Andrei. – Se ela chegasse no primeiro dia de aula e oferecesse um lugar e comida gostosa, a gente não ia te ver nunca mais.

– Vocês falam como se eu fosse um cachorro vira-lata que escolhe as pessoas entre quem tem a melhor comida.

Os dois me lançam um olhar significativo.

– É a verdade – diz Leon.

– Você literalmente acabou de se descrever! – provoca Andrei.

Cruzo os braços, irritada. Só porque tenho um apreço maior por comida gostosa e engordei alguns quilos depois que comecei a comer bem, eles inventaram essa história de que eu amo comida e que minha mutação secreta é ter um buraco negro no estômago.

– Parem com isso! Eu passei fome – digo, cutucando os dois. – É óbvio que vou querer sempre o melhor!

– Não se preocupe, Sybil. Nós ainda te amamos mais ainda agora que você está gordinha – Andrei brinca, apertando a gordurinha nas minhas costas.

– Eu não estou gordinha, Andrei! – Eu o empurro, ficando vermelha. – Leon, fale para ele qu...

– Eu não enxergo – diz ele me interrompendo, levantando as mãos e se livrando da responsabilidade –, embora Brian diga que você ficou muito melhor agora. Sabe, mais cheinha em certas partes. – Ele começa a rir, colocando as mãos em cima do peito.

– Ai, meu Deus! – Escondo o rosto nas mãos e os dois riem mais ainda. – Agora esse lugar virou o trem da confissão? É isso? Leon, se tiver alguma coisa a falar, fale agora ou cale-se para sempre.

Ele fica imediatamente sério e rígido, encarando o nada a sua frente. Andrei para de rir e eu levanto o rosto, assustada pela mudança súbita do clima.

– Sobre Seeley... – Começa ele, bem baixinho, e nós dois nos inclinamos para ouvir. – Eu...

Ele é interrompido por Ava, que volta para dentro do vagão com muito barulho, tropeça em uma caixa e quase cai. O cabelo dela está desgrenhado e ela aponta para o lado de fora, falando coisas sem sentido.

– O que foi? O que foi? – Andrei se levanta rapidamente.

– Fumaça. Lá fora. Está tipo... tudo pegando fogo lá na frente. Acho que vamos ter de parar. O que será?

CAPÍTULO 16

– Escondam-se! – Leon ordena, se levantando de uma vez e parando no meio do vagão. – Rápido! O que estão esperando?

Andrei puxa Ava para trás de uma caixa grande, pegando as mochilas, e eu me escondo do outro lado entre duas caixas, longe da luz que entra pela janela, em posição fetal, abraçando minha mochila. Leon fica no meio do vagão por um tempo e depois pega sua bolsa no chão e se esconde entre a parede e a caixa que fica exatamente na frente da porta. Os únicos sons que ouço por longos minutos são os dos trilhos e do meu coração batendo forte. Gradativamente, o barulho do trem diminui e por fim, para. Fico só com meu coração e o tempo passando na minha cabeça. Cinco segundos. Dez. Um minuto. Dois. Três. Dez.

Finalmente ouço vozes masculinas, ainda abafadas. Ouço conforme se aproximam e fico mais nervosa. Quando chegam ao vagão antes do nosso, posso ouvi-los claramente. Minha perna começa a formigar e tento me mexer, mas quando ouço a porta deslizar, fico paralisada. Ouço os passos secos de botas indicando que são soldados e o barulho de caixas sendo arrastadas. Eles continuam andando e alguém grita: "Está limpo"; depois é a vez de abrirem nosso vagão.

Prendo a respiração, à espera de que a qualquer instante nos descubram e nos levem presos como reféns. Então me lembro de que não estamos em Kali, mas em Arkai, e uma coisa dessas é praticamente impossível de acontecer aqui. Não cruzaremos para o campo inimigo até chegarmos a uma cidade chamada Monte Nevado, um território da província de Hari. Provavelmente não estamos nem na metade do caminho. Não chegamos sequer ao túnel que liga a ilha de Arkai a Hari, pelo mar. Quem, então, seriam essas pessoas?

Os homens entram no vagão, mais preguiçosos e barulhentos do que antes. Olham algumas caixas, arrastam outras, passam perigosamente perto de onde estou. Um deles finalmente diz algo:

– Por que temos de olhar esses vagões um a um se você tem visão de raios X? – O tom é grave e parece estar entediado. Ouço-o chutar algo.

– Se funcionasse do jeito que você acha que funciona, eu não precisaria aguentar sua cara feia e sua idiotice– responde o outro, com a voz mais próxima de onde estou. – Parece que esse é só um vagão militar normal.

– O maquinista jurou que tinha algo interessante nesses vagões – diz um terceiro, entrando no meu campo de visão. Ele é alto e está vestido com roupas pretas, um capuz de inverno e tem uma arma pendurada no ombro, mas não há nenhum sinal de amarelo em sua roupa. Nem a insígnia com o A usado pelos soldados da União. São mesmo anômalos? – Provavelmente está no último vagão. Vamos.

– Esses maquinistas dizem qualquer coisa para nos deixar felizes. Nós devíamos ser mais rígidos com eles – opina o de voz grossa.

– Eles já nos ajudam bastante sempre parando quando pedimos – repreende o terceiro. Ele parece ser o líder, pela forma como fala. – E alguns inclusive trazem informações e comida para nós. Não podemos exigir demais ou seremos descobertos.

– Você realmente acha que eles não sabem que nós existimos? De verdade? – diz o primeiro se aproximando e entrando no meu campo de visão junto com o outro. Ele é mais baixo, e posso ver seu cabelo escuro, além das roupas e da arma. Não parece ser muito mais velho que eu. – Você acha que eles não sentiram falta de uma dúzia de anômalos nas suas cidades e que não sabem que os trens sempre são parados em lugares diferentes do campo?

– Hank, cale a boca! – ordena o homem da visão de raios X. – Acho que encontrei alguma coisa.

Os outros dois saem do meu campo de visão e param depois de alguns passos. Suspeito que estão perto das caixas onde Andrei e Ava se escondem, e contenho a vontade de sair do buraco onde estou para ver o que está acontecendo. Ouço barulho de alguém batendo em madeira e, depois, uma caixa sendo destruída.

– Uau! Por que eles carregam essas coisas em caixas de madeira assim? – ouço o mais irritante falar. – É ração desidratada. Por que não levam em sacos ou caixas de papel?

– Cale a boca e encha sua mochila – rosna o líder irritado. – Temos novas bocas para alimentar hoje à noite.

Ninguém fala mais nada e suponho que estão ocupados enchendo suas bolsas com a ração. Depois de quatro minutos, um burburinho começa e sei que são os homens cochichando, porque Ava e Andrei não seriam irresponsáveis o suficiente para fazer algo que atraísse atenção para eles. Por fim, o líder volta para onde posso vê-lo e se aproxima perigosamente de onde estou. Eu me encolho ainda mais, abraçando a mochila forte e afundando o rosto nela. Será que o homem com a visão de raios X me viu? Sou a única que não está escondida diretamente pelas caixas.

O homem se abaixa, encostando uma mão na caixa acima de onde estou. Se ele a puxar para o lado, serei vista. Meu coração bate tão rápido que me espanto por todos não estarem ouvindo.

Ele me vê. Tenho *certeza* de que me vê, por causa do sorriso que lança em minha direção. Tento me esconder, mas sei que é tarde demais. Quando ele se levantar, seremos descobertos. E então, o que essas pessoas esquisitas farão conosco?

– Acho que você se enganou, John – diz ele quando se levanta. Sinto alívio imediato e uma gratidão inexplicável. – Não tem nada naquele buraco.

– Sério? – John parece surpreso. Mal sabe ele que deixou passar outras três pessoas no cômodo. – Acho que é esse fogo que me deixa perturbado. Minha visão não funciona muito bem no calor.

– Vamos, podemos deixar o trem partir. Já conseguimos comida suficiente. Hank, tampe a caixa.

Ouço barulhos indistintos seguidos pelo som da porta do vagão se fechando. Volto a respirar normalmente e nem sequer consigo sentir mais a perna em que estou apoiada esse tempo todo, mas não ouso sair do lugar. Volto a contar o tempo, nervosa. Oito minutos depois, o trem volta a andar.

– O que foi isso? – Leon pergunta em um tom baixo e suponho que podemos sair dos esconderijos.

Rolo para fora do buraco, jogando a mochila para o lado e esticando as pernas, sentindo dores pontiagudas nas coxas e nas costas. Eu me espreguiço e Ava e Andrei saem de trás de uma das caixas, assustados. Andrei se aproxima da caixa que foi aberta pelos homens e bate na tampa de madeira.

– Inacreditável! Aquele cara, o tal Hank, conseguiu refazer a tampa da caixa que eles tinham arrebentado! Eu vi. Eles destruíram de um jeito que não dava para arrumar assim fácil – explica ele, espantado.

– E o cara da visão de raios X me viu – digo, me abaixando ao lado dele e batendo na madeira. – E o líder deles também, mas não falaram nada.

– Isso foi surreal.

– Quem são eles? – pergunta Ava. – Por que pararam um trem só para pegar rações?

– Parece que são... espíritos livres – diz Leon, que escolhe as palavras com cuidado. – Vocês não ouviram eles conversando? São anômalos, mas estão vivendo clandestinamente.

– E tem isso, é? – pergunto, me levantando de novo. Minhas pernas ardem quando são esticadas. – Achei que o governo soubesse de todos os anômalos que existem.

– Se eles soubessem, você não teria descoberto que é uma de nós em um acidente – responde ele, caminhando de um lado para o outro do vagão. – Bem, acho que essa interrupção não trará nenhum problema para a nossa missão. Mesmo se viram Sybil, preferiram deixar quieto e não denunciar ninguém. Provavelmente acham que ela é uma passageira clandestina tentando fugir.

– Você está preocupado com a integridade da missão quando Sybil poderia ter sido pega? – Andrei pergunta, estupefato.

– Ela não foi pega! É isso que interessa – Leon conclui e se acomoda entre duas caixas. – Fiquem de guarda. Preciso dormir um pouco. Se virem algo suspeito, me acordem.

Andrei olha para mim, ainda aturdido.

– Você viu isso? – Ele aponta para onde Leon está deitado.

É engraçado ver como Andrei fica indignado com a praticidade de Leon. O que ele queria? Que o garoto surtasse e pedisse para que voltássemos só porque nosso trem havia sido interceptado? Nós temos uma missão, e ela é a prioridade no momento. Eu compartilho do pragmatismo de Leon, então só balanço a cabeça em resposta.

– Deixa isso quieto, Andrei. Trouxe um dominó. Vocês dois querem jogar? Acho que temos pelo menos mais umas três horas pela frente, se não pararem nosso trem de novo. E se a gente ficar perto da janela, podemos ficar de olho no que acontece lá fora.

Ava fica mais animada e Andrei dá de ombros, ainda parecendo incomodado com a situação. Por fim, aceita se sentar em cima de uma das caixas e jogar dominó conosco. Depois da minha quarta vitória consecutiva, todos os problemas parecem ter ficado para trás, e ficamos cada vez mais barulhentos e competitivos. Quase parece que estamos em uma excursão escolar.

CAPÍTULO 17

Paramos rapidamente em uma cidade portuária em Hari para trocar de trem. Já é quase noite e Leon aproveita que passamos em frente a uma agência telegráfica para mandar uma mensagem para a central em Pandora, dizendo estar tudo bem até agora na nossa missão. Depois, caminhamos pelas calçadas, entre os prédios de tijolos aparentes, até a estação de trem dos civis. Estamos todos vestidos com um tom de amarelo horrível que nos identifica como anômalos e temos documentos de autorização que nos permitem chegar a Monte Nevado visitar nossa tia Heidi. Segundo nossas novas identidades, somos Gretta, Aimée, Pierre e Baltazar, todos da mesma família. O arranjo seria incomum para humanos normais, mas, para anômalos, com famílias tão diversas e filhos adotivos de todo o tipo, as identidades não geram suspeita alguma.

– Ei, Baltazar – digo, cutucando Andrei e segurando o riso. Aponto para uma das lojas que ladeiam nosso caminho. – O que você acha de comprar um desses chocolates para levar para nossa tia?

– Parecem bons, não é, Gretta? – Ele enfia as mãos nos bolsos e para de andar.

– Por que vocês pararam? – Leon se vira quando percebe que ninguém mais o segue.

– Gretta quer levar uns chocolates para tia Heidi, Pierre – Andrei responde com um sorriso.

– Podemos entrar? – peço, fazendo voz de criança com fome.

– Não acho que seja uma boa ideia. – Ele parece ansioso. – Nosso trem sai em meia hora.

– Mas a estação é logo ali na esquina. Por favor? – insisto, continuando com o teatro. – Só uma caixinha? Mamãe me deu dinheiro...

– Você sabe que quanto menos gente nos vir, melhor – sussurra Ava, se aproximando de mim.

– Mas é chocolate. E tia Heidi ama chocolate. – Olho para Leon, suplicante. Não que ele consiga ver a minha carinha de animal abandonado.

– Cinco minutos. – Ele cede e Ava suspira, balançando a cabeça. – Ouvi dizer que os chocolates daqui são os melhores de toda a União.

Eu jogo meus braços ao redor dele como agradecimento e nos amontoamos na vitrine, olhando as fontes de chocolate derretido, os tabletes e os bombons. Sinto a boca salivar e procuro pelos preços, mas não encontro nenhum. Entramos, então, e é como se fôssemos sugados para um mundo paralelo em que tudo é feito de chocolate. Bichinhos, árvores, pirulitos, bengalinhas: existem chocolates em todos os formatos e de todos os tamanhos. Até Ava está maravilhada. Como uma loja tão pequena pode ter tantos doces?

Uma atendente se aproxima andando rapidamente e sorrio para ela. Quanto será que custa uma barrinha de chocolate? No entanto, antes que eu pergunte, a moça começa a falar rapidamente:

– Com licença, vocês não podem estar aqui dentro. – Ela se mantém a alguns metros do nosso grupo, como se tivesse medo de chegar mais perto. – Por favor, retirem-se.

– O quê? – pergunto, sem entender o que ela quer dizer. Os outros três ficam calados, provavelmente tão chocados quanto eu.

– Vocês não viram a placa na porta? Nós não atendemos pessoas como vocês –diz ela com tom de desdém. – Por favor, se retirem antes que eu tenha que chamar a contenção!

– Mas o que é isso? – repito sem acreditar.

Pessoas como nós? O que ela quer dizer com isso? Adolescentes? Pessoas sem dinheiro?

– Venha, Gretta. – Andrei me segura pelo ombro. – Não vale a pena.

– Mas eu tenho dinheiro, não vamos roubar... – continuo a olhar para a mulher, chocada. Percebo que ela está tremendo, mas se controla ao máximo para continuar na mesma posição ereta de guardiã no meio da loja.

– Vamos – Leon diz, se juntando a ele. Ava também se aproxima e eles praticamente me arrastam para fora.

– Mas... – Olho para a loja mais uma vez e lá está ele colado ao vidro da porta de entrada, o aviso que eu sempre tinha ignorado antes. O aviso que não existe em Pandora: o grande A amarelo dentro de um círculo e cortado ao meio.

Proibida a entrada de aberrações.

É fácil esquecer que somos todos diferentes dos outros. É fácil, depois de tanto tempo vivendo entre *iguais*, não lembrar de como as pessoas que são diferentes são tratadas. E então começo a notar o que nossas vestes amarelas significam: as pessoas mudam de calçada para não passar perto de nós, as mães escondem as crianças, os vendedores ambulantes se afastam. Temos portas, lojas, bebedouros, banheiros e vagões de metrô diferentes. Temos *cidades* diferentes. Precisamos de autorização só para ir de um lado a outro. É como se fôssemos portadores de alguma doença contagiosa, transmitida pelo ar ou pelo toque.

Tento me lembrar se algum dia já pensei dessa forma. Imagino quantas crianças escondidas pelas mães para que não se aproximem de nós poderão também um dia descobrir que possuem habilidades especiais. Quantas delas são como eu, esperando só uma tragédia para descobrir que não são tão iguais aos outros assim? Eu me esforço para não chorar de frustração ao pensar nos chocolates que poderia ter comprado – não fosse minha *condição*. E me lembro do que Ava perguntou, horas antes, no trem: vale a pena ser uma *aberração*, se for para ser tratado dessa forma?

Não é assim que devo pensar. Eu me consolo ao pensar que as pessoas são tão hostis aqui porque estamos em uma região que não fica perto de nenhuma das cidades especiais. Em Prometeu, ninguém olha duas vezes para pessoas vestidas de amarelo, ninguém muda de calçada. Eles estão acostumados, sendo a "cidade guardiã" de Pandora. Todos os dias, centenas de nós andamos nas suas ruas tentando resolver problemas, fazendo compras ou pegando trens para outros lugares.

– Você está bem? – Andrei pergunta enquanto entramos na estação pela porta destinada a nós. Eu achava que era para evitar a superlotação das entradas, mas percebo que é para que não nos misturemos.

– Não é como se fosse a primeira vez que não posso ter algo que quero – respondo ríspida, e me arrependo no momento em que vejo a expressão dele mudar de preocupação para raiva.

– Você não precisa ser grossa comigo só porque está irritada. Estamos todos no mesmo barco – ele diz, aumentando a velocidade dos passos para alcançar Leon.

Ava me espera alcançá-la e caminha ao meu lado, um pouco atrás dos meninos. Na minha cabeça, ela está cantarolando uma canção da vitória em sua mente, uma melodia infinita de "eu avisei, eu avisei". Sinto raiva dela, apesar de saber que não faz sentido. São as palavras e a frustração *dela* que estou sentindo, não as minhas. Estou satisfeita com minha vida e não é por causa de um chocolate que vou deixar de sentir dessa forma. Sinto uma vontade louca de pegar o trem e voltar para casa, imediatamente.

Aqui, mesmo nos trens de passageiros, existem vagões separados. Ou melhor, existe um vagão destinado a nós, com quatro cabines. Fora nós quatro, que ocupamos uma delas, outras cinco pessoas estão em nosso vagão. Nenhuma delas sequer olha duas vezes para nós, sentadas como sacos nas suas cabines, ocupadas com seus próprios assuntos, todas elas vestindo o amarelo. Agora, não consigo deixar de reparar nisso como um aviso.

Andrei fecha a porta assim que entramos e guardamos nossas bolsas no bagageiro. Ele se acomoda ao lado de Leon, parecendo me evitar. Fico ao lado de Ava, por falta de opção, cruzando as pernas e olhando para fora.

– Você deveria ter deixado Sybil sentar na janela – fala Andrei, cutucando Leon. – Ou melhor, *Gretta*.

Leon vira a cabeça para mim.

– Você quer sentar na janela, Gretta? – ele pergunta.

– Não.

– Então eu não deveria ter cedido a janela para ela, *Baltazar* – Leon diz para Andrei e depois se inclina na direção dele, sussurrando algo que o faz olhar para a porta.

– Que horas vamos chegar ao nosso destino? – pergunta Ava e chama a minha atenção. É a primeira vez desde o incidente da loja que olho para ela e percebo que suas bochechas estão excepcionalmente vermelhas, mesmo agora.

Mesmo com a raiva que ainda sinto dela, não consigo evitar sentir um pouco de pena.

– É uma noite inteira. Devemos chegar antes do amanhecer. Você sabe como dizem: as coisas são muito mais secretas naqueles instantes logo antes do sol nascer – explica Leon. – Pelo menos é o que minha mãe diz. Quando tudo fica mais escuro, é mais fácil os gatos se esconderem.

Eu rio e Andrei sorri, olhando para o lado de fora. Nós conhecemos as sabedorias esquisitas da mãe de Leon muito bem, pelo tanto que ele comenta. Já tivemos inclusive o prazer de ouvi-la dizer essas pérolas nas vezes em que fomos na casa dele. Ao contrário de mim e de Andrei, que temos mães que trabalham fora o dia todo, a mãe de Leon trabalha em casa. Ela é escritora ou algo desse tipo, mas escreve com um pseudônimo porque seus livros são vendidos para as pessoas *normais* também. Todas as vezes que vamos à casa dele, ela está lá e não consegue ficar longe de nós. Ela diz que precisa de juventude para manter-se criativa, e Leon responde que ela só está procrastinando.

Bem, ela tem bastante juventude em casa: quatro filhos, todos biológicos. Leon é o do meio, e seu irmão mais velho mora em outro setor da cidade, com a esposa e um filho.

– Você acha que ela já está com saudade? – pergunta Andrei curioso.

Provavelmente porque ele duvida que sua própria mãe sequer saiba onde ele está. Falar sobre a mãe de Andrei é um assunto proibido.

– Com certeza – diz Leon rindo. – Da última vez que eu vim, ela jurou que nunca mais ia me deixar participar de uma missão e implorou para meu pai fazer o que pudesse para impedir. Mas olha só eu aqui outra vez... – ele suspira, balançando a cabeça dramaticamente. – Ela quase matou ele, dizendo que a culpa era dele por ter me passado os genes da responsabilidade.

– Literalmente? – pergunto, e nós três caímos na risada. Além de ser uma filósofa, a mãe de Leon tem um temperamento forte. E quando ela fica com raiva, solta raios e trovões. *De verdade*.

– Olha, chegou bem perto dessa vez. Nós agora temos uma sala-cozinha, exatamente como ela sempre quis. Acho que foi o pedido de desculpas.

Rimos novamente e Andrei se vira para Ava.

– E os seus pais, Ava? O que eles acharam de você participar dessa missão?

Ela parece acordar de um transe, desviando o olhar da paisagem lá fora para Andrei. Ela processa a pergunta e dá um meio sorriso.

– Eles ficaram muito orgulhosos. Um dos meus pais é o chefe da polícia de Pandora, então, sabe...

O tempo parece parar, porque ficamos em silêncio quase sepulcral. Ela é filha do chefe da polícia? Eu nem fazia ideia de que o homem largo e de pescoço grosso que aparecia na televisão de vez em quando dando avisos de segurança poderia ser parente dela. Ava fica muito vermelha e arruma o cabelo atrás da orelha.

– Ele quer que eu siga a profissão – continua, esperando quebrar o desconforto. – Não que meu outro pai concorde. Ele diz que eu posso ser o que eu quiser.

– Ah, você tem dois pais? – Andrei diz com um sorriso. – Isso é legal. Eu às vezes tenho duas mães, embora uma delas goste de ser chamada de pai em alguns dias.

Eu rio com a tentativa dele de romper o desconforto repentino, e Ava acaba rindo também.

– Aliás, como é viver com Madame Charlotte? Me espanta que você não esteja andando cheio de comida por aí. Se eu tivesse um pai que cozinha tão bem quanto o seu, eu provavelmente nunca pararia de comer.

– Bem, é normal. Você sabe, todo mundo acha que só porque ele se veste de mulher no trabalho, ele é automaticamente gay e não faz sentido ele ser casado com uma mulher e ter um filho, então quando as pessoas descobrem, é um saco ter que lidar com as reações. As pessoas não entendem que a Madame Charlotte é uma expressão de uma parte de quem ele é, sabe? Eu brinco que ela é minha mãe, mas tem um fundo de verdade porque meu pai é os dois ao mesmo tempo, Madame Charlotte e Charles. Meio que não existe um sem o outro. Fora isso, ele é um pai que gosta muito de cozinhar e de tricotar, um pai como qualquer outro.

– E que sempre deixa comida pronta na geladeira, como Dimitri – eu complemento com um meio sorriso.

– As comidas de Dimitri são famosas na escola! – Ava comenta. – Em um embate, quem vocês acham que ganharia? Dimitri ou Madame Charlotte?

– É empate – diz Leon. – É verdade! Eu já comi da comida dos dois e tenho o paladar mais apurado de todo mundo. É empate.

– Vou contar isso pro Dimitri, ele vai ficar se achando.

– E você, Sybil? O que seus pais disseram?

É esquisito ouvir alguém chamá-los de "meus pais". Mesmo que eles tecnicamente sejam meus pais adotivos, não consigo chamá-los dessa forma.

– Ficaram preocupados. Você deveria ter visto a cara que eles fizeram. E aí Tomás começou a fazer perguntas e ficar meio ansioso, então eles se acalmaram e me deram parabéns – respondo, suprimindo a conversa que tive com Rubi um dia depois.

Não compartilho a hesitação dela com os meus amigos, principalmente porque é Leon que comanda a missão, e não sei o que ele acharia de Rubi ter me falado para contatar *ela*, e não Z, caso algo desse errado.

– Qual é o relacionamento deles, afinal? De Dimitri e... qual é o nome da sua mãe?

– Rubi. Eles são amigos. – Olho para Andrei, meio que pedindo ajuda. Eu me sinto desconfortável revelando tanto assim da minha vida para alguém que conheço há menos de quatro dias. – Resolveram dividir a casa para ficar mais fácil criar Tomás e para que as contas diminuíssem um pouco.

– Ah, é? E o que eles fazem? Porque sei que a mãe de Leon é escritora e que o pai dele é médico. Sei que o pai de Andrei é um apresentador de televisão. Um dos meus pais é o chefe de polícia e o outro é arquiteto. E os seus? O que eles são? Algum deles é famoso? – Ela parece ansiosa para saber mais sobre eles e dou um sorriso sem graça.

– Os dois trabalham para o governo. – Ela olha para mim querendo que eu elabore mais, mas fico calada.

Ela faz um biquinho de frustração.

– Em qual parte do governo?

– Eles são importantes – Andrei responde, me salvando. – É só isso que você precisa saber.

– E quais são os poderes deles?

– Acho que já chega – Leon diz com voz firme, ajeitando-se na cadeira. Ava se assusta e fica calada. – Estamos revelando coisas demais sobre nós; não sabemos quem mais pode estar ouvindo.

– Desculpa, eu só estava curiosa – sussurra ela em resposta e volta a encostar a cabeça no vidro. – Sinto muito.

Andrei então muda de assunto para algo muito idiota que acaba nos fazendo rir. Pergunto se querem jogar dominó de novo e recebo um sonoro *não*, só porque venci todas as partidas anteriores. Comemos a refeição que estava prevista nas passagens e quando ficamos em silêncio, tiro meu livro da mochila e leio até cair no sono, o barulho do trem servindo como canção de ninar.

CAPÍTULO 18

Acordo com Andrei me cobrindo com um casaco e percebo que estou tremendo de frio. Ele tenta me convencer a continuar a dormir, mas assim que acordo, me sinto completamente desperta.

– Quando foi que ficou tão gelado? – pergunto em voz baixa.

Sabíamos que Monte Nevado costuma ser mais frio que Pandora, mas não imaginava que fosse tanto. E ainda por cima é um frio seco, que parecia me congelar até os ossos. Ava e Leon estão dormindo, cada um encostado na janela, cobertos com seus respectivos casacos. Andrei veste um sobretudo e suponho que o frio o acordou e ele tomou a liberdade de pegar os casacos nas mochilas e cobrir todo mundo.

– Já faz um tempinho. Quando você começou a tremer, achei que era hora de pegar os casacos – responde, dando de ombros. – Você vai ficar acordada?

Digo que sim com a cabeça e ele se espreguiça, se acomodando no banco.

– Então vou dormir um pouco – ele diz, inclinando a cabeça para trás.

– Você não dormiu nada desde que saímos de lá?

Quantas horas já se passaram? Sete? Oito?

– Eu e Leon estamos revezando os turnos, não se preocupe.

– Vocês deviam ter me acordado também. – Eu me encolho dentro do casaco em uma tentativa frustrada de fugir do frio.

– Agora você está acordada. Se ficar mais frio ainda, Ava trouxe um gorro e um cachecol e Leon trouxe um par de luvas. – Ele aponta para o bagageiro. – Eu só trouxe este casaco.

– O que significa que você provavelmente vai morrer de frio.

– Você sempre pode me emprestar um dos trezentos cachecóis que você tem na mala.

– Ah, cale a boca! Eu não sabia o quanto era "um pouco frio" que falaram. Aparentemente, você também não.

Ele ri e balança a cabeça, se movimentando no banco várias vezes até achar uma posição confortável. Pego meu livro e tento ler, mas a única luz que tenho é a da lua que entra pela janela. Desisto e coloco as pernas em cima do banco, me abraçando para ficar como uma bolinha. Não sei se é porque estou prestando atenção, mas parece que a cada instante fica mais frio e começo a esfregar as mãos. Tento me concentrar em outra coisa, no que tenho de fazer quando voltar para casa, ou na matéria que vou ter de estudar por conta própria para fazer as provas. Porém, no fim das contas, minha atenção acaba sendo atraída para o banco na frente do meu.

Andrei dormiu com uma velocidade impressionante e a cabeça dele pende para o lado, na direção de Leon. Imagino o quanto deve ser desconfortável dividir o assento com uma pessoa de tamanho igual, e me arrependo de não ter insistido para trocar de lugar com Leon quando Andrei sugeriu. Dessa forma, eu não precisaria me preocupar se ele ia ficar com uma hipotermia por usar só um casaco.

Ele vira a cabeça e uma mecha de cabelo cai sobre o rosto; tenho de me conter para não afastá-la. Já tivemos inúmeras discussões sobre o cabelo dele, mas ele se recusa a cortar mais curto do que está agora. Da mesma forma, já tivemos inúmeras discussões sobre como eu deveria deixar meu cabelo solto mais vezes. Não consigo evitar o pensamento de que o cabelo de Andrei parece ser da cor de prata sob a luz da lua, roçando nas bochechas. Sinto uma pontada esquisita no peito e respiro fundo, desviando o olhar enquanto sinto meu rosto arder. É assim que uma pessoa se sente quando está ficando doente? É a segunda vez que me sinto esquisita assim só nesses últimos dias.

Com medo de arruinar a missão com uma gripe súbita, subo no banco do trem e puxo nossas mochilas, me enrolando com um cachecol e agasalhando os outros de forma exagerada. Aproveito e arrumo o cabelo de Andrei atrás da orelha, enrolando meu cachecol menos chamativo no seu pescoço. Ele nem se mexe.

Volto a me sentar no banco, desconfortável com não ter nada para fazer. Como é que Andrei aguentou tanto tempo acordado sem surtar? Para Leon deve ser tranquilo; ele está acostumado a ficar muito tempo concentrado. Tento calcular que horas são, quantas horas faltam para chegarmos ao nosso destino, quanto tempo já passou, mas sempre fico distraída por algum movimento dos outros três. Está tudo tão silencioso que tenho medo de que minha respiração os acorde, então decido dar uma volta e esticar as pernas.

Fecho a porta da cabine atrás de mim com cuidado e encaro o corredor iluminado pela luz fraca de poucas lâmpadas. Sinto uma curiosidade imensa de saber quem são as outras pessoas que estão ali no trem conosco, se elas estão dormindo, como elas se acomodaram no vagão; caminho na ponta do pé, checando as cabines e parando por um tempo do lado de fora das portas fechadas.

Na primeira delas, ouço a respiração pesada e os roncos de alguém. Na segunda, não escuto nada. Na terceira, ouço sussurros e me inclino até quase encostar o ouvido na porta, tentando discernir o que estão falando. Sei que é errado, mas é melhor do que ficar sentada morrendo de tédio.

– Obviamente não são daqui – diz uma voz de mulher e um riso a acompanha. – Você viu como são barulhentos e olham as pessoas nos olhos?

– São só crianças. Elas vão acabar aprendendo... – a segunda voz é de um homem, áspera. Tenho a impressão de que pertence a um senhor cheirando a tortas de ameixa, com óculos equilibrados na ponta do nariz e o cabelo branco como a neve.

– Aposto que são de alguma daquelas cidades... Esse é um dos problemas deles, sabe? Nós, que vivemos aqui fora, sabemos nosso lugar. Mas eles? Acham que o mundo pertence a todo mundo. Pensam que têm direito de ficar andando por aí, se exibindo para cima e para baixo no meio das pessoas normais.

– Não seja tão dura! – o homem a repreende. – Eu acho incrível que eles se sintam com tanta liberdade assim.

– Ah, é? Você acha incrível? E quando um desastre como o daquele garoto... qual era mesmo o nome dele? Pedro ou qualquer coisa do tipo... enfim, e quando ele destruiu aquele gerador de energia e matou todas aquelas pessoas? Você achou incrível? Achou? E a perseguição depois daquilo, você achou bonita? – A mulher usa um tom acusatório. – E todas aquelas pessoas que foram *mortas* por causa da tal liberdade? E o fato de agora termos de andar para todo o lado com essas autorizações? Você acha isso legal?

– Mar…

– Não, eu vou dizer o que eu acho, François. Eu acho que essas cidades deixam tudo mais fácil para que eles nos destruam. Se todos estivermos nessas cidades, eles podem acordar um dia e decidir que não nos querem sujando a sociedade perfeita que eles têm, nem ameaçando seu DNA sem falhas. E aí, o que eles fazem? *Cabum*.

– Você está exagerando, Marie – responde François impaciente. – Pare de achar que vão acabar conosco. Eles precisam de nós. Ou você realmente acha que vão vencer essa guerra sem nossa ajuda?

– François, você é um tolo. Um tolo. – Fico ofendida pelo senhor. Essa mulher não parece entender o conceito de coexistência. – Essa guerra existe desde antes do pai do seu pai ter nascido. Você realmente acha que ela vai acabar um dia? Nós não vamos abrir mão daquele território, e os dissidentes muito menos. Eles precisam daqueles recursos muito mais do que nós.

– Eu só não entendo o porquê – diz o senhor frustrado. – Nós estudamos isso; eles têm mais petróleo e água do que nós. Por que fazem tanta questão de terem Kali também?

– Porque as coisas estão acabando. Enquanto aprendemos a lidar com o pouco que temos, eles continuam gastando sem parar. Aí você sabe… sempre precisam de mais. Foi por isso que viraram dissidentes, para início de conversa. Você estudou isso também.

– Sim, eu sei, o acordo de Hyderabad. Não me trate como um idiota, Marie. Qualquer criança aprende sobre isso.

Bem, de fato. O acordo de Hyderabad havia sido assinado centenas de anos atrás e foi o responsável pelo início da Guerra Vermelha, a que nos dividiu entre União e Império do Sol. Antes, existiam vários países, e cada um deles tinha seu próprio governo, mas todos faziam parte de algum tipo de organização maior e seguiam suas regras. Quando se reuniram em uma cidade chamada Hyderabad, na região onde fica Kali hoje em dia, para determinar as regras de usos dos recursos naturais, alguns países se recusaram a fazer parte da organização mundial e ameaçaram aqueles que tinham decidido se juntar a organização maior, caso eles começassem a aplicar as sanções previstas no acordo. O que, obviamente, não foi atendido, ou não estaríamos aqui.

A conversa cessa. Sinto meu coração acelerar com o medo de ser pega. Volto a andar, dando passos leves, caminhando até o fundo do vagão onde ficam os banheiros. Instantes depois de sair da frente da porta, ela se abre e o homem sai, se esticando. É um senhor exatamente como imaginei, vestindo uma gravata-borboleta vermelha, combinando com um conjunto de terno amarelo. Não consigo evitar um sorriso e ele sorri de volta para mim enquanto passa pelo corredor.

– Está frio, não?– comenta quando chegamos ao banheiro.

– Sim. Eu não sei como minha tia consegue morar em um lugar tão frio assim – começo a dizer, antes mesmo de perceber que posso falar demais.

– Ah, você está indo visitar sua tia? – ele pergunta com curiosidade. – Vocês quatro?

– Somos irmãos. Adotados – respondo, tentando parecer simpática. De certa maneira, me sinto culpada por mentir para esse senhor que parece inofensivo, mas ao mesmo tempo me lembro que não podemos confiar em ninguém.

Entro no banheiro e me olho no espelho. Estou com olheiras enormes e alguns fios do meu cabelo estão soltando da trança. Resolvo refazê-la. Enquanto penteio os cabelos com os dedos, reflito sobre o que acabei de ouvir. Não acredito no que Marie disse. Por que as pessoas normais iam querer se livrar de nós? Até onde sei, somos muito úteis no campo de batalha e em algumas missões, como essa que estamos realizando. Também não quero acreditar no que ela comentou sobre a guerra. O conflito já dura séculos, mas certamente acabará um dia. É impossível que continue por tanto tempo, por mais que pareça eterno. Pelo menos é o que eu espero. A perspectiva de nunca haver paz é assustadora.

Não que faça muita diferença agora. Entendo o motivo por trás das pessoas não parecem se importar com o que acontece em Kali ou em outras zonas de guerra. No aconchego dos seus lares, com comida abundante, aquecedores e programas de televisão de gostos duvidosos, quem é que se interessaria por algo que acontece a milhares de quilômetros de distância? E Kali é praticamente autossuficiente em termos de população e de recursos militares, então não há sequer a necessidade de mobilização mundial para ajudar nesse sentido.

Termino minha trança e a amarro em um coque baixo, lavando o rosto em seguida e saindo do banheiro. Encontro o senhor encostado na janela ao lado, fumando um cigarro com aroma de menta. Ele solta a fumaça e sorri para mim, como se estivesse satisfeito em me ver andando por aí.

– Em qual delas você mora? – ele pergunta.

– O quê?

– Em qual das cidades, quero dizer. Nunca fui a nenhuma. Ouvi dizer que há uma imensa na ilha, chamada Pandora – tagarela ele, tentando ser simpático.

Esboço um sorriso constrangido. Se alguém descobrir de onde nós viemos, nossa missão vai por água abaixo.

– Moramos em uma pequena – digo, tentando me safar. Qual é o nome da cidade que está em nossas autorizações mesmo? Não consigo me lembrar. É algo engraçado, que rendeu uma boa piada entre nós. Não é nada mitológico, ou eu teria lembrado de primeira. Tem a ver com contos de fadas ou tipo... Finalmente me lembro. – Canto do Cisne. O senhor conhece?

– Ah, sim! Conheço. – François sorri. – Muito bem. Famosa pelos vinhos.

– Sério? – Me surpreendo e percebo que não é uma reação esperada. Fico nervosa e tento inventar uma desculpa qualquer. – Achei que eles só ficavam na região...

– Que nada! Dizem que o grande cônsul só bebe dos vinhos produzidos lá. Cidade pequena a sua, mas famosa!

– Adorei saber – digo, enfiando as mãos nos bolsos. Não tenho ideia das intenções desse homem. Será que ele desconfia de algo? Decido sair dali o mais rápido possível. – Se você me der licença... Acho que meus dedos dos pés congelaram.

Ele ri e se despede com um aceno, dando mais uma baforada do cigarro. Não parece mais tão legal quanto antes, e me apresso para voltar para minha cabine. No meio do caminho, me deparo com sua acompanhante, Marie. Ela é uma senhora também, com um porte altivo e praticamente da minha altura. Olha para mim com reprovação, como se o simples fato de estarmos respirando o mesmo ar a ultrajasse.

Ando ainda mais rápido e entro em minha cabine, fechando a porta atrás de mim.

– Que bom que você voltou – Leon diz e eu me assusto, levando uma mão à boca para não gritar. – Opa, o que aconteceu?

– Nada.

– Bem, acho que vamos chegar daqui a pouco – ele fala. – É hora de acordar esses dois.

Eu me acomodo no banco, sentindo um pouco de alívio por finalmente voltar a sentar com os outros. Esse foi o passeio mais estranho da minha vida.

CAPÍTULO 19

Monte Nevado, mesmo na hora mais escura antes do amanhecer, é a cidade mais bonita que já vi. As casas têm telhados brancos, as janelas têm pequenos vasos cheios de flores coloridas e em todos os postes de ferro brilham lâmpadas de vidro. Tudo parece saído do sonho de uma garota de 5 anos muito caprichosa.

Observo com curiosidade cada uma das vitrines que estão cuidadosamente expostas nas laterais das ruas perpendiculares à estação, cheias de roupas, chapéus, bolsas, sapatos e utensílios peculiares. Quase me perco do grupo quando paro para entender o que é um dos amontoados de ferro exposto em uma delas, e tenho de correr para alcançá-los.

Somos recebidos na estação por uma senhora vestida em um terninho verde-escuro sem nenhum traço de amarelo, que é o uniforme padronizado do exército para mulheres. Pelo comportamento que ela apresenta, minhas suspeitas são confirmadas: ela mal nos deseja bom dia e nos guia pelas ruas com um passo apressado, me fazendo praticamente correr para alcançá-la. Poucas pessoas caminham na rua a essa hora da madrugada, e logo nos enfiamos em um veículo oficial, provavelmente sem que ninguém nos tenha visto.

Dessa vez, Leon me deixa ficar na janela do carro e, quando partimos, as casas passam por nós como se fossem pessoas apressadas indo ao trabalho. Tento absorver cada detalhe, desejando que tivéssemos ficado mais de dez minutos para apreciar a vista. Logo a cidade dá lugar a longas plantações amarelas que não reconheço. A vista é incrível e não deixo de pensar em como é irônico que uma cor tão alegre possa também ser associada ao preconceito e ao medo. Em um dos campos, uma família de coelhos saltita perto da estrada, parecendo não ter nenhuma preocupação no mundo.

O carro está tão silencioso que consigo ouvir a respiração de Andrei, dormindo com a cabeça apoiada em meu ombro, cada arfada soprando a respiração quente no meu pescoço. Tenho a impressão de que todo mundo também consegue ouvir meu coração acelerado, e evito me mexer para não acordá-lo. É nossa última etapa antes da pior parte da missão, e a falta de hospitalidade dos oficiais que nos receberam é perturbadora. Talvez se tivessem puxado conversa, eu nutriria a ilusão de que a missão era fácil. Sem isso, contudo, só posso supor que eles estão evitando se apegar a nós no caso de algo dar errado.

Muitos quilômetros depois, a paisagem de plantações começa a se transformar em vastidões desertas. Logo é possível avistar as cercas de metal da base militar. Sinto o estômago revirar e observo meus companheiros na esperança de sentir algum tipo de alívio. Pelo menos um de nós precisa estar seguro sobre o que vamos fazer.

Em vez disso, encontro indiferença e mais ansiedade. Ava está com os nervos à flor da pele, as mãos descosturando a barra da blusa com uma destreza incomum para os seus dedos grossos. Leon está com a expressão indecifrável de sempre, com seus olhos claros encarando tudo e não vendo nada ao mesmo tempo. Ele está com o queixo apoiado na mão, e eu tomaria isso como confiança, não fosse sua incapacidade de ficar parado em uma só posição. Andrei acorda um pouco antes de chegarmos e parece desnorteado, completamente alheio a tudo. Bela equipe que me arranjaram!

Passamos pelo menos cinco minutos no portão antes de sermos liberados para entrar. O carro vai direto para o prédio mais afastado, virado para o oceano gelado. Estacionamos e somos praticamente expulsos do veículo, sendo conduzidos pela oficial antipática para o lado de dentro. O interior é a mesma coisa de todos os prédios do governo: nenhuma janela, luz artificial, uma brancura impecável e enlouquecedora.

Os passos de nossa guia se tornam cada vez mais apressados à medida que andamos. Fica muito difícil acompanhá-la. Andrei tropeça uma vez e Ava o impede de cair. Tenho de forçar as pernas para continuar me movendo depois das horas de trem e do cansaço da longa viagem. Torço para que nos deixem dormir pelo menos três horas antes de partirmos, mas quando entramos em uma das salas, vejo que minhas esperanças não vão me levar a lugar nenhum.

É um depósito cheio de equipamentos. As paredes são prateadas, feitas de algum tipo de metal mais resistente. Sempre fico chocada com a quantidade de metal, plástico e borracha que o exército usa. Tenho quase certeza de ter lido em algum lugar que pelo menos 60% dos nossos recursos são convertidos em artigos de uso militar.

– Eles estão aqui, doutor – anuncia a mulher, as palavras saindo como um latido de cachorro.

– Muito obrigado, tenente. Pode se retirar. – Uma voz masculina ressoa nas paredes metálicas e a mulher obedece, saindo da sala em silêncio. Não dá nenhum adeus ou desejo de boa sorte.

Ficamos sozinhos e procuro nervosamente por câmeras. Passei por todo o tipo de avaliação nos meus primeiros dias em Arkai, e o terror de ter de passar por tudo aquilo novamente me domina. E se isso for só uma desculpa para nos estudar ou algo assim?

Meus pensamentos são interrompidos pela aparição de um homem magro, todo vestido de branco e usando óculos com lentes tão grossas que fazem seus olhos parecerem bolinhas de gude pretas. Ele nos encara e arruma os óculos no nariz, resmungando algo para si mesmo antes de nos dar as costas novamente.

Permanecemos calados, embora eu possa ver Andrei usando cada átomo da sua força de vontade para não começar a reclamar.

– Então são vocês. Quando é que vão começar a me mandar adultos qualificados? Não é possível que desperdicem meu intelecto superior enviando crianças como vocês! – reclama ele com uma voz grossa que não combina muito com sua aparência. Enquanto ele fala, suas mãos balançam agitadamente. – Quantos anos a mais nova tem? Uns 12? Achei que havia uma lei que proibisse menores de 15 anos de participar nesse tipo de coisa.

Olho para meus pés, mordendo os lábios para não dizer nada. É óbvio que ele fala de mim, a mais baixa e a mais magra dos quatro. Ele está nos diminuindo só por causa da nossa idade? Sinto vontade de responder, mas me controlo. Aposto que tenho muito mais experiência de campo que ele. Existe uma razão para termos sido chamados para essa missão – se isso aconteceu, é porque somos as pessoas certas para isso. Por mais ansiosa que estivesse antes, agora só sinto raiva.

Leon dá um passo à frente e cruza os braços.

– Senhor, não viemos aqui para sermos ofendidos. Se não for colaborar com nosso objetivo final, peço que nos leve ao responsável por nós e...

– Eu sou o responsável por vocês! – diz o homem com um sorriso maldoso. Ele abre uma pasta de couro em cima de uma mesa branca grande. Espalha alguns papéis e volta a nos encarar. – Vamos repassar o plano. Quem de vocês é... Sybil Varuna?

Levanto a mão e ele faz um barulho de reprovação.

– Como uma garota de 12 anos conseguiu todas essas qualificações?

– Qualificações? – Andrei olha para mim e mexo os pés, desconfortável com a atenção.

– Sim. Aparentemente sua companheira é quase uma especialista em bombas. Mais um ano e ela se tornaria uma especialista de verdade. Você consegue desarmar e montar bombas com que velocidade, Varuna?

– Bem, não muito rápido. Não era uma das mais rápidas da turma, mas eu sobrevivia mais do que morria nas simulações – respondo, tentando ignorar minhas lembranças sobre as aulas de sobrevivência de guerra.

– Bom, você vai ter de servir – conclui ele. – E sistemas de segurança?

– Sistemas de segurança? – pergunto, chocada. – Se a fiação for igual a...

– Tudo bem, tudo bem. Estão vendo? – Ele aponta para mim, falando com Leon como se ele pudesse ver seu gesto. – É por isso que odeio quando vocês vêm para cá. Meu plano pedia especificamente um mergulhador, um especialista em eletricidade e um espião para poder se esgueirar pelos sistemas de segurança. E o que me mandam? Quatro crianças! Quatro aberrações.

– Por que você não cala a sua mald... – Andrei começa a falar alto, mas Ava o interrompe, dando-lhe uma cotovelada nas costelas.

– Senhor, eu me recuso a ficar aqui enquanto ouço suas ofensas – Leon fala em um tom formal, mas ameaçador o suficiente. – Eu realmente detestaria ter de fazer um relatório dizendo que fomos tão mal-recebidos aqui e que a sua má vontade foi responsável pelo fracasso da missão.

O homem para, encarando Leon com curiosidade. Por fim, ele dá de ombros e arruma os óculos novamente.

– Não digam que não avisei.

– Nós ficaremos bem. Somos uma boa equipe. Confie em nós – diz Leon, dando a discussão por encerrado.

Com um suspiro dramático, que sacode todo o corpo esquelético, o homem se acomoda em uma cadeira de alumínio, empurrando uma pilha de bugigangas para o chão. Eu me pergunto como ele consegue achar qualquer coisa no meio de toda aquela bagunça.

– Muito bem, vocês devem estar familiarizados com a função específica de cada um, certo? A missão consiste simplesmente em invadir a fortaleza na Ilha da Miséria e conseguir alguns arquivos confidenciais para nós. – Concordamos com a cabeça e ele continua: – Agora vou repassar os detalhes.

O homem dá um murro desnecessário na mesa, pressionando um botão que faz uma estrutura de metal com um pedaço de tecido deslizar do teto devagar, rangendo com o esforço. As luzes se apagam e uma imagem é projetada, como se a sala tivesse se transformado em um cinema particular. Eu ainda não tinha ido em nenhum, mas Andrei tinha me contado como funcionavam. Fico espantada, mas contenho minha curiosidade para não dar mais motivo para o homem nos ofender. A imagem toma contornos definidos e vejo que é um mapa detalhado da região em que estamos. Posso ver a base militar, o mar e, mais à frente, uma ilhota.

A proximidade da ilha dos dissidentes com o território da União me surpreende. Que ousadia dos inimigos terem um território tão próximo ao nosso! Ainda mais uma base militar com arquivos confidenciais! Olho para Andrei para ver o que pensa disso, mas seu rosto está impassível.

Nosso supervisor começa uma ladainha infinita sobre como seremos lançados ao mar e teremos de nadar até chegar à ilha. Lá teremos de nos infiltrar em duas frentes: Leon e Ava se disfarçarão de soldados e eu e Andrei, que somos menores e temos mutações relacionadas à água, vamos nos esgueirar pelos tubos de ventilação até a sala onde ficam os arquivos secretos. Depois que chegarmos à sala e obtivermos os arquivos, Leon e Ava ficarão responsáveis por criar uma distração para podermos sair sem sermos notados. Se tudo der certo, em menos de trinta minutos teremos saído de lá, boiando no oceano de volta para o território da União.

Em razão de meu treinamento com bombas e sistemas, fico com a responsabilidade de desativar o sistema de segurança quando entrarmos na fortaleza. Se eu cometer algum erro, por menor que seja, coloco toda a missão em risco. E, pela expressão do Dr. Magrelo, como resolvo chamá-lo, provavelmente não voltaremos para casa se isso acontecer. Subitamente, sinto as mãos suarem e meu estômago se embrulha com enjoo.

Ele continua falando, mas deixo de prestar atenção quando ele entra em uma discussão acalorada com Ava sobre como ela e Leon devem se infiltrar na base, e enxugo o suor das mãos na roupa. Repito o mantra que costumava recitar em todos os exercícios de desarmamento: *não fique ansiosa. Quanto mais nervosismo, maiores as chances de erro. Fique calma. Respire fundo.*

– Vocês dois. – O homem se vira para mim e Andrei, e me assusta.

A imagem na tela mostra uma planta-baixa da fortaleza. Eu me pergunto como eles conseguiram esses arquivos sobre o inimigo de forma tão detalhada.

– Vocês vão levar a planta do edifício, mas é melhor que não percam tempo olhando para ela. Observem: a sala que vocês devem entrar fica aqui. – Ele se levanta da cadeira e aponta para uma sala no núcleo do prédio, no que suponho ser o terceiro andar pela leitura do mapa. – Como estarão dentro dos tubos de ventilação, é bom que saibam exatamente os caminhos que terão de percorrer.

– Senhor, são três andares – digo. – Teremos de subir até lá pelos tubos de ventilação?

– Não são três andares, garota. Nós só não sabemos ao certo qual delas é a planta verdadeira.

Andrei faz um barulho de indignação, que mais parece um palavrão abafado, e cruza os braços com sua melhor expressão de revolta.

– Você espera que nos infiltremos em uma fortaleza inimiga e nem sequer nos dá material para isso?

– Vocês terão todo o material necessário – responde o homem, sem perder a calma. – E esses são os três layouts básicos de disposição das fortalezas inimigas. Pode ser qualquer um deles. Basta estudá-los que vocês vão se dar bem.

– Só se sua definição de "se dar bem" é não cumprir a missão. – Andrei e o Dr. Magrelo começam a travar uma batalha de olhares fulminantes.

Ava olha para o chão e parece controlar o riso. Leon umedece os lábios, em silêncio, como se estivesse esperando por algo. Por fim, o homem bufa e desvia o olhar de Andrei. Contenho o impulso de parabenizá-lo.

– Da forma que são insolentes, vão fazer um favor para a nação se morrerem durante a missão – resmunga nosso mentor, alto o suficiente para todos nós ouvirmos.

Ficamos em silêncio, o ressentimento quase palpável. A pior parte, para mim, não é nem esse idiota achar isso. A pior parte é que ele só estava vocalizado um sentimento que paira entre nós desde que fomos convocados para essa missão.

Se realmente morrermos nessa missão, não fará nenhuma diferença para os humanos normais. Esse pensamento é tão comum que é a base para os argumentos dos exércitos que nos usam como armas em sua guerra. Fico me lembrando do que a mulher do trem disse, e me pergunto se eles hesitariam em se livrar de nós, caso não fôssemos mais necessários. E a pior parte é que, em algum nível, acreditamos nisso também. Nós, anômalos, achamos que temos algum tipo de dívida que nos faz aceitar sem questionar o fato de sermos usados pelo governo. Era a primeira vez que eu mesma começava a questionar isso.

E por causa disso, tinha vindo parar aqui.

Contudo, qual é o tipo de obrigação moral que nos leva a buscar ser a "proteção suprema da nação"? Se uma pessoa é um anômalo, ela faz o que foi mandado. É o mínimo que podemos fazer para compensar o *fardo* que representamos para a raça humana. Pela primeira vez, consigo ver tudo com mais clareza.

Pela primeira vez, me sinto um soldadinho de brinquedo nas mãos de uma criança cruel.

Pelo sorriso no rosto do Dr. Magrelo, ele parece bem satisfeito com o efeito do seu comentário. Ele enfia uma das mãos no bolso e volta a analisar seus papéis, despreocupado. A submissão e a obediência não interessam para ele; o que importa é que saiamos daqui humilhados.

– A sorte de vocês é que não sou eu quem manda aqui. Então, devo dar o máximo de ferramentas e instruções para que voltem com o arquivo de que precisamos. – O tom dele é amargo.

Ele passa por nós e o acompanhamos com os olhos enquanto ele pega alguns objetos nas muitas estantes espalhadas pela sala. O gesto me faz lembrar dos filmes de espiões que assistimos nas aulas de história, onde existe todo tipo de bugigangas para combater o mal e salvar o mundo.

– Esses aparelhos foram projetados por mim para outras finalidades, mas acredito que ajudarão vocês, se conseguirem entender como funcionam.

O ar de superioridade do Dr. Magrelo começa a me tirar do sério. Qual é o critério que ele usa para definir uma pessoa muito inteligente versus um anômalo? E qual é o critério para estabelecer quem é babaca o suficiente para ser uma autoridade? Não sou uma pessoa de emoções fortes, mas a cada palavra que ele profere enquanto explica os objetos que iremos usar, eu o odeio mais. É como se ele calculasse cada palavra para abalar nossa confiança, como se cada letra fosse tão perfurante quanto uma bala.

Em posse dos nossos trajes térmicos, seguimos para nos trocar no lugar indicado. Eu e Ava entramos em um pequeno banheiro e nos vestimos em silêncio. Preciso segurar minha língua para não reclamar, e penso em quanto autocontrole Andrei deve estar usando. Posso ver Ava tremendo enquanto puxa o material emborrachado do traje pelas pernas e imagino que está tão irritada quanto eu. Quando decido perguntar como ela está, ou só abrir a boca para xingar o supervisor, batidas frenéticas na porta me fazem desistir, e nós duas nos apressamos para sair.

As roupas são ridículas: pretas e coladas no corpo, um híbrido entre maiô e macacão. São térmicas e impermeáveis, além de terem microfones embutidos que permitem transmitir informações para um pequeno fone que inserimos no ouvido direito. Com as mochilas pretas nas costas, feitas do mesmo tecido que as roupas, , ficamos parecendo um tipo esquisito de tartaruga. Essa é a intenção, pois queremos que os radares nos captem como sendo de um grupo de animais marinhos perdidos.

Andrei e Leon estão tão ridículos como tartaruguinhas que, apesar de tudo, não consigo evitar soltar uma risada. Andrei me encara e mordo a língua para me conter enquanto ele faz uma careta. O Dr. Magrelo surge com uma expressão impaciente e nós o seguimos. Ouço algo sobre um helicóptero estar nos esperando, mas as palavras se perdem entre prateleiras entulhadas e artefatos quebrados. Quando finalmente paramos, o homem está em frente a uma porta aberta, com um sorriso de satisfação.

– É isso. Boa sorte – diz, sem sinceridade alguma. Tenho vontade de cuspir na cara dele.

Leon se apoia em meu braço enquanto saímos pela porta. O heliporto fica a menos de dez metros do prédio, em uma descida íngreme. Caminho com cuidado, um passo na frente do outro, para Leon conseguir me acompanhar. Ava e Andrei acabam descendo em uma corrida rápida que acredito ter se tornado uma competição.

Leon não me solta até estarmos acomodados dentro do helicóptero, cada um com sua mochila no colo. Suponho que esteja tão nervoso quanto eu, até que ele se aproxima do meu ouvido e sussurra algo que é engolido pelo barulho das hélices.

– O quê? – berro, na tentativa de ser ouvida.

– Seeley! – responde, no mesmo tom de voz que eu. – Ele não morreu na missão.

Fico nervosa e tiro o cabelo que insiste em voar no meu rosto, mesmo preso pela trança:

– Do que está falando?

– Ele não morreu em uma missão – repete ele, mais baixo, mas consigo ouvir distintamente. – Sybil, a gente nunca deveria ter vindo. Eu não vou conseguir escolher. Não de novo...

– Do que você tá falando, Leon? – pergunto em um tom mais baixo.

As hélices do helicóptero ficam mais altas, e meu coração bate acelerado, pânico subindo pela garganta.

– Do que vocês estão falando? – Ava grita em nossa direção, acomodada no banco da frente, e a expressão de Leon muda de repente. Ele se afasta do meu ouvido, impassível.

– Do idiota lá dentro – Andrei responde por mim. – Não é?

Olho para meus joelhos. Mesmo que não saiba o assunto da conversa, Andrei ainda assim sabe que é algo que não deve ser compartilhado com Ava.

– A maioria deles é dessa forma. – O tom de Leon é amargo. – Se eu tivesse de conviver com pessoas assim a vida toda, provavelmente acabaria morto.

– Acho que eles estão certos. Não são obrigados a nos aturar – Ava responde sem olhar para nós. – Se eu fosse como eles, não seria gentil com aberrações como nós.

– Ava, eu *achava* que era como eles até seis meses atrás. O que mudou de lá para cá? – digo, mas me sinto cansada demais para ter essa conversa agora, quando estamos prestes a partir.

A conversa não parece importante, não agora que Leon quase disse algo sobre a missão, que provavelmente nem deveria ter dito. Talvez ele só estivesse nervoso também, assim como nós. Talvez seja cedo demais para ele voltar em uma nova missão quando acabou de perder alguém importante.

Talvez seja só isso.

Para me acalmar, eu a ignoro e decido ver o que tem dentro da minha mochila. Minhas roupas, um mecanismo que parece um relógio, que coloco logo no pulso, uma caixa de ferramentas, kits de primeiros socorros e de sobrevivência e uma caixa preta comprida e de algum material que não consigo identificar. Tento abri-la, sem sucesso.

– Você estava com a cabeça na lua quando ele explicou essa parte, não é? – Andrei grita para chamar minha atenção.

– O que é isso? – Sacudo a caixa e tento forçá-la mais uma vez. – E se eu ouvisse mais uma palavra daquele idiota, ia vomitar na cara dele.

– É uma pasta para os arquivos que vamos *pegar emprestado*. Ela só abre em contato com sua digital.

– Então por que ainda não abr… – E, como mágica, a caixa se abre, revelando seu interior vazio. – Nossa! Como é que eu fiz isso?

Meus três companheiros riem e Leon se inclina de novo. Não tem nenhuma indicação de que ele iria revelar outro assunto enquanto estávamos a caminho da missão.

– Procure uma superfície lisa – instrui ele. – Depois, deslize o dedo…

Fiz como ele mandou e a caixa se fechou.

– Que incrível!

– É por segurança. Você ouviu a parte em que ele avisou que depois de guardar o documento, você deve entregá-la para Andrei?

Dou um sorriso sem graça e olho para o garoto sentado à minha frente. Não, eu não tinha ouvido nada disso. Mas se Andrei tinha prestado atenção e nós estaríamos juntos durante toda a missão, qual era o problema? Eu sei a parte mais difícil, que é nos colocar lá dentro. Depois, era só improvisar.

CAPÍTULO 20

Quem parece disposto a improvisar é Andrei: enquanto descemos do helicóptero por um cabo de aço até o mar, ele decide que mergulho livre é a melhor opção. Depois de alguns segundos em que fico em pânico absoluto, ele finalmente reaparece na superfície da água, com a expressão mais travessa possível.

Entro devagar na água e meu coração dispara. Não gosto do mar. O aroma de sal me deixa enjoada e me faz desejar o cheiro de cloro da piscina com todas as minhas forças. O azul intenso é uma promessa de coisas desconhecidas, como monstros e cadáveres boiando. Meus pesadelos constantes revivendo as terríveis horas que passei à deriva com nada além do mar por quilômetros e quilômetros revivem em minha mente.

Fecho os olhos com força, tentando me concentrar no momento, e Andrei toca no meu ombro. Ele olha para mim e acena satisfeito, e eu até consigo relaxar com a presença dele. Eu não estou mais sozinha no mar.

Eu e Andrei somos os guias de Ava e Leon, que nos seguem para o fundo do mar com respiradores cobrindo seus narizes e bocas. Enquanto eu os acompanho devagar, Andrei parece um peixe, nos ultrapassando e voltando para nos alcançar. Eu o advertiria sobre o cansaço, se pudesse, mas ainda não dominamos a arte da comunicação subaquática, e nenhuma das nossas mutações funciona como se fôssemos golfinhos.

O mecanismo em meu pulso indica a proximidade e as direções que devemos seguir para chegar ao nosso destino. Não tenho certeza de como ele funciona, mas é mais ou menos como um sonar. Emite ondas que escaneiam o terreno e indicam, com base em marcações geográficas, o caminho que precisamos fazer até chegar ao alvo. Além disso, também indica a existência de qualquer coisa que não tenha a composição do terreno em questão, como peixes ou elementos metálicos. É um instrumento importantíssimo em zonas de guerra, principalmente como ferramenta para busca de minas terrestres. É um dos motivos pelo qual ele está em meu pulso, e não no de Ava ou de Andrei.

O oxigênio dos respiradores de Ava e Leon parece ter sido milimetricamente calculado, porque chega ao fim quando a fortaleza entra em nosso campo de visão. Eu me pergunto em silêncio como farão para voltar. Aliás, apesar de todo o planejamento cuidadoso sobre como vamos entrar, ninguém se preocupou em explicar como faríamos a saída da fortaleza.

Tento ignorar os pequenos avisos de que estamos caminhando para uma armadilha enquanto ajudo os membros menos privilegiados de nosso grupo a nadar na direção da ilha. Andrei vai na frente, para tentar reconhecer terreno, e logo volta para nos ajudar. Nesse trecho, fomos instruídos a ficarmos em silêncio absoluto. Não sabemos o tipo de tecnologia usado pelos dissidentes. Às vezes, podem identificar qualquer som que não seja de animais aquáticos.

A ilha é um rochedo com uma estrutura metálica incrustada, construída em três camadas. A primeira, mais próxima do mar, tem um píer com pequenos barcos de pesca atracados. A segunda e a terceira camadas da construção são cercadas por formações rochosas, tornando o acesso difícil, como se a fortaleza tivesse sido construída dentro da própria rocha.

No entanto, por baixo, a ilha é cheia de cavernas e pequenos lagos de água salgada. Na maior delas, há um cano de esgoto e uma plataforma de desembarque, que dá acesso a um túnel com uma grade que só pode ser uma rota de fuga de emergência. Não temos problemas em nos aproximar dessa entrada, e é aí que meu papel começa.

Tiro a caixa de ferramentas de dentro da mochila e a prendo no cinto da minha roupa. Recebo desejos silenciosos de boa sorte dos meus companheiros e mergulho o mais fundo que posso, procurando as paredes da caverna. Quando encosto em uma, subo até a superfície, observando o teto com cuidado. Se há algum equipamento de segurança, é mais provável que esteja por ali. Meus olhos demoram para se acostumar com a escuridão, mas, quando o fazem, consigo ver claramente duas câmeras de segurança apontadas para a reentrância. Aprendemos que não é normal ter vigilância nas fortalezas mais afastadas dos territórios dissidentes, então a presença dessas câmeras indica que aqui é um lugar importante.

Prossigo para a segunda parte do plano, procurando as melhores cavidades da caverna para apoiar meus pés e minhas mãos para escalar. É a primeira vez que faço isso em uma pedra de verdade, e o que me dá mais medo não é cair no mar, e sim fazer barulho e ser pega pelos inimigos.

Em Kali, todas as crianças recebem um treinamento militar básico desde a escola. Armas, identificação de disfarces, sobrevivência em lugares extremos. Depois dos 12 anos, optamos por seguir os estudos em um dos cursos que nos dão mais chances de uma vida melhor ou optamos por começar a trabalhar.

No curso de desarmamento de bombas, uma das principais matérias é a superação de obstáculos. Não só os físicos, mas também os psicológicos. O medo é o pior inimigo quando você está entre a vida e a morte.

Finjo que estou em um dos exercícios da minha antiga escola. Neles, a eficiência era mais importante do que a rapidez. Não adiantava nada terminar primeiro e deixar o serviço incompleto, e tampouco fazia diferença ser lento e terminar tudo perfeitamente. Era preciso um equilíbrio entre agilidade e precisão.

Uma mão depois da outra, um pé depois do outro.

Controlo a respiração.

Fecho os olhos e tento me guiar pelo instinto, meu corpo grudado contra as rochas. Meu pé escorrega uma vez e fico imóvel, com medo de que alguma pedra caia e dispare alarmes. Quando nada acontece, continuo subindo, cada vez mais alto. Meu coração é como um tambor nos meus ouvidos e começo a achar que os sonares vão ser capazes de captar as ondas sonoras que ele produz.

Tudo continua como está.

Alcanço a primeira câmera e abro o estojo de ferramentas, tateando com uma das mãos pela lanterna. A outra mão é o que me impede de cair. Pego a pequena lanterna e me aproximo ainda mais da parede, na tentativa de enxergar melhor a fiação. São três fios: um vermelho, um preto e um verde. Não faço ideia de qual deles cortar. A vantagem é que nenhum deles pode me explodir.

Mesmo assim, estou tremendo enquanto procuro o alicate na bolsa de ferramentas e coloco a lanterna na boca para iluminar meu trabalho. Mal consigo manter minha mão firme o suficiente para cortar o cabo preto. Preciso tentar duas vezes antes de cortar o vermelho. Quando corto o verde, minha mochila escorrega por um ombro e, na tentativa de endireitá-la e me manter equilibrada na pedra, deixo o alicate cair no mar, com um barulho capaz de acordar até os mortos.

– Merda – sussurro baixinho, guardando a lanterna e me grudando contra a parede. Meu coração parece que vai sair pela boca e minha respiração fica pesada, como se estivesse levando o mundo nas costas. Faz muito tempo desde a última vez que me senti tão assustada assim.

Longos minutos parecem se passar antes que eu crie coragem para me mexer novamente. Sei que não pode ser tanto tempo assim, ou alguém já teria vindo me buscar, mas o tempo se arrasta conforme o pânico parece tomar conta. Pelo menos tenho certeza de que a câmera foi desligada, já que cortei todos os fios, e preciso chegar até a outra antes que o inimigo perceba que tem algo errado. Checo novamente a mochila e volto a me locomover pelas pedras.

Tento pensar em outras coisas. Penso em Naoki nos esperando em casa. Penso em como começar a relatar essa experiência para Tomás, no rosto dele se animando cada vez mais enquanto invento uma coragem que não existe. Lembro da comida de Dimitri e decido me concentrar nas comidas que vou pedir pra ele fazer quando eu tiver voltado. Panquecas, com certeza. Talvez um daqueles ensopados de carne. Quem sabe um pouco daquele pão delicioso coberto de açúcar e creme que só ele sabe fazer. Rubi e seu aviso de cuidado me vêm à mente, e desejo fervorosamente que ela estivesse aqui comigo para me apoiar.

Chego até a outra câmera e procuro algo que possa substituir o alicate perdido para cortar os fios. Encontro um canivete e abro-o com os dentes, passando a lanterna para a mão que está me prendendo contra a parede. É uma manobra difícil e acabo fazendo um corte dolorido no lábio inferior, mas não tenho tempo para hesitar. Quanto mais eu demorar, mais fácil o inimigo perceber que tem algo errado.

Luto contra os fios, contra a queda e contra as rochas da caverna que insistem em se enfiar de forma incômoda entre meus dedos. É um trabalho de carniceiro. Os fios estão praticamente pulverizados quando termino, pouco tempo depois, e meus dedos têm arranhões e cortes por toda a parte. O ferimento em minha boca arde e levo as costas do meu braço até ela, na tentativa de diminuir o fluxo de sangue.

Depois que terminei o corte dos fios, murmuro o sinal que combinamos no pequeno microfone costurado no uniforme, esperando que meus amigos nadem rapidamente para não perdermos mais tempo. Olho para baixo e calculo a distância que tenho de descer e suponho que é o tempo de se aproximarem.

A descida sempre é mil vezes pior do que a subida. Se não houvesse o perigo de ouvirem, eu só me jogaria e deixaria a água me levar. Em vez disso, sou obrigada a descer atordoada pela dor, olhando para baixo a cada instante para descobrir onde pisar. Me sinto aliviada quando finalmente entro na água, mas só até mergulhar. De repente, uma ardência nos dedos e nos lábios me enfraquece, o sal entrando pelas feridas abertas.

Fecho os olhos e me agarro à parede, me arrastando até ficar completamente fora da água. Os cortes das minhas mãos são irrelevantes quando comparados com a dor na minha boca. É como se enfiassem dúzias de facas ao mesmo tempo por ela. Tenho quase certeza de que preciso de pontos. Fico um tempo com a cabeça encostada na pedra, respirando fundo para poder me recompor enquanto pressiono as costas da mão no corte. Eu sei que se ficar tempo suficiente embaixo d'água, a dor vai embora. Sei que isso não é nada comparado ao que pode me acontecer, caso o inimigo me descubra aqui. Não posso me dar o luxo de perder mais nenhum minuto, e crio coragem para ir ao encontro dos meus amigos.

Nado até a reentrância e vejo Andrei, Leon e Ava se aproximando. Eles parecem cansados e fico exaltada. Será que aconteceu alguma coisa enquanto eu estava demorando? Subo na plataforma de desembarque e ajudo os três a se erguerem, com um pouco de dificuldade.

Ava e Leon se acomodam nas pedras ao meu lado, silenciosos, enquanto Andrei segue adiante para fazer o reconhecimento do terreno. Ava me encara por um longo tempo e encosta a mão na minha bochecha, do lado onde está o corte. Balanço a cabeça para dizer que não é nada, mas ela me impede e, de forma desajeitada, tira um lenço da mochila e entrega para mim.

Tento dar um sorriso de agradecimento, mas minha pele repuxa o machucado e a dor volta, e eu faço uma careta involuntária. Pressiono o lenço nos lábios até Andrei voltar com a notícia de que podemos avançar. Há um pequeno túnel que leva para a entrada coberta por uma grade e caminhamos com cuidado, tentando não fazer barulho. Mesmo tendo a palavra de Andrei, busco por outros equipamentos de segurança, mas não vejo nenhum.

Andamos mais um pouco e paramos, esperando que algum guarda venha verificar o que há de errado com as câmeras. Ava e Leon precisam da roupa deles para se infiltrar na base e causar distração enquanto eu e Andrei vamos atrás do que interessa. Como a ilha é cercada de vida selvagem, nosso plano se baseia na suposição de que a obstrução no sistema de segurança seja algo rotineiro, e, portanto, os guardas que vierem não estarão preparados para nos encontrar.

Leon parece exausto. Ele se senta no chão, encostado na parede, e fica imóvel, com os olhos fechados. Ava para ao lado dele e tenta controlar sua respiração, sem muito sucesso. Para uma pessoa compacta como ela, deve ser difícil nadar esse tempo todo. O único que não parece cansado é Andrei, que chega perto de mim e verifica meus ferimentos. Fico de pé, com o lenço encostado na boca porque é a única forma que faz o corte doer menos. Imagino que Leon está tão relaxado assim porque consegue ouvir algo ou alguém se aproximando bem antes de estarmos em perigo.

Sinto os olhos de Ava sobre nós enquanto Andrei me faz tirar o lenço da boca para analisar o ferimento e passa o dedão no canto dela. Naquele instante, mesmo com o cansaço da missão e a dor que sinto, não consigo evitar pensar no que ela disse antes da viagem começar. O toque de Andrei é delicado, delineando o contorno dos meus lábios com um cuidado exemplar. Encaro o rosto dele e seus olhos muito sérios. Tem uma pequena ruga de preocupação na testa, o que o deixa com uma aparência muito mais responsável do que normalmente é. Desvio o olhar quando sinto um calor esquisito no peito, achando que vou ficar doente de novo.

Fico distraída por um movimento súbito de Leon, que se levanta abruptamente. Entendemos aquilo como um sinal de que alguém se aproxima e eu e Andrei nos escondemos longe da abertura, em uma curva do túnel.

Ava e Leon se acomodam cada um de um lado da grade e eles têm algo nas mãos. Prendo a respiração com a expectativa. Todas as informações que temos são que os guardas fazem a ronda de dois em dois. Se forem mais de dois guardas, não temos muitas chances de vencê-los, mas estamos com sorte. Logo posso ver um homem e uma mulher se aproximando. Ava salta por cima do homem e deixa a mulher para Leon, que antecipa o movimento dela e a acerta na cabeça. Ela cai no chão subitamente e fica onde está.

Enquanto isso, Ava trava uma luta com o homem, que parece não ter sido pego tão de surpresa quanto a mulher. Ele tenta pegar a arma presa ao cinto, mas Ava segura seu braço com tanta força que a mão do adversário afrouxa e a arma cai. Ele tenta chutá-la, mas Ava parece ser feita de pedra, mesmo sendo mais baixa que ele. O soldado xinga algo na língua estrangeira dos dissidentes, e ela o acerta com um soco no rosto, fazendo-o cair ao lado de sua companheira, os dois desacordados.

Por que a parte deles parece tão mais simples que a minha? Só uns golpes de luta marcial e pronto! Eles nem precisaram de ajuda!

Leon levanta a mão e acena, nos informando que podemos começar a segunda parte do plano. Enquanto Ava desarma e despe os guardas desmaiados, Andrei me puxa para voltarmos para a água. De onde estou, ainda tenho tempo de ouvir Leon falando algo em um comunicador, mas não consigo entender, pois ele fala em outra língua que não a nossa.

Não foi nada, é o que imagino que diz. *Não foi nada.*

CAPÍTULO 21

Esperamos algum tempo sentados na plataforma de desembarque para ter certeza de que Ava e Leon estão bem infiltrados antes de nós os seguirmos. Aproveito a oportunidade para fazer um curativo em minha boca, que ainda arde. Se vamos nos enfiar em um tubo de esgoto, é bom que eu não esteja com nenhum corte exposto. Andrei encontra o kit de primeiros socorros dentro da mochila e faz questão de me ajudar. Os dedos dele estão um pouco trêmulos enquanto enrola rapidamente os esparadrapos nos meus, e encosto minha testa na dele para tentar acalmá-lo. Ainda não podemos falar em voz alta, com medo de atrair atenção indesejada, mas ele sustenta meu olhar e dá um meio sorriso, apertando minha mão.

Depois de terminar de enfaixar meus ferimentos, saímos da plataforma e nadamos até o suposto tubo de esgoto. Tento não pensar na infecção que posso pegar com a quantidade de cortes nas mãos. Tento não pensar em paredes brancas de hospital, em dias sem dormir e em tragédias. Tento não entrar em pânico. Andrei está comigo, então nada de ruim vai acontecer.

Quando nos aproximamos, descobrimos que o encanamento é de uma rede de escoamento de água. Isso significa que a probabilidade de encontrar um duto de ventilação é alta. Quem em sã consciência colocaria a ventilação e o esgoto no mesmo lugar? Trocamos sorrisos e me sinto mais corajosa. Assim, nos esgueiramos para dentro.

Andrei me puxa pela mão enquanto caminhamos meio encolhidos, acompanhando o fluxo de água na tubulação. Se fôssemos um pouco maiores, não caberíamos no espaço apertado. A água não chega aos tornozelos e o cano se prolonga até se perder de vista, por metros e metros a fio. Suspeito que é possível atravessar até o outro lado da ilha sem sair dele.

Paramos quando temos certeza de que ninguém vai nos encontrar. Andrei se senta em um dos cantos e tira os mapas e uma lanterna da mochila, à procura da planta-baixa que mais se encaixa no padrão pelo que vimos pelo lado de fora. Sigo caminhando ao longo da parede. Seria muito mais fácil se Leon e Ava conseguissem encontrar esse arquivo sozinhos e nós ficássemos do lado de fora só como apoio. No entanto, somos uma equipe e, se isso fosse possível, não estaríamos todos aqui.

Foco mais adiante e reparo algo brilhante. Ando até lá e percebo que é uma grade prateada, cobrindo um espaço retangular, grande o suficiente para uma pessoa passar. Dali sai um vento constante que faz algumas ondas na água sob meus pés. Dou um sorriso e olho na direção de Andrei, fazendo um sinal com a mão.

Ele enfia o mapa na mochila de qualquer jeito e se aproxima. Eu me viro para a grade e tiro uma chave de fenda do estojo de ferramentas, desparafusando-a para podermos entrar. Depois de uma discussão silenciosa cheia de gestos e revirar de olhos, Andrei entra primeiro, seguido por mim. Recoloco a grade no lugar.

Então adentramos o sistema de ventilação, que é uma estrutura metálica tão frágil que parece que vai entortar com nosso peso. Como Andrei é mais pesado que eu, me arrependo de ter ficado atrás. Apenas movendo os lábios, peço para que ele fique abaixado e passo por cima dele, a fim de ir à frente para testar a capacidade de peso da estrutura. Esse é um imprevisto que não havíamos considerado. E se não conseguirmos nos locomover ali dentro?

– Estamos dentro – sussurra Andrei para Leon no microfone embutido em sua roupa. – Está tudo bem.

Só que não está. Ele me segue com dificuldade enquanto avançamos, pois, apesar de ser menor que Leon ou Ava, Andrei ainda é grande demais para o espaço apertado dos dutos de ventilação. O metal que nos envolve não cede com o peso, mas consigo ouvir barulhinhos nos locais em que uma placa se junta na outra. Tento ir mais rápido, para evitar um desastre, quando percebo que quem sabe o caminho é ele e não eu. Paro onde estou e volto um pouco, olhando para trás.

– Você descobriu qual é a planta? – Minha voz falha um pouco e minha boca dói no lugar onde está o curativo.

– Acho que sim. – Ele se aproxima de mim. O cabelo molhado grudado contra o rosto. Passo uma mão para arrumá-los, por reflexo. – Você quer o mapa?

Balanço a cabeça e faço um gesto para ele passar na minha frente. Para espiões que estão numa missão supersecreta, estamos um pouquinho enrolados. Só um pouquinho. Aposto que os livros que Ava lê não são tão emocionantes assim.

Depois de alguma dificuldade, um dedo no meu olho e um pisão no braço, Andrei toma a frente com a mochila pendurada nas costas e sigo logo atrás dele, planejando segurá-lo pelo tornozelo caso ele caia.

O caminho é longo e enfadonho. Algumas vezes paramos para beber água, algumas vezes para tentar decifrar o mapa. O caminho é sempre para cima, cada vez mais para dentro. Em um dos corredores, temos de dar uma volta enorme porque encontramos um exaustor que mais parece uma ferramenta de tortura. Em dado momento, precisamos parar, pois Andrei tem uma crise de espirros; e fico com a certeza absoluta de que o prédio todo ouviu.

Na primeira vez em que ouvimos passos nítidos sob nós, ficamos paralisados por muito tempo até desaparecerem. Depois, conforme continuamos o caminho, os barulhos ficam mais frequentes. Conseguimos distinguir diálogos, mas a língua dos dissidentes é tão diferente que mal consigo captar uma ou outra palavra. Fico espantada com o fato de Leon saber falá-la, e menciono isso para Andrei, que me dá a resposta padrão quando se trata das habilidades de Leon.

– Ele é um nerd, o que você esperava?

Andrei envia sinais, por meio do comunicador, para Leon de dez em dez minutos, indicando que estamos vivos e que ainda não fomos descobertos. Já se passa mais de uma hora e continuamos a andar pela tubulação de ar até minhas costas ficarem ardendo e minhas pernas estarem dormentes. Quando não sinto mais minhas mãos, tenho certeza: estamos perdidos. O que mais quero é sair dali, esticar as pernas novamente e respirar um pouco de ar puro.

– Vamos ter de sair daqui. – Andrei se vira para mim. Estamos agachados, espremidos e impacientes. O tom dele não demonstra ansiedade, mas posso ver que seus dedos apertam o mapa com uma força desnecessária. –Precisamos ver onde viemos parar se a gente quiser achar a sala de arquivos secretos.

– O que você viu na última grade? – pergunto e olho para trás. Tenho muito mais dificuldade em esconder meu nervosismo que meu companheiro.

– Uma sala com uma mesa e alguns armários. Não tinha ninguém dentro – ele diz e suspira, um gesto evidente de frustração. – Sybil, não adianta. Estamos perdidos.

– Deveríamos seguir só mais um pouquinho. Só mais uma grade – digo, gesticulando. – E aí nós...

Andrei coloca uma mão na minha boca para me calar, mas paro de falar antes. O barulho que ouvimos é um grito de terror tão profundo que faz os pelos da minha nuca se arrepiarem e meu coração dar um salto. Ele é seguido por outro e outro e outro... Cada um mais horrível que o anterior.

São gritos de sofrimento e de dor tão reais que fazem meu peito se apertar. Fecho os olhos e balanço a cabeça na tentativa de afastar o som. Andrei tenta checar com Leon se eles estão bem, se não foram pegos. Se aqueles forem os gritos de Ava... A dor é tão palpável que tenho vontade de sair dali implorando para que parem. Tenho vontade de salvar a pessoa que está sofrendo tanto daquela forma.

O barulho cessa tão subitamente quanto começa. Leon responde que estão bem pelo comunicador. Volto a respirar aliviada. Antes que Andrei possa me impedir, engatinho na direção à última grade pela qual passamos e aproveito para desparafusá-la.

E assim, estou fora.

E assim, estou no *inferno*.

CAPÍTULO 22

Quando Andrei me alcança, estou paralisada boquiaberta diante do primeiro dos tanques dentro da sala. Esqueço das câmeras de segurança e dos nossos inimigos; esqueço que estamos no meio de uma missão. A única coisa que importa é o absurdo que estou vendo diante de mim.

A sala é mal iluminada, com cinco tanques cilíndricos que vão do chão até o teto, cheios de um líquido verde florescente. Em cada um deles tem uma pessoa imersa com diversos fios conectados pelo corpo. São *crianças*. A pele delas é de uma cor pálida doentia, e têm cabecinhas nuas e carecas, os olhinhos abertos e vidrados. São tão magras que consigo contar os ossos das suas costelas, e seus rostos são esqueléticos.

Fico alguns segundos concentrada, tentando examinar se fazem algum movimento. Nada. Nenhum sinal de que ainda estejam com vida. Um desespero terrível começa a crescer dentro do meu peito.

Em um dos cantos há uma maca com vários equipamentos. O cheiro é de sangue seco e de éter, de hospital e de morte. É óbvio que essa é uma sala de experimentos. As crianças ao meu redor são cobaias mudas, sem escolha alguma sobre seu destino. Por quais tipos de atrocidades elas teriam passado? Se eu tinha quase enlouquecido apenas com uma bateria de exames, não consigo nem pensar em algo desse tipo. Mal suporto pensar no que já sofreram.

Encosto no tanque mais próximo e sinto vontade de chorar. Imagino Tomás no lugar do garoto à minha frente, atado como se fosse um animal selvagem. Raiva sobe pelo meu sangue. Como é que nos mandaram ali para roubar um arquivo, e não para salvá-los? Que tipo de pessoas somos nós?

Começo a caminhar pela sala, ainda em silêncio, parando em frente a cada um dos tanques por algum tempo. Andrei tenta me dissuadir, me puxando, mas eu me desvencilho dele. Sinto que distinguir os rostos das crianças é o mínimo de dignidade que devo em respeito a elas. Será que alguém sabe onde estão essas crianças, e por quê? Será que elas têm famílias? Esse sempre foi meu maior medo: morrer sem ninguém saber onde eu estava. E se ninguém se importar?

Eu me importo, penso enquanto encosto uma mão em um dos vidros. *E eu sinto muito.*

– Sybil, o que você está fazendo? – Andrei cria coragem para falar e, quando olho para seu rosto, posso ver a preocupação e o desconforto. Ele não gosta dessa sala tanto quanto eu, e não vê a hora de ir embora.

– Só mais um – sussurro para ele, em um pedido silencioso. – Só o último.

– Sybil… – ele sussurra e me segue até o último tanque, evitando olhar para a criança dentro dele.

Puxo Andrei para que ele também a olhe. Não sinto que podemos desviar o olhar do que estamos vendo aqui.

– Olhe para ela – sussurro. – Uma garota tão bonita, com bochechas tão redondinhas. Aposto que tinha um sorriso lindo e ria de um jeito esquisito. Aposto que gostava de correr pela grama e caçar borboletas ou brincar de pique-esconde. E veja o que fizeram com ela, Andrei. Veja como ela está. *Olhe para ela.*

– Vamos embora, Sybil. – Andrei passa o braço pelo meu ombro. O tom dele é pesado, e a luz do tanque o deixa parecido com um fantasma. Sinto um aperto no peito, imaginando-o no lugar das crianças, e o abraço. – Não há nada que possamos fazer.

Concordo, mas me aproximo mais uma vez para encostar a mão no vidro e repetir meu mantra. *Eu me importo. Eu sinto muito.*

E é exatamente no momento em que encosto no vidro que a menina se mexe em um grito silencioso e se joga contra a parede do tanque.

Dou um salto para trás e contenho um grito de horror. Meu coração quase sai pela boca. Andrei me puxa e nós saímos em uma corrida destrambelhada, sem nos importarmos com guardas ou qualquer coisa. Qualquer lugar é melhor do que aquela sala. Sinto um peso na consciência por não ter ajudado a garotinha, mas não sei que tipo de testes estão fazendo nela, e talvez tirá-la do tanque acabe por matá-la.

Entramos por uma porta lateral que dá para outra sala ainda mais escura. Andrei tropeça em algo e solta um palavrão, prosseguindo com passos rápidos, mas incertos. Enfio a mão na bolsa de ferramentas e pego a lanterna. Apesar de pequena, ela consegue iluminar o suficiente para discernirmos o que está na nossa frente.

A sala é enorme e fria. Há uma mesa com várias caixas em cima, um armário de metal ao fundo e várias estantes. Um almoxarifado, talvez? Dou uma volta com a lanterna, em busca de alguma saída. Quando ilumino o outro lado da sala, vejo gaiolas por toda a parte. Passo a luz devagar por todas elas e quando chego ao final, tenho a impressão de que vejo um movimento pelo canto do olho. Volto a iluminar todas as pequenas jaulas e procuro Andrei atrás de mim, sobressaltada. Ele encosta uma mão em meu ombro e eu faço o feixe de luz prosseguir. Vejo novamente um movimento na parte de baixo.

– Você viu aquilo? – eu sussurro, voltando a iluminar as gaiolas. Nada.

– O quê? – Andrei se põe à minha frente para ver melhor. Apago a lanterna. – Ei, por que fez isso?

– Shh. – Coloco um dedo na boca dele, para ele fazer silêncio enquanto olho fixamente na direção das gaiolas.

Espero meus olhos se acostumarem ao escuro. Vejo o contorno da mesa em um canto, das estantes no outro e das gaiolas ao fundo. A respiração de Andrei fica mais pesada, ao mesmo tempo que ele pega minha mão e a aperta.

– Vamos embora, Sybil.

– Fique aqui. – Eu me desvencilho.

Não sei de onde vem toda essa coragem, mas tenho de me aproximar para ver o que é. E se é nas gaiolas que eles guardam as outras crianças? E se há alguma pessoa aqui que pode ser salva por nós?

Andrei protesta, porém mais uma vez não consegue me segurar. Caminho sorrateiramente, desviando dos móveis, me aproximando das gaiolas. Ouço Andrei me chamar duas vezes antes de não conseguir mais distingui-lo direito nas sombras. Sei que é a situação perfeita para sermos pegos, sei que o que estou fazendo é burrice e pode acabar matando todos nós, mas não estou pensando com a parte racional.

Tento fazer o mínimo de barulho possível. O cheiro fica cada vez mais insuportável conforme me aproximo, uma mistura de podridão com excrementos e sangue. Minha teoria de que é ali que eles mantêm as cobaias é cada vez mais plausível, e tento conter o enjoo.

– Olá? – pergunto baixinho, mesmo sabendo que é loucura. Mesmo que tenha alguém, provavelmente não fala a mesma língua que eu. – Você não precisa ter medo. Estamos aqui para ajudar.

Nenhuma resposta. Eu me aproximo ainda mais das gaiolas e repito a mensagem, encostando as mãos nas grades engorduradas de uma delas. Considero com cuidado meu próximo passo. Podemos achar a saída e ir cumprir nossa missão, na crença de que o que vi foi só um truque de luz. Ou podemos...

Ligo a lanterna exatamente onde estou, muito perto das gaiolas. E lá está ela, uma garotinha encolhida em um canto da gaiola com o cabelo desgrenhado e o olhar assustado.

Ela começa a chorar no instante em que me vê.

Eu me abaixo para tentar arrombar a gaiola de maneira apressada, procurando qualquer ferramenta que sirva para abrir o cadeado que a prende. Andrei se aproxima rapidamente e se abaixa para me ajudar, sussurrando palavras tranquilizadoras para a menina, que se desmancha em lágrimas. O desespero fica cada vez maior enquanto lutamos contra a fechadura; nenhuma de minhas ferramentas é realmente adequada para o trabalho que estamos fazendo. Por fim, bato sucessivamente no cadeado para tentar quebrá-lo.

– Tem uma chave! – sussurra a garota, se agarrando às barras. Sua voz está tão embargada que mal a compreendo. – Tem uma chave! Tem uma chave!

– Onde? – É Andrei quem pergunta, fechando as mãos em cima das dela. – Aqui?

A garota aponta na direção do armário e Andrei se levanta a fim de procurar a chave. Ela me encara e seus olhos parecem enormes mesmo no escuro. Então, ela estica uma mão para mim e eu a seguro nas minhas. Percebo como a mão dela é pequena e frágil, e seus ossos parecem prestes a quebrar a qualquer instante. Suas unhas parecem feitas de vidro e tenho medo de apertá-la demais. Nem as crianças mais pobres de Kali, as que morrem de fome, têm mãos assim. Passo um dedo pela pele áspera dela e ela solta um gemido de dor. Sussurro um pedido de desculpas, ainda intrigada e desesperada pela confirmação da minha suspeita.

Andrei volta com alguns objetos e um deles é o chaveiro; ele o joga para mim. Abro o cadeado rapidamente e a menina cai em meus braços. O corpo parece o de um passarinho; quando a levanto, ela é leve como uma pluma.

Seu cabelo é castanho e cacheado como o de Ava, mas o tom de pele, na penumbra, parece ser mais próximo do meu. Não faço ideia de quantos anos ela pode ter, mas não parece tão nova quanto as crianças que estão nos tubos. São necessárias várias palavras para ela se acalmar e nos ouvir. Por fim, é Andrei que a convence a me soltar e a se sentar em cima da mesa enquanto enxuga as lágrimas com um dos jalecos que ele tirou do armário.

– Precisamos sair daqui para que isso tenha valido a pena – diz ele. Sinto uma pontada de culpa por ter nos colocado naquela situação desnecessária, que se esvai assim que olho para a menina novamente. Apesar de tudo, Andrei não parece ter perdido a calma. – Preciso que você me diga o que sabe para termos mais chances... Tudo bem? Como se chama?

– Sofia. – O nome soa como algo exótico e esquisito, com as vogais abertas demais. Não reconheço seu sotaque. Ela assoa o nariz na manga do jaleco no qual está agarrada. – Meu nome é Sofia.

– Sofia – repito e dou um sorriso encorajador. – Realmente precisamos sair daqui.

– Vocês são da União – Sofia afirma com certo espanto, como se fôssemos fantasmas ou algo igualmente irreal. – Vocês existem de verdade!

– Não por muito tempo, se você não ajudar. – Andrei se abaixa e fica na mesma altura dela. – Sofia, por favor. A gente depende de você pra sair daqui.

Sofia olha para mim com seus olhos grandes e depois para Andrei, como quem considera se é melhor ficar ali e acabar como as outras crianças, ou se é melhor confiar em duas pessoas do território inimigo que ela nunca viu antes. Ela opta pela última opção.

Suspeito que Andrei tenha algum outro tipo de mutação secreta envolvendo a persuasão. Em poucos minutos, ele consegue fazer com que Sofia não só nos conte onde estamos como também acaba por descobrir que a sala de arquivos fica nesse mesmo andar, onde fica a ala dos experimentos no quadrante dos cientistas. Tenho um palpite de que o arquivo que queremos está relacionado a esses experimentos e, se levar esses arquivos de volta para Hari significa dar fim neles, farei isso a qualquer custo.

Visto um dos jalecos que Andrei pegou do armário por cima de minha mochila, e ajudo Sofia a colocar outro, guiando-a pela mão enquanto Andrei vai na frente para procurar a porta pela qual os cientistas entram e saem, segundo o relato de nossa nova companheira. Aposto que não entram pela sala dos tanques porque não aguentam olhar para os resultados frustrados de suas experiências, acusando-os de incompetência.

Sofia aperta minha mão com uma força espantosa, como se quisesse se certificar de que não a deixarei para trás. Aperto de volta e Andrei acena para nós o seguirmos. A garota tem dificuldade de caminhar e preciso fornecer apoio, mas ela dispensa minha ajuda assim que passamos pela porta. Todo o plano de usar jalecos para nos disfarçarmos iria por água abaixo se ela não se esforçasse para andar sozinha sem nenhum apoio, já que estamos nos passando por cientistas que se locomovem livremente pelas estruturas.

Andrei caminha na frente, como se fosse o dono do lugar e não tivesse nada para esconder. Logo atrás dele, Sofia passa a mão no cabelo, meio encurvada, parecendo estar uma pilha de nervos. Sigo por último, meus olhos nunca parando em um lugar só e meus ouvidos atentos a tudo. Se alguém nos examinar de perto, perceberá logo que não somos cientistas. Não sei exatamente o que Andrei tem em mente, mas ele pergunta para Sofia, em sussurros, o caminho para o arquivo central. Seja lá qual for o plano, confio sem ressalvas em qualquer plano que saia daquela cabecinha loira e desmiolada.

Logo em seguida, o corredor se divide em dois, um seguindo em frente e outro dobrando à direita. No cruzamento, Andrei faz um sinal para pararmos atrás dele enquanto checa os arredores, e Sofia se apoia na parede ao meu lado, olhando para o teto à procura de câmeras de segurança. Parece não encontrar nenhuma. Quem sabe a nossa sorte é que os inimigos se sentem tão seguros de que seja impossível chegar até esse setor sem autorização que as precauções de segurança nessa área são menores.

Com mais um sinal de Andrei, entramos no corredor à direita, segundo as instruções da menina. Ela não parece ter muita certeza do caminho, mas a confiança que Andrei transmite é suficiente para irmos adiante sem dúvida alguma.

Nossos passos ressoam pelo corredor metálico enquanto avançamos, passando porta após porta sem olhar duas vezes para elas. Eu me contenho para não entrar em cada uma delas atrás de pessoas como Sofia, e uso minhas ferramentas para distrair minhas mãos e minha cabeça. Se eu precisar arrombar uma porta, qual delas terei de usar? Não tenho muito tempo para elaborar respostas, pois Andrei para abruptamente e percebo que chegamos ao fim do corredor.

CAPÍTULO 23

Encaramos uma porta enorme, revestida por alguma liga metálica preta que a confere uma aparência assustadora. Com um sinal, eu me coloco ao lado de Andrei e observo a placa com os caracteres ilegíveis acima dela.

– É aqui – Sofia anuncia, categórica. – Vocês têm algum plano para entrar?

Com um olhar, Andrei passa toda a responsabilidade para mim. Eu me aproximo da caixinha ao lado da porta, observando-a com curiosidade. Não há teclado em lugar algum e a tela se acende quando encosto nela sem querer. Sofia se aproxima, me observando com curiosidade enquanto toco na tela. A tela é ativada novamente e fico espantada. Uma tela que responde ao toque? É contra esse tipo de tecnologia que estamos lutando?

Uma série de símbolos desconhecidos aparece na tela e pressiono um deles, recolhendo a mão quase imediatamente com medo de que o negócio exploda. Ouço um riso baixinho atrás de mim e me sinto constrangida pela reação de espanto. Na tela, um teclado com números e letras no alfabeto da União aparece. Provavelmente uma tela para inserir a senha.

– Você quer ajuda? – pergunta Sofia, encostando em meu braço. Sinto as mãos dela tremendo e suponho que está com medo ou com frio. Ou talvez as duas coisas.

Abro caminho para ela ocupar meu lugar e Andrei fica ao meu lado; nós dois formamos uma parede entre ela e o resto do corredor. A garota aperta algumas teclas e passa a mão de forma nervosa pelo cabelo sujo. Andrei olha para mim e sei que ele está pensando exatamente o mesmo que eu: e se a garota for uma espiã? E se ela tiver sido implantada naquele lugar para nos pegar? E se enquanto estamos ali parados, ela está enviando uma mensagem para seus superiores virem nos pegar?

Todas essas são possibilidades que não considerei antes, mas agora é tarde demais.

– É impossível entrar. – Ela diz e se vira para nós, nos observando com seus grandes olhos castanhos. – A tela detecta as digitais e o DNA da pessoa na hora em que ela tecla e libera funções conforme as permissões de acesso. Se não temos permissão para entrar, não entramos.

– Essa telinha de araque detecta tanto digital quanto DNA? – Andrei se aproxima curioso e encosta na tela. A reação dele é quase idêntica à minha e vejo um sorriso se formar no rosto da garota, mas desaparece segundos depois. Andrei toca novamente na tela. – Isso é impossível.

– E por que não disparou nenhum alarme no instante em que encostei a mão? – Eu ignoro Andrei, que volta a encostar na tela como se ela fosse um brinquedo interessante.

Sofia fica em silêncio por tempo suficiente para Andrei largar a tela e se virar para encará-la. Meu coração acelera, imaginando se é aquela a hora em que ela vai fazer a revelação que chamou todos os guardas para nos matar e nos jogar em um dos tanques.

– Porque a tela não lê quem é doente. – A resposta sai quase em um sussurro.

– O quê?

– O sistema não lê quem é doente – ela repete e levanta o queixo. Posso ver que ela está usando todas as suas forças para parecer maior do que é. – Como vocês.

– Não estamos doentes – diz Andrei calmamente, como se ela estivesse fora de si e não pudesse ser contrariada.

– São sim – insiste ela. Tenho certeza de que é agora que ela diz "é por isso que chamei os guardas para virem te pegar". – Que nem eu. Vocês vieram aqui para roubar a cura?

– Sofia, a gente não precisa de cura nenhuma – digo, tentando parecer racional.

Não sei qual impressão deixamos que estamos doentes. Será que são as roupas estranhas? Nós dois estamos suados e com o rosto vermelho de esforço e de adrenalina. Estou coberta de machucados, talvez seja por isso que ela pense isso.

– Precisam sim – ela afirma. – Mas se vocês destruírem a fechadura, os alarmes vão soar. Vamos logo embora. Sem a cura.

– Sybil, ela perdeu o rumo – Andrei sussurra para mim.

– Não precisamos pegar cura nenhuma – reafirmo, e olho para Andrei em busca de algum apoio. – Precisamos pegar um arquivo que está nessa sala.

A garota fica segurando nervosa a barra do jaleco que está vestindo e olha para os lados. Depois, olha para nós e some. Assim, sem mais nem menos. No lugar onde ela estava um instante atrás, nada mais há para ser visto. Andrei segura meu braço e eu pego o mais próximo de arma que tenho: uma chave de fenda.

– Sofia? – eu a chamo. Não sei se ela desapareceu porque é uma anômala como nós, ou porque está em posse de algum equipamento tecnológico muito avançado.

– Vamos prosseguir com o plano – diz Andrei baixinho, perto do meu ouvido. – Se ela chamar os guar...

– Eu não vou fazer isso! – A voz de Sofia surge, indignada, de algum ponto atrás de nós, e nos viramos ao mesmo tempo. A chave de fenda em minha mão está empunhada como a mais letal das armas. Não há nenhum corpo para acompanhar o som. – Mas vocês não deveriam tentar entrar aí.

– Esquece ela – Andrei diz antes de dar as costas para o local de onde vem o som. – Acha que consegue abrir a porta?

– Se eu fosse a Ava, dava para tentar derrubar... – digo sem me virar, ainda olhando para o ponto de onde a voz de Sofia veio. É um trabalho inútil, porque ela pode estar em qualquer lugar. Aliás, ela pode até já ter saído dali. É exatamente esse o tipo de gratidão que eu deveria ter esperado de uma dissidente: nós a tiramos da prisão e ela se esconde e nos apunhala pelas costas. – Acho que a melhor chance é fazer a parte barulhenta do plano agora.

– Se fizermos isso, como vamos sair daqui, Sybil?

Eu me viro para encará-lo, esperando que meu silêncio seja resposta o suficiente para sua pergunta. Que o silêncio mostre que não faço a mínima ideia de como vamos sair dali, nem de como vamos levar a garota que provavelmente está saltitando invisível em algum lugar desse laboratório.

– E eu aqui achando que você tinha estudado estratégia de guerra em Kali… – ele fala em tom de chacota, mas posso ver em seus olhos uma expressão de alarme. – Vou falar com Leon.

– Vocês têm mais gente aqui dentro? – Sofia pergunta, aparecendo finalmente ao meu lado. Andrei dá as costas para ela, visivelmente irritado, mas eu me aproximo e a seguro pelos ombros.

– Como você fez isso? – digo com um pouco de raiva e fecho minha mão em um dos seus braços magros. – Não faça de novo.

Ela olha para o chão, parecendo arrependida, e decido que é impossível tentar entendê-la.

– É a minha doença – explica ela, como desculpasse estivesse pedindo desculpas. – Qual é a doença de vocês?

De repente, tudo faz sentido. Ela chama de doença o que nós chamamos de anomalia. Ela pode ficar invisível como parte do seu poder e, provavelmente, só desapareceu para provar o que consegue fazer. Será que está aqui para ser curada? Pela reação dela, é óbvio que ela acredita que algum lugar dessa fortaleza guarda a cura, e que nós estamos atrás disso. Ao que me consta, isso pode até ser verdade, já que não temos permissão para saber o conteúdo do arquivo que estamos tentando furtar.

Meu estômago revira quando a imagem das crianças pálidas flutuando nos tanques me vem à cabeça. Se esses experimentos estão sendo feitos para encontrar alguma cura para a mutação genética, isso significa que todas aquelas crianças são como nós. Eles estão matando-as, uma a uma, depois de usá-las como cobaias para tentar curar algo que nem sequer é uma doença.

Minhas pernas ficam bambas e seguro a chave de fenda mais firme na mão, tentando me concentrar para não deixar a raiva tomar conta de mim. Como são capazes de fazer uma coisa dessas? Como podem convencer seus anômalos de que estão doentes e precisam de uma cura? Tenho vontade de explodir essa ilha toda. Fico tão indignada que paro de ficar alarmada, e uma coragem calma preenche meu corpo como em resposta a um desafio.

Não posso deixar que me peguem.

Não posso deixar que peguem nenhum de nós.

– Sybil? – É a voz de Andrei que me traz de volta. – Leon está ciente do plano. A qualquer instan…

E, antes que ele termine a frase, todos os alarmes da fortaleza disparam de uma vez.

CAPÍTULO 24

Segundos preciosos se passam antes de começarmos a nos mexer. Tento quebrar a pequena tela de acesso com minha chave de fenda, mas parece que é feita de algum material indestrutível. Me ocorre que talvez devêssemos ter planejado antes de começar, mas Andrei me afasta da porta e praticamente destrói o controle de acesso com um único chute. Os alarmes já estão soando como trombetas do apocalipse, então a descoberta das habilidades em artes marciais de Andrei não faz tanta diferença.

Nada acontece e, por alguns instantes, tenho certeza de que nosso plano não vai funcionar. Então, a porta se abre de uma vez e é impossível não pensar na nossa sorte quando aquilo realmente dá certo. Impeço Andrei e Sofia de entrar e me certifico de que não há nenhuma armadilha ou explosivo no caminho. Alguns sistemas de segurança acionam detonadores quando são destruídos, e sei que preciso ter muito cuidado na hora de entrar em um lugar desconhecido.

Não é o caso. Na verdade, o sistema de segurança parece ser tão elementar que só prova a prepotência dos dissidentes: eles nunca imaginariam uma invasão bem ao centro da fortaleza. Fico com uma sensação de triunfo quando finalmente entramos na sala, como se estivéssemos esfregando na cara deles que somos melhores do que pensam.

A sala tem paredes curvas com pelo menos três metros de altura, dando a impressão de que estamos dentro de um ovo. As paredes são cobertas de cima a baixo por pequenas gavetas metálicas com letras gravadas em pequenas placas. Na parede mais próxima a mim posso ver um “Va-Ve” e “Xa-Xo”. Do lado de fora, os alarmes estão ecoando.

Não faço ideia do que Leon e Ava fizeram, mas com certeza foi algo grande, e precisamos agir rápido para não perdermos mais tempo.

– Qual é o nome do arquivo que precisamos? Está classificado por ordem alfabética.

– Vocês vão procurar manualmente? – Sofia pergunta, descrente.

– São dois: "Tratamentos Genéticos" e "Inserção Artificial" – responde Andrei após consultar seu material de referência. – Seja lá o que isso signifique. Você fica com a letra T e eu com a I, ok?

Concordo com a cabeça e nos separamos apressados. Sofia me segue, provavelmente sentindo que Andrei não a receberá muito calorosamente. Percorro o caminho pelas gavetas verificando as placas, e é Sofia que me aponta uma coluna onde estão localizadas as letras T e U. As três gavetas que acomodam os arquivos de TO a TS ficam mais ou menos na nossa altura, e eu abro a primeira para procurarmos. Ela desliza pelos trilhos suavemente e continua deslizando mesmo depois que paro de puxá-la, até ter mais ou menos dois metros inteiros de comprimento, sustentados no ar.

A gaveta para com um barulho que mais parece um suspiro e vejo pastas pretas penduradas por ganchos. Cada uma tem uma etiqueta indicando o nome, tanto no nosso idioma quanto no idioma dos dissidentes. Fico intrigada por se darem o trabalho de traduzir para a língua de seus inimigos antes de me lembrar que eles usam dois idiomas diferentes. O que eu acho ilegível, que geralmente usam na região que faz fronteira com a União; e o que é praticamente idêntico ao nosso, usado somente no território mais afastado, do outro lado do oceano. Nem tivemos tempo de perguntar para Sofia de qual das regiões ela é, e respiro fundo antes de procurar pela pasta certa.

Ainda ouço os alarmes tocando e prevejo que temos cerca de cinco minutos para achar tudo e sair correndo antes que nos encontrem e a coisa fique feia. Peço para Sofia procurar na parte mais funda da gaveta, enquanto eu procuro pelo início. Sem muita sorte, só encontro documentos com "TO". A categoria "Tóxico" tem mais de quarenta pastas e começo a pensar que esse serviço vai precisar de mais tempo do que temos disponível. Chego no TR e tenho um longo caminho até encontrar a palavra "tratamento". Passo por trabalho, tradução, tráfego, trajeto... Meus dedos trabalham rapidamente e me deparo com *transatlântico*. O primeiro arquivo com esse nome é "Transatlântico Alberto III"; depois seguidos por "Elizabeth IV", "Herllon" e "Jacques III".

Reconheço esses nomes. São navios que afundaram saindo de Kali em direção a Arkai ou Hari. Sei disso pois me recordo da maior parte das aulas de história, uma das minhas matérias favoritas, de minha antiga escola. Alguns deles levavam refugiados como eu para o continente Pacífico, ou iam no sentido contrário, embarcando marinheiros e soldados para as linhas de frente.

Sinto minhas mãos ficarem suadas enquanto os nomes vão passando pelos meus olhos. Sei exatamente o que estou procurando. De alguma forma, tenho certeza de que *Titanic III* está em uma das pastas. A minha curiosidade é maior que meu senso de dever. Esqueço por um momento a missão, o risco que corremos e sinto uma nova onda de ódio ao perceber que provavelmente todas aquelas pessoas morreram em razão de um ataque dos dissidentes. Será que não existe limite para a ambição deles?

Finalmente encontro a pasta, exatamente no mesmo segundo em que Sofia dá um grito de triunfo e levanta uma pasta no ar. Sinto as bochechas ficarem vermelhas e não sei se é de vergonha por ter esquecido que estou no meio de uma missão, ou de raiva porque não terei tempo nem para abrir o arquivo do navio e verificar o que tem lá dentro.

Sofia caminha até mim e me entrega o documento, lembrando muito um cachorro que acabou de fazer um truque novo e espera por uma recompensa. Agradeço e pego a pasta de sua mão, juntando-a à que peguei sobre o navio, na esperança de que ela não repare que peguei uma pasta a mais. Empurro a gaveta com uma mão e ela se recolhe automaticamente, fechando sem nenhum barulho. Em seguida, vamos ao encontro de Andrei.

Um Andrei com cara de desespero está debruçado sobre uma gaveta e parece totalmente perdido. Ele ainda nem chegou na metade. Se o arquivo da letra T era grande, o da I é imenso. Nós duas nos juntamos a ele e rapidamente chegamos à parte de "Inserção", que parece ocupar quase toda a gaveta. Os alarmes param de repente e nós três nos entreolhamos em pânico, nos apressando para examinar o resto das pastas.

Não temos mais tempo. Tenho certeza de que vão nos pegar a qualquer instante.

E então, Andrei grita um palavrão e puxa uma pasta de dentro da gaveta.

Só então percebo que estou prendendo minha respiração e exalo, lentamente. Nós conseguimos. *Nós conseguimos.* Abro minha mochila com as mãos trêmulas e tiro a caixa mágica com cuidado para não deixar que Andrei e Sofia percebam que estou escondendo outro arquivo. Espero que eu tenha tempo para tirá-lo da caixa antes de chegarmos ao território da União. Tenho a impressão de que ficarei seriamente encrencada se descobrirem que peguei um arquivo indevido. Ainda assim, sinto como se a pasta estivesse me chamando, pedindo para ser lida. Ajusto as alças da mochila, nervosa.

– Hora de sair daqui – diz Andrei, empurrando a gaveta com o joelho e fechando-a. – Acho que Leon ainda consegue acionar os alarmes mais uma vez para distrair todo mundo, mas não temos tempo a perder.

– Certo. – Minha voz sai meio trêmula e tento me recompor. – Você sabe pra onde temos que ir?

Ele balança a cabeça em negativa. Eu suspiro, tomando a dianteira. Sofia segue logo atrás. A garota anda muito perto de mim, como se estivesse querendo minha proteção ou algo desse tipo.

Ouço passos se aproximando assim que chegamos ao cruzamento de corredores e dou um passo para trás, encostando na parede. Sofia esbarra nas minhas costas e quase cai, e Andrei a segura a tempo, puxando-a para encostar na parede ao meu lado. Os passos se aproximam cada vez mais e Sofia, entre nós, segura nossos braços com força, com uma expressão de alerta.

São quatro soldados que param no cruzamento com uma expressão entediada. Prendo a respiração, contando os segundos até eles nos encontrarem e acabarem com tudo. Um deles se vira em nossa direção e fecho os olhos, ouvindo-o se aproximar. Vovó Clarisse costumava dizer que se for para ser morto, é melhor nunca conhecer o rosto do seu assassino. Ela dizia que nesse jogo de guerra, todos temos o mesmo tanto de culpa. Não adianta assombrar um peão quando ele só está cumprindo ordens.

Meu coração bate tão rápido que, se não morrer nas mãos dos inimigos, vou morrer de enfarte. Fico aguardando o grito dos soldados, pelo momento em que seremos presos e, quem sabe, até torturados. Decido que prefiro morrer a ser uma cobaia espetada por fios dentro de um tanque. Continuo esperando alguma reação. Nada. Os passos se afastam.

Abro os olhos e percebo que os soldados andam em direção à sala de arquivos que invadimos, como se não tivessem nos visto. Olho para Andrei e ele olha para baixo, na direção de Sofia.

Ela levanta os olhos para mim. Seu rosto está pálido, seus lábios estão sem cor e uma camada de suor cobre a testa. Andrei a segura por um braço e eu imito seu gesto. Apesar de tudo, ela dá uma piscadela e um meio sorriso esperto e, finalmente, entendo.

Ela consegue ficar invisível. Ela pode nos deixar invisíveis.

CAPÍTULO 25

Andrei se aproveita do acontecimento inesperado para nos fazer continuar andando. Provavelmente os soldados ficarão algum tempo no arquivo analisando o que aconteceu e, se ficarmos por ali, nossa situação só vai piorar. Por precaução, Sofia entrelaça os dedos nos meus e tento não me preocupar com o tremor na mão dela. Andrei nos puxa para o meio do corredor quando saímos da encruzilhada, mas eu os puxo novamente para ficarmos alinhados com a parede. Não é seguro, mesmo invisíveis, andar por aí como se fôssemos donos do lugar. Também imagino que seja difícil para Sofia estender seu poder para abraçar nós três, então imponho um ritmo rápido, porém ainda cuidadoso.

É quase como se fôssemos fantasmas, nos esgueirando pelos corredores da fortaleza sem que ninguém nos veja. Como estou na frente, tento seguir na direção que considero a mais correta, escolhendo o caminho contrário pelo qual viemos. Andrei me corrige algumas vezes com toques no ombro e sinais, mas seu silêncio indica que provavelmente estamos chegando em alguma saída. As câmeras de segurança voltam a aparecer e sinto Sofia apertar minha mão com ainda mais força. Dou uma olhada nas câmeras, sem saber se o poder dela se estende para a tecnologia também, ou se o seu aperto é só porque ela já está cansada.

Os alarmes voltam a soar exatamente cinco minutos depois de terem parado pela primeira vez. Tenho a impressão de que estão mais altos dessa vez, e ouço também gritos e passos apressados. Temos de nos espremer contra a parede quando um grupo de dez soldados passa correndo por onde estamos, e Andrei aproveita o barulho das botas batendo no chão para falar com Leon pelo comunicador.

Não obtemos resposta.

Torço para que Leon tenha simplesmente não ouvido, e que nada pior tenha acontecido com ele e com Ava. Se conseguiram acionar o alarme mais uma vez, é porque estão bem. Enxugo o suor da minha mão livre no jaleco e Andrei inclina a cabeça até ficar perto de mim.

– Precisamos de um plano. – Seus lábios se movem quase sem fazer barulho, apenas um sussurro baixo. – Não dá pra ficar andando sem rumo.

Se estivéssemos com Brian, ele poderia atravessar pelas paredes com Sofia até encontrar a saída, e depois voltar para nos buscar. Seria bem mais fácil, mas infelizmente agora não adianta sonhar. Eu e Andrei somos praticamente inúteis fora da água, e Sofia não parece aguentar dividir seu poder com a gente por muito mais tempo. Precisamos achar Leon e sair daqui o mais rápido possível.

– Leon já deve estar procurando. Ele provavelmente vai encontrar a gente por causa do nosso batimento cardíaco, cheiro ou algo assim.

– Você é muito engraçada. – Andrei levanta uma sobrancelha. – Acho que é melhor sair da fortaleza e esperar do lado de fora. Se Leon e Ava não aparecerem, a gente vai embora.

Franzo a testa, tentando não perguntar como exatamente nós vamos embora, e concordo com a cabeça. No entanto, o plano dele é melhor do que ficar ali esperando por Leon. Não consigo pensar em nada que seja mais efetivo do que priorizar dar o fora dali. Não quero pensar na hipótese de Leon e Ava não nos encontrarem, porque não sei o que aconteceria se voltássemos sem eles.

Deixo Andrei nos guiar e fico mergulhada em meus pensamentos. É a primeira vez que realmente fico apreensiva pensando na nossa saída. Antes, todo o nervosismo era pela missão, pela viagem, pelo desconhecido, por correr o risco de ser pega. Não havia parado para pensar que há a possibilidade real de não voltarmos, ou de não voltarmos todos juntos. Sinto o estômago revirar e várias imagens retornam à minha memória – explosões, tiros, gritos, rostos de pessoas que se foram, coisas que aconteceram em um passado não tão remoto, mas que parece pertencer a outra vida.

É fácil se acostumar com a vida em Pandora. É fácil esquecer tudo o que eu tinha visto antes em Kali. É mais fácil deixar que as pessoas que conheci em Arkai se acomodem no meu coração, sabendo que não corremos risco nenhum.

E, ainda assim, aqui estamos. Sendo obrigados a colocar nossas vidas em risco por causa de outras pessoas que não nos deixam em paz, nem mesmo nos lugares mais seguros.

Na verdade, ninguém nunca está a salvo.

Sofia para de repente e saio dos meus devaneios quando esbarro nela. Enquanto andávamos, nem notei em que direção estávamos indo, confiando totalmente no senso de direção de Andrei. Fico confusa ao perceber que estamos em um cruzamento de corredores; dois soldados se aproximando de nós.

Sofia larga as nossas mãos para abafar um grito assustado. Demoro alguns segundos para perceber que se ela não encosta em nós, então estamos visíveis e, antes que eu possa reagir, Andrei é empurrado com força contra a parede por um dos soldados. Ele tenta se soltar, sem muito sucesso. A pessoa que o segura provavelmente tem o dobro de sua força, embora seja só um pouco mais alta.

– Ava! Ava! Pare! São eles! – A voz me faz desviar o olhar para o outro lado do corredor. Leon aparece, vestido com uniforme militar e sem nenhum arranhão, exatamente como estava quando nos separamos.

O alívio é quase imediato e praticamente me jogo nos braços dele, apertando-o com força. Ele retribui o abraço e posso quase sentir a tensão se dissolvendo no gesto, o que é extremamente perigoso. Ainda não estamos a salvo. Existe a velha história do desarmador de bombas que se sente vitorioso antes do fim e acaba se explodindo. Espero sinceramente que não seja esse nosso caso.

Ava larga Andrei e parece muito constrangida, balbuciando desculpas. Gasto alguns segundos explicando para Leon quem é a garota que está conosco. Ele não parece muito contente, mas aceita sem me dar uma bronca, até porque ele não vai sair correndo e deixar a menina sozinha por conta própria.

Nos organizamos em fila, de forma que eu e Sofia ficamos no meio, com Leon à nossa frente, Ava na dianteira e Andrei por último, atrás de mim. Leon me entrega uma das pistolas que são parte do conjunto dos guardas e a seguro com firmeza entre os dedos, pronta para usá-la quando necessário, apesar do nervosismo que ela me causa. Ele entrega o rifle para Andrei e fica com a menor das armas do arsenal – provavelmente porque não faz muita diferença, já que ele não consegue enxergar o alvo.

– Você sabe usar isso? – pergunto a Andrei com um sussurro.

– O quê? Essa arma? – Ele levanta o cano do rifle na minha direção, apontando sem jeito para meu rosto. Levanto a minha por reflexo, alerta.

Ele é um soldado patético.

– Não aponte isso para mim! – Meu tom irritado transparece enquanto o observo pendurar o rifle no ombro, imitando o gesto de Ava.

– Você quer trocar? Tenho certeza de que você sabe atirar bem melhor do que eu.

– Não. – Seguro minha pistola com força. Sou pequena demais para aguentar o recuo de uma arma maior. Todas as vezes que treinava em Kali, saía com um ombro dolorido e com dor de cabeça por causa dos gritos do professor. – Só tente não acertar nenhum de nós.

Andrei levanta uma sobrancelha para mim, no ápice da descrença. Os lábios dele se curvam em um quase sorriso de deboche, como se eu fosse idiota por duvidar de sua capacidade. Sei que os anômalos também passam por vários treinamentos militares, mas não deixo de ficar apreensiva. Uma coisa é a teoria, outra é a prática. Se chegarmos a uma situação em que precisaremos usar as armas, será que vamos conseguir? Será que somos capazes de puxar o gatilho e ferir alguém?

– Pode deixar – ele responde por fim, segundos antes de Leon nos repreender pelo barulho.

O silêncio que se sucede é mais confortável que os momentos em que estávamos só eu e Andrei. Agora, somos cinco pessoas, quatro delas armadas. É a última etapa da missão, os últimos metros antes de podermos voltar para casa.

No entanto, essa também é a etapa mais perigosa. Caminhamos a passos rápidos, e para mim, parece que estamos andando em círculos. Os corredores são todos iguais, com as paredes revestidas de metais e portas que dão para lugares desconhecidos. Eu e Sofia temos de praticamente correr para acompanhar o passo maior dos outros.

Os alarmes ainda soam pela fortaleza e, com a precisão que Ava nos guia pelo caminho, tenho quase certeza de que eles fizeram algum estrago grande na direção contrária de onde estamos. Provavelmente explodiram algo. Talvez até mesmo uma sala de controle.

Não se passa muito tempo até que Leon nos avise que alguém está se aproximando. Mesmo andando rapidamente, os passos ficam cada vez mais perto na perseguição, a ponto de todos conseguirem ouvi-los. Tenho a impressão de que estão na nossa cola e que sabem exatamente para onde vamos. Quase instintivamente, transformamos nossa caminhada em uma corrida. Temos de sair dali antes que nos peguem. A expressão de Ava é de concentração, como se pudesse imobilizar nossos perseguidores se apenas franzisse a testa o suficiente.

Chegamos a outro cruzamento de corredores e Andrei sussurra algo que soa como "estamos quase lá". Ava dá um passo em frente e tudo acontece rápido demais: um vulto preto, um barulho de tiro, e Ava cai ao chão.

Dessa vez, Sofia não consegue abafar o grito.

CAPÍTULO 26

Às vezes, a diferença entre a vida e a morte é apenas de segundos. Segundos preciosos que as pessoas perdem ao se deixarem ser pegas de surpresas ou paralisadas pelo medo. Segundos que podem ser gastos com coisas simples, como se abaixar e sair da mira de uma arma.

Existem pessoas que conseguem manter a calma e não se desesperar, independentemente da idade, e existem aquelas que entram em pânico.

Sofia é claramente parte da última categoria. Ela grita tão alto que parece Naoki usando seu poder, e preciso tampar a boca dela e arrastá-la comigo para a parede oposta, para longe dos tiros. Ela agarra minha mão com força, os dedos ficando brancos. Seu corpo treme contra o meu e mesmo sem sentir as lágrimas em minha mão, sei que ela está chorando. Posso até ouvir seus pensamentos: *não vamos sair daqui, pelo menos não com vida.*

Andrei se posiciona na nossa frente, abaixado perto da parede, o rifle empunhado na direção do corredor, mas Leon permanece onde está. Fecho os olhos ao perceber que ele provavelmente não faz ideia do que está acontecendo, já que realmente não viu nada e deve só ter ficado muito confuso com os barulhos. Sofia se vira para afundar o rosto no meu ombro e me segura com força.

No corredor, vejo Ava se levantar com o rifle empunhado. Ela não parece, em momento algum, a mesma garota de 15 anos insegura que conheci no trem. Não consigo bem ver o seu rosto, mas o que consigo ver é fúria. Não encontro nenhum machucado aparente, então acredito que o uniforme roubado tenha algum colete à prova de balas, e foi o que impediu o pior de acontecer.

– Leon – chama ela, olhando na direção do garoto. Seu tom é contido, mas há algo de perigoso nele. – Vem comigo. Eles estão do lado esquerdo. São sete.

Leon caminha na direção dela, apontando a arma para a frente. Imagino que, mesmo sendo cego, sua supersensibilidade o ajuda a não atirar nas pessoas erradas. Ava nos olha rapidamente, de forma a parecer que ela só está verificando os arredores. Andrei faz um sinal de positivo. Nós estamos bem, e entendemos o recado.

– Onde está a garota? – A voz que vem do lado esquerdo é áspera, com um sotaque carregado que me faz demorar a entender. – A garota que gritou.

– Eu sou a garota que gritou – responde Ava, não muito convincente, mas com certo tom ameaçador.

Ava está escondendo nossa existência, então provavelmente quer usar essa distração para uma emboscada. Ou isso, ou está tentando proteger Sofia. Leon fica um pouco atrás de Ava e parece extremamente perdido. Ao contrário do que imaginei, percebo que ele não sabe muito bem o que fazer. Provavelmente o excesso de estímulos está deixando-o desnorteado. Isso não é nada bom.

Ava parece ser o membro mais forte do grupo e a mais preparada para lidar com essa situação, seguida de Andrei. Por mais que eu tenha vivido em uma zona de guerra e aprendido mais do que todos eles, não tenho exatamente o físico de alguém que investe contra um grupo de sete soldados treinados.

Há um motivo pelo qual me dou melhor com a parte mais técnica: prefiro pensar do que agir.

Então eu me lembro que, além disso tudo, ainda existem os *poderes*. O meu e o de Andrei são praticamente inúteis fora da água, mas Sofia pode nos ajudar. Abro a bolsa de ferramentas e vejo o que posso usar para nos tirar dali. O plano se forma rapidamente em minha cabeça.

– Se vocês não disserem onde está a garota, nós vamos matá-los. –Uma resposta finalmente é dada, depois do que parecem longos minutos de silêncio.

– Se vocês nos matarem, nunca vão saber onde ela está. – O tom de Leon é petulante e parece mais adequado a Andrei do que a ele.

Eu quase rio quando outro silêncio se prolonga diante da constatação. Provavelmente eles têm tanta dificuldade com nossa língua quanto temos com a deles, e por isso demoram. Se eu conseguir fazer com que fiquem mais tempo distraídos, meu plano funcionará perfeitamente.

– Andrei – sussurro, e ele vira o rosto, batendo a cabeça contra a minha. Faço uma careta e me aproximo do ouvido dele. Sofia levanta o rosto e olha para nós, se aproximando também. – Você confia em mim?

– Você quer ter uma DR bem agora? – ele pergunta descrente, mas o seu olhar é carinhoso, e vai rapidamente dos meus olhos para minha boca, e depois volta para me encarar.

Meu coração dá um pulo. Não posso acreditar que ele está escolhendo esse momento para sentir coisas estranhas, e quero matar Andrei por fazer uma piada dessas. Tento manter o foco.

– Cala a boca! Não é isso – falo, com medo de atrair atenção indesejada. – Eu tenho um plano.

– Mas precisa que eu confie em você – completa ele, encostando a testa na minha. – Você tinha alguma dúvida?

Sinto um calor esquisito dentro do peito e desvio os olhos para Sofia, que parece constrangida e olha para todos os lugares menos para nós dois. Foco. Eu preciso de foco. De alguma forma, parece que a responsabilidade de tirar todos dali não pertence a ninguém além de mim.

– Da próxima vez que ele falar e ficar em silêncio, você corre e atira neles. Não precisa mirar, é só atirar. Mas precisa ser rápido, porque eles precisam ser pegos desprevenidos. Ava provavelmente vai se juntar a você, então você precisa correr logo depois – explico, voltando a olhar para ele.

Andrei concorda com a cabeça de forma não muito convincente e olha para Sofia, provavelmente pensando no que vamos fazer com ela.

– Andrei, estou falando sério. Você *foge*. Você vai ficar responsável por Leon e Sofia.

– Desse jeito parece que é *você* que não confia em mim.

– Sofia, preciso que você fique invisível e vá até Leon. Pegue a mão dele de levinho e diga que é você. Vocês têm que andar na direção oposta e esperar, invisíveis, até Andrei aparecer. Aí vocês vão atrás de uma saída. – Eu seguro ela pelos ombros, olhando-a com seriedade.

Seus olhos estão vermelhos e ela está tremendo um pouco, mas concorda com a cabeça. – Você vai ter pouco tempo para fazer isso, então não pode ficar com medo, tá?

Ela concorda novamente e aperto seu ombro de leve. Não consigo deixar de pensar em quão corajosa ela é, por estar se juntando a nós e confiando em mim tão abertamente. Também não consigo afastar a suspeita de que talvez seja uma isca implantada para nos emboscar. No entanto, não acho que os dissidentes sejam tão inteligentes – ou tão cruéis – assim.

– Por que vocês não vêm nos pegar? – Ava grita depois de um tempo, provocando. Ela provavelmente viu minha movimentação e entendeu que tenho alguma carta na manga. – Estão com medo de duas crianças?

Ouço reações raivosas, mas nenhum dos soldados se aproxima. Não sei o que estão esperando. Talvez tenham medo de que Ava seja uma anômala com poderes radioativos ou algo desse tipo. Encosto no ombro de Andrei, pedindo que ele espere. Ainda não é a hora.

– Nós vamos pegá-los! – A resposta vem como um grunhido.

– O que estão esperando? A cavalaria? Sinto informar que não somos os únicos por aqui. Provavelmente a essa altura nossos companheiros já pegaram seus amigos. É bem provável que já estejam indo embora com a menina. – Ava fala uma torrente de mentiras, um sorriso no rosto. – Vocês vieram atrás das pessoas erradas. Então podem vir pra cima. Quero ver vocês derrubarem a gente.

Sinto o corpo de Andrei tensionar ao meu lado, pronto para correr. Ava olha para nós por alguns segundos e volta a olhar para eles, provavelmente também não entendendo o porquê de ainda não termos sido atacados. O que será que Ava e Leon fizeram para chamar a atenção que os deixou tão assustados?

– Vocês estão mortos – grita um dos soldados, com seu sotaque ainda mais carregado. – Se seus amigos já foram embora... Estão mortos. A única coisa que nos impede de matá-los é que precisamos da menina. Então se isso for verdade, preparem-se para morrer.

– Ok, ok. Não precisa de tanta violência – Ava diz rapidamente. – Sei que explodimos a central de comunicação de vocês, mas sem ressentimentos, ok? Vocês deixam a gente ir e não ficamos pra acabar com vocês. Não sei preferem o futuro de vocês cheio de churrasco ou carvão. Aliás, dizem que carvão vira diamante se você pressionar por tempo suficiente. Isso me lembra de uma pergunta que sempre quis fazer: é verdade que vocês acham que quando morrem vão para um céu de diamantes, onde ganham uma recompensa pelas ações em vida? É isso mesmo que acontece?

Ela continua a tagarelar e olha para nós duas vezes, deixando óbvio que só está fazendo isso para dar uma chance para o nosso plano. Levanto três dedos, como sinal de que estamos quase prontos, e posiciono uma mão nas costas de Andrei.

Dois dedos levantados e Ava continua tagarelando bobagens.

Um dedo levantado.

– Vocês não deveriam ter ficado aí parados me ouvindo. De verdade – diz ela, e eu abaixo o último dedo, empurrando Andrei.

O barulho das balas ricocheteando contra as paredes de metal é ensurdecedor e Sofia começa a correr, desaparecendo de vista no meio do caminho. Leon é o próximo a desaparecer, enquanto Ava se junta a Andrei, atirando cegamente. Dou um passo à frente, mas sem sair do corredor, e olho na direção dos soldados. Eles parecem fazer parte de uma dança esquisita, alguns feridos movendo os braços loucamente enquanto outros tentam ajudá-los. Eles ainda não entenderam o que está acontecendo.

Só que não tenho tempo de ficar observando o que acontece a seguir. Tenho poucos segundos antes que eles se recuperem e preciso fazer com que não nos sigam depois de sairmos. Abro a caixa de ferramentas e pego uma das duas cápsulas pretas que estão ali dentro. Uma inspeção rápida me dá a certeza de que são redes de aranha, como chamamos em Kali. É um dispositivo que se coloca na arma para substituir uma bala normal e, ao ser disparado, cria uma rede forte e pegajosa, como uma teia de aranha, capaz de conter o inimigo. Geralmente é usada para capturar fugitivos. É estranho que elas façam parte do kit que me entregaram, mas vem bem a calhar no momento, quase como se tivessem imaginado que seria necessário. Tiro o cartucho da pistola que estou segurando e substituo duas das balas pelas cápsulas. Ficam um pouco folgadas, mas não acho que terei problemas na hora do disparo.

No corredor, Ava empurra Andrei para seguir Leon e ele precisa sair abaixado, porque o inimigo finalmente começa a reagir. Ava dá mais dois tiros, mas a munição acaba e ela olha para mim, confusa. Faço um sinal para ela ir andando com a arma em punho.

Existem várias formas desse plano dar errado. A cápsula é menor que o calibre da bala, então ela pode não aguentar o impacto e explodir lá dentro. Pode não disparar e a arma explodir na minha mão. E se a rede não disparar corretamente e não obstruir o caminho, o que vai acontecer comigo?

Aposto tudo na sorte quando aperto o gatilho, apontando a pistola para a parede em frente. Se eu tivesse calculado o tempo exato, não teria dado tão certo. No momento do disparo, um soldado avança diante dos outros, a fim de atacar Ava num combate corpo a corpo, porém é pego em cheio pela rede, que envolve seu corpo e o faz parecer uma borboleta encasulada. Ava salta por cima do homem e se junta a mim, mas um dos soldados tropeça no amigo, sendo seguido por outro, e os dois também ficam grudados na rede. São tão idiotas! Não esperamos para ver o que acontece e logo o barulho dos tiros recomeça. Eu me abaixo um pouco, com medo de ser atingida, enquanto corro, aguardando a oportunidade de atirar a outra rede. Ava praticamente me protege usando todo seu corpo. Quando entramos em outro corredor, os tiros param quase que imediatamente e são substituídos pelo som de botas batendo no chão, como uma tempestade.

Consigo ver pelo canto do olho a marca no uniforme de Ava onde ela levou o tiro. O tecido é à prova de balas, portanto, os tiros de Andrei não devem ter surtido muito efeito em nossos inimigos. Isso significa que todos aqueles soldados ainda estão em nossa cola. Bem, alguns estavam fora de ação por algum tempo. O pelotão demoraria um tempo para nos alcançar.

Dou uma olhada rápida para trás e levo um susto. Quando foi que eles se multiplicaram? Ava disse que eram sete, mas conto pelo menos dez na nossa cola. A cada instante que perdemos, mais perseguidores temos. Daqui a pouco, teremos um batalhão inteiro para nos derrubar. Se deixarmos isso acontecer, tenho certeza de que nunca voltaremos para Pandora. Tenho vontade de parar de correr e tentar pegá-los em outra armadilha, mas quando diminuo um pouco o passo, Ava praticamente me pega no colo para não diminuir o ritmo. Começo a explicar que podemos impedi-los com a outra rede, mas ela não me dá ouvidos.

Não tenho a mínima ideia de onde estamos. Essa fortaleza é um maldito labirinto, impossível de sair. Enquanto amaldiçoo todos os culpados por estarmos ali, os soldados chegam cada vez mais perto, o som de seus passos cada vez mais alto e assustador.

A porta que marca o fim do corredor se aproxima rapidamente, e está aberta. Vejo uma cabeça loira aparecer e desaparecer e sei que é para lá que vamos. Não é inteligente se esconder em uma sala em uma situação como essa, mas é melhor do que nada. Ava impõe um ritmo frenético de corrida, sinto meu peito queimar e minha respiração sair com dificuldade. Ao mesmo tempo, o ritmo dos pés que nos persegue fica mais urgente.

Falta pouco menos de alguns metros para chegar. Andrei estica as mãos para nós, como se esse fosse um jogo de pique-cola e estivesse nos esperando para poder se mexer. Ava é a primeira a encostar, seguida por mim.

No momento em que nossos dedos se entrelaçam, sinto mãos me puxarem para trás. Meu ombro faz um barulho, parecendo deslocar, e eu me desequilibro. O ar se esvai do meu pulmão de uma vez e minha vista escurece.

Antes que possa entender o que está acontecendo, sinto um puxão no cabelo. Sinto os dedos de Andrei me soltarem, e sei o que está acontecendo.

Fui pega.

CAPÍTULO 27

– Sybil!

Andrei grita e tenta agarrar meu pulso para impedir que me arrastem para longe, mas quem me segura é mais rápido. Grito e esperneio, tentando me desvencilhar, mas puxam meu cabelo com força suficiente para lágrimas brotarem nos cantos dos olhos. Meus pés saem do chão e a pressão na minha cabeça alivia quando me seguram pelo ombro. Tento dar um coice para trás, mas não atinjo ninguém e apertam meu ombro com força, me deixando sem ar. Tenho certeza que foi deslocado.

Com a vista embaçada, consigo ver Ava cercada e dois ou três soldados no chão. Provavelmente levaram uma surra dela. Como estamos muito próximos, trocar tiros seria pedir por um massacre e, desde o princípio, é óbvio que as instruções dos soldados são para nos capturar vivos. Andrei tenta sair da sala, mas Ava o empurra de volta para dentro, sussurrando algo que não entendo. Minha arma, com a outra rede, está em algum canto e Ava precisa pegá-la. É a nossa melhor chance.

– Ava, a minha arma! – Aponto com o pé para onde ela caiu. – Ava!

Meu captor me puxa pelo cabelo, com força, e mordo a língua sem querer. Fecho os olhos, respirando fundo. Avalio minhas chances de fugir. Minhas mãos e pés estão soltos e estão me segurando pelos ombros e pelo cabelo. Levo a mão que consigo mexer à cabeça. Em vez dos puxões de cabelo, sou atingida pela parte de trás de um rifle, na altura da costela. A dor é avassaladora. Sinto como se todo o ar tivesse sido expelido dos meus pulmões e nunca mais fosse voltar, como se dezenas de pequenas garras estivessem me rasgando por dentro. Minha vontade é de me encolher até que a dor passe, mas estou suspensa como um porco esperando o abate.

– Não a machuque – diz Ava em um rosnado baixo, a voz ecoando pelo corredor.

– Diga para seus amigos saírem daí de dentro e nós a soltamos. – A resposta vem do meu captor, que revela ser uma mulher. Ela fala praticamente sem sotaque e, pelo seu tom firme, suponho que deva ser a chefe da operação. – Caso contrário, creio que achará interessante ver o que podemos fazer com ela.

Prendo a respiração, tentando lidar com a dor. Eles estão me usando como chantagem? Estão ameaçando fazer algo comigo caso meus amigos não se entreguem? O que vão fazer conosco? Provavelmente vão nos jogar em uma cela como se fôssemos animais, investigando e sondando, até entender como funcionam os anômalos para depois tentarem criar uma cura para nossa "doença". Sinto minha raiva aumentar.

– Vá em frente então. – Ava parece indiferente e não sei se sinto alívio ou medo. – Mas eu me sinto na obrigação de avisar que ela não fica muito *amigável* quando está irritada.

Olho para os lados rapidamente e percebo o desconforto reinar entre os soldados. Boa, Ava. Eles sabem que nós somos anômalos, mas não fazem ideia de quais são nossos poderes. Será que foi isso que os impediu de se aproximarem antes?

Mexo os dedos só para ter o pequeno prazer de vê-los se afastar. A mulher me segura com mais força pelo cabelo, mas ainda assim deixa minhas mãos livres. Eles morrem de medo de mim – que não posso fazer nada de verdade contra eles – por causa de pura ignorância. Saber disso renova minhas energias para tentar me soltar.

Provavelmente a comandante supôs que sou a mais inofensiva por causa do meu tamanho. Ela poderia ter pegado Ava, mas Ava a teria destruído antes que ela descobrisse o que a atingiu. De algum jeito, sinto vontade de mostrar que ela está enganada, que cometeu um erro ao vir atrás de nós. Mostrar que cinco crianças anômalas são mais poderosas que um batalhão de dissidentes.

Levanto as mãos, apesar da dor que sinto em um dos ombros, e encontro o braço que segura meu cabelo. Agarro-o com força, envolvendo-o com as duas mãos, e aperto. A pressão em minha cabeça aumenta e ela me chacoalha, tentando me fazer soltá-la. Finco as unhas no tecido de sua roupa até encontrar sua pele e ela começa a berrar algo para seus subordinados em outro idioma, soltando meu ombro e me deixando ficar em pé.

Eu me viro e a encaro com meu melhor olhar maníaco, sem soltar o seu braço. Consigo pegar o outro braço e a seguro com força, impedindo a movimentação. Ela não solta meu cabelo, apesar de tudo, e sei que serão poucos segundos antes que perceba que nada de extraordinário está acontecendo. Talvez eu devesse entrar para o grupo de teatro da escola quando voltar para Pandora. Ela grita novamente e ouço o barulho de uma arma engatilhando.

Tenho certeza de que essa é a hora que eles vão me matar, então fecho os olhos e prendo a respiração. Pela primeira vez desde que me tornei anômala, desejo que meu poder seja algo mais *potente*. Algo que não envolva só a habilidade estúpida de não morrer afogada.

Mas o golpe final não vem e, em vez disso, são gritos que me fazem abrir os olhos e ver o que está acontecendo. Gritos vindos da mulher que me segura, que se debate loucamente tentando me soltar em vão. Não consigo entender o motivo por ela ainda não ter reparado que o que estou fazendo é só uma distração, uma mentira, até que olho para ela e a vejo chorando. E suando.

E diante dos meus olhos, percebo que ela está *secando*.

Meu primeiro reflexo é soltá-la e correr, mas sua mão continua presa em meu cabelo. E ela continua gritando, gritando e gritando, incapaz de fazer nada, incapaz de dar ordens ou de entender o que está acontecendo. Ninguém se mexe. Nem seus aliados. Ninguém parece compreender nada.

Andrei sai da sala e vem em minha direção, seguido por Ava, que derruba qualquer um que se aproxime de nós. Olho desesperada para Andrei quando ele se aproxima e começa a puxar meu cabelo da mão da mulher. Tento ajudá-lo, mas ela faz de tudo para nos impedir. Andrei parece irritado e dá um dos melhores socos que já vi no rosto da comandante, deixando-a desacordada, o que não ajuda muito, pois parece que a mão dela se fechou em volta do meu cabelo.

Os soldados saem do transe e avançam furiosos em nossa direção. Ava berra para corrermos. Sem muitas opções, Andrei pega a mulher desmaiada e a leva apoiada no ombro com dificuldade; então começamos a correr para a porta. Cada passo que dou é como se estivessem enfiando uma faca nas costelas e nos ombros. São poucos metros, e me esforço para continuar, me esforço para ignorar a dor, me esforço para acompanhar o ritmo de Andrei. Séculos parecem se passar no espaço de tempo que levamos até chegar à porta.

Tudo parece surreal demais, como se fosse parte de um sonho esquisito. Os barulhos de tiro e a voz do garoto me incentivando para correr mais rápido, dizendo que falta pouco, tudo parece estar a quilômetros de distância. A única coisa que parece real é a dor, o barulho do meu coração disparado e a pressão incerta na minha cabeça, que vai e vem conforme o ritmo das batidas do meu pé no chão.

Sinto um alívio enorme quando a porta se abre à minha frente e praticamente me jogo para atravessá-la. A próxima coisa que sei é que estou largada no chão, fazendo o máximo possível para respirar sem sentir dor. Ouço Ava dizer algo e Leon responder. Imagino que encontraram uma forma de nos trancar aqui e isso nos dará algum tempo antes que os soldados invadam a sala. Vejo Sofia engatinhar em minha direção, mas ela passa direto para algum lugar adiante. Andrei. Ela está tentando chegar até ele.

Tento me levantar com dificuldade, mas sinto a pressão em minha cabeça voltar e sou obrigada a deitar novamente. Ainda estou presa pelo cabelo à mão da mulher, que está deitada ao meu lado, desmaiada. Me aproximo dela, com medo de que acorde, mas logo vejo que ela não vai acordar nunca mais. Consigo ver buracos de tiros em seu corpo, dois deles na cabeça.

Seu próprio povo a matou.

Sinto o pânico subir pelo meu peito e me deixar sem ar, tentando me apoiar em um dos braços. Andrei foi atingido. E se ele estiver morrendo nesse exato instante? E se ele estiver morrendo com uma bala que era para me atingir?

– Andrei? – Minha voz sai esquisita quando o chamo.

– Sofia, ajuda a Sybil se soltar. – Seu tom na resposta é tão baixo que acho que é Leon, mas depois reconheço a Voz de Andrei. O alívio é imediato.

Sofia engatinha até mim com um canivete na mão. Tento me levantar, mas ela me empurra gentilmente contra o chão para que eu continue deitada. Ela corta devagar meu cabelo, mecha por mecha, serrando as pontas. O processo demora um tempo dolorosamente longo e quando ela termina, a dor em minhas costelas já se tornou algo suportável.

– Você está bem? – pergunta ela em um sussurro e respondo com um aceno de cabeça, por mais que não seja verdade. – O que você fez?

Não entendo a pergunta, então fico sem resposta. Uso a parede como apoio e consigo me sentar para avaliar a cena. Andrei está sentado logo depois do corpo da mulher, observando algo com um misto de curiosidade e horror, enquanto Leon enfaixa seu ombro. Ava está na porta, segurando o rifle dela e de Andrei. Minha pistola está enfiada no coldre da calça. Estamos em algum observatório cheio de mesas metálicas, com um quadro branco pendurado em uma das paredes. As outras paredes são cobertas por imensas janelas transparentes, onde posso ver somente o céu azul e o mar cinzento.

No meio da sala, a mulher está deitada como uma boneca de pano, uma perna dobrada em um ângulo esquisito sob seu corpo e com a boca aberta. Seus lábios estão rachados, assim como o resto de sua pele, cheia de rugas. Mas o que chama mais atenção é a mão que segurava meu cabelo, que virou algo ressecado, cadavérico, feito de pele e osso.

É só então que compreendo que sou eu a responsável.

Olho para Sofia, piscando duro, tentando compreender, mas nenhuma resposta sai. Sofia me olha na expectativa.

– Eu não sei – consigo falar, fraca. – Sinceramente não sei.

– O que Sybil fez? – pergunta Leon, levantando a cabeça em minha direção.

– Parece que ela morreu desidratada. – Andrei franze a testa. – É como se Sybil tivesse tirado a água do corpo dela.

– Eu não fiz isso – respondo na defensiva. Sinto medo de alguma coisa, mas não sei dizer exatamente o que é, um nó na garganta se formando.

– Você fez sim. – Ava olha para mim e não consigo identificar o que ela está sentindo. – Você pegou o braço dela e, quando eu vi, ela estava, tipo, escorrendo. Foi assustador.

– Eu não fiz isso! – volto a repetir, insistindo, minha voz subindo uma oitava..

– É comum que no início você não saiba o que é capaz de fazer, nem saiba controlar seus poderes direito – explica Leon em tom professoral, como se nada daquilo fosse incomum. Como se todo dia algum amigo dele desidratasse alguém e seguisse a vida normalmente.

– Você estava muito estressada, então seu corpo deve ter se defendido da forma como conseguiu.

– Eu já disse que não fiz isso. – Olho para o lado de fora da janela, me sentindo desconfortável com tudo.

Eu tinha desejado aquilo instantes antes: um poder mais útil. Porém, ter uma habilidade como essa não estava nos meus planos. Se eu soubesse que alguém poderia desidratar outra pessoa só por sua vontade, mandaria enjaulá-lo no mesmo instante.

Não é mais divertido.

É perigoso.

Um verdadeiro circo de horrores.

– Precisamos sair daqui. – Andrei quebra o silêncio e desvia a atenção do assunto aterrorizante que não nos deixa esquecer. – E a nossa melhor chance é quebrar esse vidro e sair por ele, enquanto os soldados não conseguem entrar pela porta. Acho que estamos a uns cinco ou seis metros de altura, então não vamos nos machucar muito na queda.

– Que sala é essa, afinal? – pergunto, me apoiando em uma das mesas para me levantar. Sinto a dor voltar e me curvo, colocando uma mão na barriga. – Acho que quebrei uma costela. E desloquei um ombro.

– Então não se mexa – Leon responde e caminha com rapidez em minha direção, me segurando com mãos firmes.

– É uma sala de observação. Eles praticamente não usam, porque não têm nada para vigiar lá fora. Mas isso também quer dizer que a porta é reforçada – Ava responde.

– Ela é reforçada mas não vai aguentar o resto da vida. Aposto que estão tentando arrumar uma forma de abrir agora mesmo – Leon completa. – Mas eles devem demorar bastante, devem ter que mandar mensageiros por toda a fortaleza para trazer os reforços.

– Vocês realmente explodiram o centro de comunicação deles? – Andrei pergunta, olhando para Ava com um meio sorriso.

– Bem, eles nos deram seis granadas. Só precisamos de duas – ela diz, retribuindo o sorriso. – A outra a gente usou para fazer a primeira distração.

– Isso quer dizer que ainda temos três granadas. Hummm.

Não é necessário ser um especialista em comportamento humano para saber que a expressão de Andrei e a forma com a qual ele caminha ao longo da janela, como se a analisasse, são um indicativo que ele está pensando em algo.

– Não vai funcionar – diz Leon, ainda me apoiando.

– Você não sabe onde estou nem o que eu estou pensando. Como é que você diz que não vai funcionar?

– Claro que sei que você está apoiado do lado da janela, Andrei. Você respira tão alto que poderia acordar um morto. Quanto ao plano, não preciso ser um gênio para deduzir que você quer usar uma das granadas para explodir a janela e aí pular por ela. – A resposta é dada em um tom de obviedade e Andrei cruza os braços, irritado. – Até acredito que a queda não vai nos matar, mas você já analisou o vidro? Já viu se é vidro mesmo ou outro material?

– Seja lá o que for, não poderia resistir a uma explosão, Leon.

– Nem a gente. Essa sala é pequena demais.

– A gente pode se esconder.

– E depois que tudo explodir, a gente sai correndo o mais rápido que dá e pronto? Andrei, eu sou cego. Você levou um tiro no ombro. Estamos com uma criança. Sybil mal consegue andar. – Quando ele fala meu nome, aperta um pouco meu ombro bom de forma que parece reconfortante. – A única pessoa aqui que está em condição de executar qualquer coisa é a Ava.

– Não é uma ideia tão ruim assim – diz Ava, em tom defensivo. – Pelo menos é um plano. Você quer que a gente faça o quê?

Leon não responde nada e sinto a tensão ficar ainda maior. Desvio o olhar para Sofia, que me olha com seus olhos arregalados, assustada. Logo percebo que Andrei e Ava também estão olhando para mim, à espera de minha opinião. Umedeço os lábios ansiosa.

– É um bom plano B – respondo, evitando olhar para Andrei. – Mas nós precisamos de um plano A que não deixe a gente virar churrasco.

– E qual é a sua sugestão? – Andrei ergue a cabeça em desafio. – Preciso saber o que temos para bolar algo, não é?

Tiro a mochila das costas e coloco em cima da mesa em que estou me apoiando. Começo a tirar tudo o que tenho de dentro dela devagar e Sofia vem me ajudar. A pasta com os arquivos, a caixa de ferramentas com as duas cápsulas da rede de aranha e um alicate a menos, uma muda de roupa, um kit de primeiros socorros intacto e um saco com comida desidratada e água.

Andrei me imita e depois pega a mochila de Ava, deixando-a só com as armas, enquanto Sofia desempacota a mochila de Leon. Ava e Leon usaram seus kits de água e comida por inteiro, mas eu e Andrei não. Além mudas de roupa individuais, temos três granadas, duas facas, um rolo de corda, as plantas da fortaleza, três pistolas, minhas ferramentas, dois rifles, munição e uma bússola.

A primeira coisa que faço é abrir um dos kits e procurar por alguma coisa que vá fazer diminuir a dor. Acho uma cartela de comprimidos e engulo três, não me importando muito com a forma correta de tomá-los.

– Vocês têm comida? – Sofia se aproxima e apoia na mesa ao meu lado.

– Não muita – responde Andrei e dá seu saco de comida para ela. – Pode comer. Não estou com fome.

– Eu não queria falar nada, mas acho que essa não é a melhor hora para fazer um banquete – Ava nos repreende irritada. – Eu quero voltar pra casa logo.

– Voltar para casa? Que horror, Ava! Não está se divertindo nas suas férias com seus melhores amigos e a hospitalidade dos nossos anfitriões? – responde Andrei com um sorriso travesso, fazendo as covinhas aparecerem em suas bochechas. Ava fica menos carrancuda com isso e eu abaixo os olhos, desconfortável ao observar tudo isso tão de perto. – Sybil, você é a nossa mecânica. Como vamos usar essas coisas pra sair daqui?

– Podemos bater na janela até quebrar, que tal? – respondo no mesmo tom de brincadeira que o dele, e depois solto um suspiro. – Se Naoki estivesse aqui, ela poderia dar um grito supersônico e aí estaríamos fora.

– Vivos, mas surdos. Dá pra aceitar – Andrei brinca.

– Mas ela não está aqui – Leon diz, sério. – E se a gente quiser encontrar ela de novo, temos de arrumar um jeito de sair. E estamos esquecendo que pode não ser vidro na janela. Existem compostos transparentes que são mais flexíveis em janelas grandes, é o que geralmente utilizamos na União. Pode ser alguma coisa desse tipo.

Olho para os objetos espalhados pela mesa e tento pensar em algo. Se for vidro, a janela deve ser aparafusada pelo lado de fora, então não adianta usar as chaves de fenda de forma clássica. Talvez se atirarmos nela, ele possa quebrar e nos dar passagem. Precisamos descobrir o material da janela, antes de mais nada.

– Andrei, pegue uma das chaves de fenda e vá até a janela – digo por fim. Ele olha para mim com curiosidade, mas obedece sem fazer nenhuma gracinha. – Veja se consegue enfiar na fresta entre ela e a parede. O que dá pra sentir?

– Ela afunda um pouco, mas depois para – ele responde, olhando para o espaço com curiosidade. – Sofia, me traz uma mais fina, por favor, e coloca do lado da minha chave, bem aqui.

Sofia obedece e fica na ponta dos pés para alcançá-lo. Os dois conversam em voz baixa enquanto se mexem e fico extremamente curiosa.

– O que descobriram?

– A janela é colada na parede – responde Sofia com uma animação esquisita. – E quando faço assim, ela descola!

Uma janela colada. *Uma janela colada*. Isso é imbecil demais para que eu possa processar.

– Com certeza isso aqui não é vidro ou essa cola não aguentaria. Deve ser algo mais leve – diz Andrei. – E acho que deve ser algum tipo de cola especial. Tem umas substâncias que quando são aquecidas ficam mais resistentes e aumentam o poder de aderência. Provavelmente o vidro todo é à prova de explosões.

– O que quer dizer que se tivéssemos explodido as granadas, só teríamos morrido – Leon conclui triunfante. Andrei revira os olhos. – Cadê a rodada de agradecimentos por eu ter salvado nossas vidas de novo?

– Obrigado, mestre Leon – Andrei usa um tom quase robótico. – Não sei como teria sobrevivido a 16 anos da minha vida sem você.

– Leon, me ajude a guardar nossas coisas nas mochilas enquanto eles trabalham no vidro – peço, me aproximando da mesa. Os comprimidos estão começando a surtir efeito. – É melhor todo mundo ajudar pra sair daqui. Quando acabar é só a gente ir embora.

Rapidamente empurramos tudo para dentro de nossas bolsas, deixando só a corda e a caixa de ferramentas de fora. Imagino que seja mais fácil descer pela corda até onde der e depois se jogar no mar. A distância seria menor, e o impacto contra a água também.

– Ava, você acha melhor ajudar ou ficar de guarda? – pergunto enquanto ajudo Leon a pendurar as mochilas nos braços.

– Vou te ajudar a chegar na janela. Comigo ajudando, acho que tudo fica mais rápido. – Ela caminha até mim e praticamente me levanta pelos braços, tornando meu esforço mínimo enquanto caminhamos em direção à janela.

Sofia e Andrei puxam a cola animadamente com certo grau de facilidade. Está fácil demais para ser verdade. Quando me aproximo, sinto uma leve corrente de ar que passa pela fresta já aberta por eles. Resolvo ajudá-los, imitando seus gestos, mas com um pouco de dificuldade, porque meu corpo todo dói quando me mexo.

A cola é grudenta e esquisita, mas sai com tanta facilidade quando puxo com a ponta da chave de fenda que fico espantada. É um trabalho estranhamente prazeroso e flui muito bem, todos os cinco pares de mão ajudando. Andrei e Ava começam a empurrar o material transparente para cima, para desencaixá-lo da parede, e fica cada vez mais fácil soltar tudo.

– E se esse negócio cair lá embaixo? – Ava pergunta, preocupada. – Será que quebra? Não vai ser bom se a gente cair em cima dele.

– É melhor do que continuar aqui – responde Andrei e Ava dá um meio sorriso, continuando com o trabalho.

Sofia vem até onde estou e começa a me ajudar, suas mãos se mexendo com tanta rapidez que não consigo acompanhar. Ava e Andrei empurram novamente, para fora e para cima, e Sofia tem a presença de espírito de passar a chave de fenda ao longo do vidro, descolando apenas a parte da cola que encosta nele.

Agora tem espaço suficiente para enfiar pelo menos três dedos, o que torna ainda mais fácil tirar a cola. Mais um empurrão e um palmo livre. Começamos a trabalhar em uma das laterais e, com mais um empurrão, há espaço suficiente para eu ou Sofia nos esgueirarmos pelo buraco que abrimos. Outro empurrão e Andrei e Ava precisam se segurar para não se desequilibrar.

Os dois empurram mais uma vez e a janela se desencaixa, dando espaço suficiente para sairmos.

É nesse mesmo instante que a porta da sala explode, dando passagem a um enxame de soldados raivosos e com sede do nosso sangue.

CAPÍTULO 28

Os erros que cometemos nos últimos minutos são vários: não deixamos ninguém vigiando a porta, ficamos todos aglomerados no mesmo lugar, abandonamos nossas armas para tirar o vidro, ficamos de costas para o único ponto pelo qual poderiam nos atacar. Se isso fosse uma aula, e não a vida real, teríamos sido reprovados quase imediatamente.

O problema é que aqui reprovação quer dizer morte.

Sou a primeira a gritar um aviso e me jogar atrás de uma das mesas, puxando Sofia junto comigo. Caio de barriga no chão e a dor que sinto é tão intensa que não consigo pensar em nada. Rolo de barriga para cima e fecho os olhos, respirando fundo para não desmaiar. Perder a consciência nesse momento é o mesmo que perder a vida.

– Sybil – sussurra Sofia e sinto a pressão de suas mãos em meus braços. Seu tom é urgente. – Sybil, não desmaie agora.

Respiro fundo mais uma vez e abro os olhos. Os olhos da garota mostram alívio e ela me segura pelo pulso. A sala está inundada por barulho de todo o tipo, e, entre tiros e gritos, não consigo entender o que está acontecendo. Ainda seguro a corda em uma das mãos e tento me concentrar no que posso fazer, mas a dor atrapalha meus pensamentos. Os comprimidos, que na hora da tranquilidade pareceram ajudar, agora são o mesmo que nada.

– Fique acordada – diz ela e concordo com a cabeça. – Você consegue se mexer?

– Devagar.

Ela me ajuda a sentar, pega a corda da minha mão e manda que eu não saia do lugar até ela voltar. Antes que eu possa impedi-la, desaparece e encaro a janela de vidro, reparando os inúmeros reflexos invertidos e borrados de soldados. Não parecem muito perto. Se não conseguiram chegar até mim, então estamos resistindo. Se estamos resistindo, temos alguma chance.

Procuro pela minha pistola. Só aí me lembro que está com Ava. Ava! Ela pode atirar a rede e impedir os soldados da porta por tempo suficiente para nos deixar sair! Preciso me levantar para avisá-la, mas só lembrar da dor me faz fraquejar. Sinto as bochechas queimarem de vergonha e olho para o chão, a raiva subindo. Como posso ter deixado isso acontecer? Como posso ter esquecido tudo que aprendi em Kali para sobreviver?

A outra alternativa é pior. Não ter me esquecido, e sim que nada daquilo bastava na hora que realmente precisava.

Os barulhos da batalha se tornam cada vez mais alarmantes enquanto espero uma eternidade pela volta de Sofia. Tento me esticar para ver o que está acontecendo e onde estão os outros, mas fico com medo de ser vista. Preciso encontrar Ava e avisar da rede. O cheiro de munição fica cada vez mais intenso e quando estou começando a achar que a garota foi atingida, Sofia reaparece com as bochechas vermelhas e ligeiramente ofegante. Ela se acomoda ao meu lado e respira fundo algumas vezes, para se acalmar.

– O que você foi fazer? O que está acontecendo?

– Amarrei a corda para podermos sair. Andrei e Ava estão trocando tiros com eles. Como a porta é pequena, é mais difícil pra entrar. Parece que Ava conseguiu se aproximar o suficiente para colocar algumas mesas viradas no meio do caminho – ela fala de forma objetiva, segurando o tecido da sua roupa com força. – Eu ajudei Leon a achar as granadas, mas ele quer que você já esteja do lado de fora quando explodirem tudo.

– Preciso dar um recado para Ava. Você consegue me ajudar?

Antes que Sofia possa responder, um barulho ensurdecedor vem da direção oposta de onde estamos e nos atiramos no chão novamente. Coloco uma mão por cima da cabeça de Sofia e sinto a mesa cair em cima de nós, nos esmagando contra o chão. Sinto o ar faltar e minha vista escurece novamente. A temperatura da sala aumenta exponencialmente e sei que precisaram usar uma das granadas para conter o avanço dos atacantes.

Vejo Sofia mexer os lábios e, mesmo sem ouvi-la, sei que está rezando. Os dissidentes são adeptos de uma religião única, idolatrando uma divindade esquisita que é três pessoas em uma só e com um profeta abençoado, ao mesmo tempo, e recorrem a ela (ou a eles, não entendi muito bem) em momentos difíceis. Eu já soube de histórias de presos condenados que imploram para rezar antes da execução. É um conceito ultrapassado para nós da União, porque, embora tenhamos a liberdade para acreditar no que quisermos, a maior parte das pessoas não tem uma religião, como eu. Acredito em ações. Acredito em fazer o que precisa ser feito.

Mesmo com dor nas costelas, apoio as mãos no chão e empurro a mesa para cima o suficiente para Sofia poder sair e me ajudar. Nos escondemos atrás do tampo da mesa e vejo que ela amarrou a corda em um pedaço de metal fixo na parede intacta, ao lado da janela. Precisamos chegar até lá e sair o mais rápido possível da sala. Olho por cima do ombro para procurar os outros. Sofia precisa avisar Ava da pistola.

A sala parece um inferno: as mesas mais próximas da porta estão em chamas e o calor se espalha cada vez mais pelas paredes metálicas. Desvio o olhar da porta quando percebo que dois soldados estão queimando, berrando de dor. Os sons estão distorcidos em razão da explosão e parece que estou embaixo d'água. Um zumbido bem irritante fica insistente nos meus ouvidos e balanço a cabeça, tentando me livrar dele sem sucesso.

As balas continuam zunindo em todas as direções, mas não me importo mais em ser atingida. Só quero sair daqui, seja viva ou morta. Torço para que alguém acabe com os gritos de sofrimento dos homens que queimaram com a explosão. De algum lugar à minha direita, Ava retribui os tiros com uma precisão absurda, derrubando mais um soldado para ser engolido pelas chamas.

Andrei se aproxima abaixado por trás das mesas viradas, com Leon seguindo-o com uma expressão de dor. Se o barulho foi ensurdecedor para nós, o que teria feito a ele? E se não conseguir mais ouvir, o que vai acontecer com ele? Andrei se acomoda ao nosso lado, ajudando Leon a se sentar também. Parece exausto e o curativo no seu ombro está vermelho, manchada de sangue.

A boca dele se mexe e ouço alguns sons, mas não entendo o que está falando. Balanço a cabeça e aponto para meu ouvido, tentando explicar que não estou ouvindo nada. Então, ele aponta para a janela. Depois, aponta para Sofia e Leon. Depois para mim e, por fim, para Ava. Enfia uma pistola em minhas mãos e segue em frente e eu só consigo supor o que ele quer que eu faça. Tento ver se é a minha pistola, com a cápsula, mas Andrei me apressa. Falo da rede, mas ele não entende e aponta para a frente e para eles. Ele quer cobertura.

Leon o segue e faço um sinal para Sofia segui-lo também. Eles passam por mais duas mesas antes de se abaixarem perto do buraco que abrimos na janela. Andrei explica algo com gestos elaborados e os dois concordam com a cabeça. Ele entrega as duas mochilas para Sofia e se levanta devagar.

Nenhum dos tiros vem na direção dele. Sofia e Andrei ajudam Leon a passar pelo buraco, com dificuldade, e depois Sofia desaparece como se tivesse sido sugada para baixo.

O medo de um tiro acertá-los me impede de abrir o carregador, minhas mãos tremendo sem parar. Andrei se abaixa novamente e engatinha até mim, mas quando está a uma mesa de distância, o barulho de extintor de incêndio desvia minha atenção. Não sei se me sinto feliz por minha audição estar voltando aos poucos ou se me assusto por eles estarem controlando o fogo. Pelo visto não é o suficiente, não sinto o calor diminuir. Com cuidado, levanto a cabeça e vejo três pessoas entrando na sala brandindo uma mangueira de emergência. Um soldado aponta a mangueira para as chamas e com uma facilidade espantosa, a água apaga o fogo. Sinto um calafrio percorrer meu corpo e uma sensação esquisita, como um chamado. Como se a água, sendo jogada ali, quisesse que eu me aproximasse dela.

Olho para Andrei para ver se ele sentiu algo parecido, mas a expressão dele só demonstra determinação. Ele indica a janela com a cabeça, me oferecendo o braço que não está machucado para que eu use de apoio.

– Ava? – pergunto, testando minha voz. Ele olha para o lado direito e consigo vê-la atrás de uma mesa mais próxima, com o rosto vermelho e parecendo exausta.

Ela se levanta e dá um tiro, acertando o soldado que segura a parte da frente da mangueira. A água jorra descontroladamente por tempo suficiente para Andrei me arrastar com dificuldade para uma mesa mais próxima da janela. Ava se aproxima de nós e estamos a apenas uma mesa de distância.

– Só tenho mais três balas – anuncia ela. – E as granadas. Já devo usar agora?

– Ava! Minha pistola tem uma rede de aranha! – digo desesperada. – Se você usar agora, vamos ter tempo de sair.

– Uma rede de aranha?

– É! Aquela coisa que usei no corredor. Qual é a minha arma? – pergunto nervosa. – Está com você?

Ava apalpa o seu corpo, mas está apenas com um dos rifles, e onde estava minha pistola não há nada. Ela olha para mim um pouco confusa.

– Eu não sei…

– Ava! – Andrei diz. – Precisamos sair daqui. Sybil está delirando.

– Eu não estou delirando, Andrei! – Entrego a pistola para ele. – Abra e veja se tem uma cápsula na munição.

– Sybil, eu atirei com essa pistola. Não tem nenhuma rede de aranha ou sei lá o quê!

– Mas Ava estava com minha pistola! – reclamo antes de perceber que estou nos atrasando.

– Precisamos sair daqui agora – Andrei insiste. – Não vamos precisar da granada se formos rápidos.

– Mal consigo respirar – respondo com a voz fraca. – Como você acha que…

Uma bala atravessa a mesa a centímetros de distância de Andrei e atinge a parede, ficando alojada ali, me interrompendo.

– Corram! – Ava grita enquanto puxa o pino da granada e a atira com força na direção da porta.

Andrei praticamente me carrega quando levantamos e corremos na direção da janela. Ava acompanha nosso movimento e chegamos juntos ao vidro descolado, nos abaixando. Ava usa seu corpo para nos cobrir quando a explosão enche a sala novamente e, dessa vez, meu ouvido faz um barulho insuportável enquanto me agarro em Andrei. A temperatura aumenta ainda mais, mas a explosão nos deu um tempo precioso.

Faço um sinal para Andrei ir adiante e Ava concorda. Minha dor já ficou para trás, perdida no meio da adrenalina, mas sei que no instante em que parar, não serei capaz de descer a corda sozinha. Se ele for primeiro, pode me segurar.

Ava pega a pistola das minhas mãos e percorre seus olhos pela sala. A explosão abriu um buraco na parede logo ao lado da porta e, para nosso azar, dessa vez não houve fogo nenhum. A mangueira de água continua jorrando no chão, mas com menos pressão. Sinto outro calafrio e me concentro em achar o momento ideal para levantar e sair pelo buraco. Quando finalmente me levanto e me sento no parapeito, Ava se levanta comigo, a arma em punho. Coloco uma perna para fora e depois a outra, devagar. Seguro na corda e fecho os olhos, me impulsionando para baixo.

Desço com dificuldade e, quando olho para o mar lá embaixo, sinto náusea. Há pouca coisa que me deixa mais desestabilizada do que altura. Não posso pensar na queda. Não posso pensar na possibilidade de bater a cabeça contra uma das pedras. Tenho de me lembrar de que não posso morrer afogada.

Ouço outra explosão e congelo, esperando por Ava. Fico apreensiva depois de algum tempo, porque já era para ela estar aqui fora, descendo a corda comigo. Quando finalmente vejo uma movimentação na janela, começo a descer.

Mas então consigo ver que não é Ava que está descendo pela corda. E consigo ver algo brilhante na mão da pessoa inclinada sobre a amarra.

E, quando percebo, estou caindo.

Caindo, caindo e caindo, na direção das pedras, na direção do mar, na direção da morte.

Não vejo a queda. Tudo fica escuro muito antes.

CAPÍTULO 29

Quando acordo, fico com a impressão de que tudo que passamos foi um pesadelo. Tudo foi uma piada de mau gosto pregada pelo meu subconsciente, desde o momento em que anunciaram uma "caça ao tesouro" até a queda infinita até o mar. Os tiros, os gritos, o desespero – tudo não passa de algo criado pela minha cabeça. Outro dos meus pesadelos sem sentido.

Tento me virar na cama desconfortável onde estou e sinto uma pontada dolorosa no tórax. Eu seria sortuda demais se nada daquilo tivesse sido verdade. Só que a sorte não gosta muito de mim.

– Ela acordou. – Ouço uma voz fina e infantil carregada de preocupação.

Percebo uma movimentação e uma mão quente toca minha testa. Tento abrir os olhos, mas eles ardem. Tento me levantar e sou impedida com uma mão forte me puxando para baixo.

– Fique quieta. Não faça movimentos bruscos – Andrei pede, mas não adianta nada, pois meu primeiro reflexo é levantar o braço, tateando em busca do toque dele. Meu ombro dói.

Ele segura minha mão carinhosamente e eu me acalmo, respirando fundo.

– Leon?

– Na cama em frente à sua. Sofia está aqui do lado.

– Ava?

Silêncio. Sinto um nó na garganta. Tudo que mais quero é que essa parte seja mentira. Que Ava tenha, de alguma forma, conseguido me seguir para o lado de fora daquela sala, que tenha encontrado minha pistola com a rede para conseguir alguns minutos de vantagem para escapar.

– Ava? – pergunto mais uma vez, incapaz de acreditar na realidade.

– Ela não conseguiu. – Andrei tenta manter o máximo de emoção fora de sua voz, mas o tremor em sua mão o trai. – Ela ficou para trás.

Sinto um turbilhão de emoções ao mesmo tempo. Ava se sacrificou para nos salvar. Se sacrificou para *me* salvar. Ela tinha as melhores condições de sair inteira daquele lugar infernal e, ainda assim, ficou para trás até o último segundo para nos defender. Que tipo de mundo injusto é esse? Que tipo de mundo admite que uma garota tão doce e gentil quanto Ava acabe dessa forma?

O mesmo tipo de mundo que permite que crianças morram de fome e sejam usadas como cobaias. Eu já deveria estar acostumada. Porém, de alguma forma, não me importar com isso é impossível.

Abro os olhos e me levanto, ignorando o embrulho no estômago e a dor nas costelas. Andrei protesta, mas me sinto muito melhor do que nos últimos momentos na fortaleza. Se não me mexer de forma brusca, a dor é quase imperceptível.

Estamos em uma cela. Não há dúvidas quanto a isso. Dois beliches de ferro estão encostados em paredes opostas, um de frente para o outro. Em um canto, está uma pequena cabine que deve abrigar o banheiro. Fora isso não há janelas, barras ou nenhum outro indício de porta. Tudo é de um branco inóspito, e o teto é coberto por lâmpadas florescentes. A luz é forte e, posso apostar, constante. Não vejo nenhuma das nossas mochilas e reparo que estou usando uma camisola de algodão branca.

Os outros estão vestindo roupas similares, como se fôssemos pacientes de hospital.

– Fomos capturados? – pergunto, segurando o tecido da camisola com força.

– Estamos em casa – Leon responde com calma.

Andrei se aproxima de mim, colocando uma mão quente no meu ombro.

– Não estamos em casa. Estamos presos em algum lugar, mas estamos na União.

– Que bela recepção.

– Você não faz ideia.

– Eles vão enviar um grupo para nos tirar daqui? – Sofia pergunta, esperançosa.

Para minha surpresa, Leon solta um riso amargo.

– Não. Nos deixar de molho aqui é protocolo.

– Não sabia que era protocolo enjaular quatro pessoas machucadas que eles capturaram no mar. Quatro *crianças* – Andrei acrescenta, amargo.

– Nenhum de nós é uma criança, Andrei. Somos anômalos. É melhor não esquecer disso. Somos inimigos até que se prove o contrário.

– O homem que nos traz comida todos os dias é anômalo também, e não estou vendo ele preso em um inferno como esse.

– Você disse dias? – interrompo a discussão. Olho na direção de Sofia, encolhida ao lado de Leon, que tem um braço envolvendo seus ombros de forma paternal. – Há quanto tempo estamos aqui?

– Eles apagam e acendem as luzes quando tem vontade. Não temos como saber – responde Sofia, solícita. – Mas trazem comida sempre.

– Quantas vezes eles apagaram e acenderam as luzes?

– Cinco.

– Fiquei desacordada por *cinco* dias?

Eles ficam em silêncio de novo. Isso me deixa irritada e possessa. Por que parece que estão escondendo algo de mim? O que realmente aconteceu? Fuzilo Andrei com o olhar e ele dá um passo para trás, me soltando. Sua expressão é de cautela e ele umedece os lábios antes de responder.

– Eles só trouxeram você para cá há poucas horas. Até então, achávamos... – Ele faz uma pausa mais uma vez e desvia o olhar. – Quando você caiu, ninguém conseguiu te acordar.

Volto para a cama de forma automática, me sentando na beirada. Levo as mãos para meu cabelo, que está cortado reto um pouco acima do ombro. Isso deve ser obra deles, porque Sofia não conseguiria ter feito um bom trabalho desse tipo nem que quisesse. Tateio, procurando por algum ferimento ou cicatriz na cabeça, mas não encontro nada além do corte no lábio, que vai deixar cicatriz. Uso os dedos para sentir minhas costelas, ignorando os olhos de Sofia e de Andrei em cima de mim. Sinto dor quando encosto, mas nada comparado ao que estava sentindo antes de desmaiar. Mexo o ombro machucado e sinto alguns repuxões, mas nada muito intenso.

A não ser por um vazio no estômago, me sinto bem, considerando que passei dias desacordada.

A menos que eu tenha, de fato, acordado. A menos que tenha acordado várias vezes, mas tenham me obrigado a voltar a dormir. Posso ter acordado, feito algo e depois apagaram minha memória. Pode ser que tenham me usado para alguma tarefa, como abrir os arquivos, enquanto eu estava desacordada. E se estamos presos aqui por causa do arquivo adicional que roubei? E se estamos encrencados por que eu trouxe Sofia conosco?

De repente, as decisões que tomei não parecem nada sensatas. Como pude colocar em risco meus amigos por uma curiosidade mórbida? Sinto-me um monstro egoísta e tenho vontade de sumir.

No entanto, não me sinto assim sobre Sofia. Observo-a sentada ao lado de Leon, apertando a própria barra da roupa. Estou disposta a pagar o preço que for por salvá-la.

No beliche à minha frente, Leon conversa em sussurros com Sofia e mal posso ouvi-los. Quando ficaram tão próximos assim? Provavelmente Leon a vê como sua irmã mais nova, que deve ter mais ou menos a mesma idade da menina. A cama em que estou afunda um pouco quando Andrei se acomoda ao meu lado.

– Não entre em pânico – ele tenta me acalmar.

Engulo em seco, olhando para meus joelhos. Como não entrar em pânico? E se eles decidirem mandar todo mundo para Kali como forma de punição? Eu não aguentaria voltar para lá, e tenho certeza de que nenhum deles nunca mais falaria comigo.

– Eles não podem fazer nada com a gente – ele fala.

– Eles podem sim. Essa é a pior parte – respondo inquieta. Quero contar sobre o arquivo que peguei, mas perco a coragem assim que penso no assunto. – Precisamos sair daqui.

– Nós somos cidadãos da União, Sybil. Nossos pais pagam impostos e são pessoas importantes. Eles não podem fazer nada.

Dou um meio sorriso e balanço a cabeça, impressionada com sua ingenuidade. Enquanto estivermos aqui, enquanto não voltarmos para casa, ainda estamos em missão. Estamos sozinhos.

– Vocês querem saber o que aconteceu com Seeley? – Leon fala, chamando nossa atenção.

Sofia se levanta, caminhando até mim. Ela senta do meu outro lado, se aninhando como um filhotinho de gato com frio. Eu a abraço, me sentindo estranhamente mais calma de tê-la por perto.

– O mesmo que aconteceu com Ava? – diz Andrei, com um tom meio irônico. – É melhor não falarmos sobre isso.

– Não, precisamos falar sim – diz Leon incisivo. – Nossa missão era muito menos perigosa do que essa que acabamos de fazer. Só precisávamos recuperar alguns arquivos que estavam em um barco congelado na Sibéria. Sem soldados, sem nada. Éramos três: eu, Seeley e uma garota chamada Hannah, que estava prestes a se formar.

– Eu me lembro dela. Ruiva, alta e com uns peitos desse tamanho – diz Andrei, fazendo um gesto para indicar o "desse tamanho", e eu suspiro, balançando a cabeça. Ao menos ele ainda consegue se concentrar em alguma coisa que não seja o fato de que ainda estamos correndo perigo.

– Mesmo que eu tivesse visto o gesto que você fez, eu não saberia dizer o que "desse tamanho" significa – Leon responde, bem-humorado. – Hannah tem o poder de esquentar objetos, então ela é como um aquecedor ambulante.

– Com aqueles peitos, ela esquenta qualquer coisa mesmo. – Andrei ri sozinho de sua piada.

– Andrei, nos poupe de seus comentários indecentes – retruco irritada.

– Sou um gênio incompreendido – Andrei soa ofendido. – Um dia serei reverenciado por fazer as piadas mais engraçadas da humanidade.

– Sinto muito que nosso intelecto não consiga acompanhar você.

– Posso continuar? – Leon nos interrompe, parecendo indiferente ao humor grosseiro de Andrei. – Seeley tinha supervisão, como raios X, e era uma das pessoas mais inteligentes que já conheci. Ele quase nunca deixava escapar nenhum detalhe. Foi por isso que eu o conheci antes da missão. Bem antes, aliás.

– Andrei disse que vocês eram amigos – digo, modificando um pouco a história que ele tinha me contado. O termo usado foi *namorado*, mas acho melhor não falar isso, já que Leon mesmo nunca tinha falado nada para nós.

– Eles estudavam juntos o tempo inteiro. Era bizarro – comenta Andrei. – Ficavam sempre na biblioteca. Seeley lia as coisas em voz baixa para Leon enquanto ele concordava com a cabeça.

– A gente não estava estudando. Estávamos investigando. Um dia meu pai chegou em casa, meio abalado porque a filha de uma amiga dele não havia voltado de uma missão. Foi mais ou menos na época em que um dos garotos da nossa escola também não voltou, e comecei a achar isso esquisito. Por que havia tantas missões para nós? Por que tantos de nós não voltávamos delas? Foi depois disso que comecei a pesquisar o que estava acontecendo.

– Perguntando para as pessoas? – indago, e Sofia se mexe, dobrando as pernas em cima da cama e parecendo curiosa.

– Não. Procurei os obituários dos jornais dos últimos três anos. Se você tem um filho que morreu em uma missão para o governo, você vai querer pelo menos um pouco de glória, não é? – Leon pergunta, e percebo que nunca pensaria em algo desse tipo. Ele continua, a voz parecendo distante. – Só que com a minha condição, ficava difícil. Geralmente tenho de pedir para alguém ler para mim, mas não queria que ninguém soubesse o que estava pesquisando. Pensei em pagar para alguém passar o texto para braile, mas teria o mesmo efeito. Então pensei nas minhas opções: poderia pedir para Naoki ou para Brian, mas os dois não são muito conhecidos por se comprometerem. Então pensei em Seeley. A gente sentava juntos nas aulas e ele me ajudava às vezes, mas não éramos exatamente amigos. Eu não queria ter que conversar sobre isso fora dos horários da pesquisa, então achei que seria ideal.

– Então você o convidou – digo, meio pasma. Leon parece tão independente e eficiente sozinho que, às vezes, é fácil esquecer que ele tem certas limitações, principalmente no que diz respeito à leitura.

– Não. Ele praticamente se convidou sozinho. Eu ainda estava pensando em como ia explicar toda a situação, mas um dia ele me seguiu até a biblioteca e me observou enquanto eu lutava contra os papéis e tentava discernir as formas das letras impressas. E aí ele se ofereceu para me ajudar.

– O garoto da visão de raios X e o cego – diz Andrei, rindo. – Uma dupla dinâmica. Eu assistiria a esse programa.

Dou um beliscão no braço de Andrei para ele ficar quieto.

– Sybil, pare de ser tão rabugenta. Você está viva, pelo menos dê aquele sorriso que eu gosto tanto. – Ele dá um sorriso exagerado para exemplificar e eu não tenho tempo de registrar o que ele quer dizer com aquilo antes dele se virar para Leon mais uma vez. – O que ele achou da sua proposta, Leon?

– A irmã dele tinha sumido em uma das missões três anos antes, então ficou bastante interessado. Estava começando a desconfiar de algumas coisas também. Nós começamos com os obituários e depois fizemos um mapa com todos os desaparecidos de Pandora. – Ele cruza os braços. – Chegamos à conclusão de que são alternados: dois anômalos, pelo menos, de dois bairros diferentes por mês. É por isso que não temos aula de TecEsp o ano todo, só quando precisam de gente para missões.

– Se eles precisam de pessoas para missões, por que não fazer uma escola especial para isso? Por que escolher adolescentes de bairros diferentes, com intervalos de tempo entre essas missões? Por que sempre alguém fica para trás, como Ava? Não dá pra controlar exatamente o que acontece numa missão. É coincidência demais que somente uma pessoa seja morta em cada missão – Andrei fala, o raciocínio rápido demais.

Fico me sentindo confusa e impotente, ainda sentindo a perda de Ava. Não parece possível que ela não tenha conseguido sair. Para mim, que acabei de acordar, era como se eu a tivesse visto horas atrás, me ajudando a passar pelo buraco da janela.

– Não é estranho? – Leon concorda. – Começamos a entrevistar os parentes das pessoas, como se fosse um trabalho para a escola. Descobrimos que, em algumas missões, mais de uma pessoa ficou para trás, mas nunca o grupo todo voltou. Tentamos encontrar algumas pessoas que participaram de missões anteriores. Sem sucesso. Nenhuma delas quis colaborar. Uma delas até falou claramente que era melhor a gente deixar isso quieto, porque aquilo só ia trazer mais problemas.

– Mas vocês continuaram – digo, admirada com a coragem dos dois.

– Sim. Você me conhece, Syb. – Ele passa uma mão pelo cabelo. – Quando começo uma coisa, vou até o fim. Só que...

Ele para e todos nós ficamos em silêncio, esperando. Leon desvia o rosto da nossa direção e o vira para cima, como quem pondera o que vai falar em seguida. Andrei parece meio irritado, mas é tão comum

Leon fazer essas pausas dramáticas nas suas falas que nenhum de nós realmente se incomoda.

– Eu não quero que me julguem – Leon pede em um tom mais baixo. – Nenhum de vocês.

– Ninguém vai julgar você – diz Andrei com um suspiro impaciente. – O que você fez? Matou Seeley?

Leon não responde nada, o que faz todos os alarmes dispararem dentro de mim. Andrei se levanta e se aproxima dele.

– Leon? Me diz que você não matou ninguém.

– Ele gostava de mim – diz Leon nervoso. – Gostava, *gostava*. Ele queria que fôssemos mais do que amigos.

– E aí...? – Andrei o incentiva, cruzando os braços.

– Minha mãe tem um plano bem traçado para minha vida. Ela quer que eu me case, que tenha dois ou três filhos. Que arrume uma profissão em que possa usar meu dom da maneira correta. – O tom de Leon é mais apressado ainda e ele atropela as palavras umas nas outras. Acho que nunca o vi tão nervoso assim, tão fora de si. – Eu não podia...

– Leon, você gostava dele também? – pergunto, e ele vira o rosto na minha direção.

Leon fica em silêncio novamente e Andrei olha para mim com uma expressão de triunfo que não é adequada para a situação. Sofia observa tudo com atenção, em silêncio.

– Sempre achei que vocês estavam juntos – Andrei fala. – Parecia, pelo menos. Você sabe que nenhum de nós tem problemas com isso. Você sabe a história do meu pai. Como eu poderia ter algum problema?

– Não é fácil assim, Andrei. Eu sempre achei que ia seguir um plano e... é assustador. – Ele passa as mãos pelo rosto. – Fomos chamados para a missão logo depois disso. Estávamos com medo, porque algo me dizia que nós dois não tínhamos sido convocados juntos à toa. E realmente não fomos. Nós fizemos tudo e não tivemos problema algum e, quando vieram nos buscar, levaram a gente pra um lugar igual esse.

– Os três? Vocês três? – pergunto, me encolhendo na cama como Sofia. Se a resposta for positiva, já imagino o que vem depois.

– Nós três. Inteiros. Sem nenhum ferimento. E aí nos colocaram em salas separadas. Eu podia ouvi-los, mas os sons vinham de todos os lados. E aí alguém, que não acho que estava na sala comigo, mandou que eu escolhesse. Disse que só dois de nós poderiam voltar, e eu tinha sido eleito para escolher quem fosse.

– E você escolheu Seeley – concluo.

– Para morrer, Sybil. Eles queriam que eu escolhesse alguém para morrer, e não para voltar comigo. Só entendi quando era tarde demais.

CAPÍTULO 30

Sofia estremece em meus braços. Minha cabeça parece rodar com as implicações do que Leon nos contou. Por que eles nos matariam tão gratuitamente? Por que precisam que voltemos para casa sem uma parte do grupo? Será que farão a mesma coisa conosco, mesmo Ava tendo ficado para trás?

Ficamos todos calados. Apenas ouço nossas respirações. A de Andrei é a mais alta de todas. Aos poucos, vou me acalmando e minha mente clareia. Talvez uma parte dessa estratégia faça sentido. Afinal, qual é a melhor maneira de assustar um bando de adolescentes idiotas e mantê-los em silêncio sobre as missões? Eles precisam mostrar que tem poder para nos esmagar, se assim desejarem.

– Você sabia disso quando aceitou participar dessa missão – Andrei acusa Leon com raiva. Uma veia salta em sua testa.

– Andrei. – Solto Sofia e me aproximo do garoto.

– Eu não tinha como recusar. Recebi uma carta bem ameaçadora dizendo que ou vinha, ou vinha – responde Leon, com a voz mais frágil que já ouvi.

– Mas você sabia disso e não contou nada – diz Andrei, fechando o punho. – Você sabia que a gente não ia ter como voltar da mesma forma que viemos, e ainda assim não avisou. Quem é que você vai matar dessa vez? Eu? Sybil? Ou você veio esperando que Ava morresse mesmo, já que não era nossa amiga?

– Andrei, pare com isso – peço, desesperada, segurando o braço dele.

– Eu não podia falar nada, Andrei. Tentei avisar a Sybil, mas...

– Não falou. É esse o tipo de coisa que você faz pelos seus amigos? Você joga todo mundo na cova dos leões fica esperando pra ver quem vai morrer?

– Cale a boca, Andrei! – Leon se levanta e para na frente do outro garoto. Frente a frente, Leon é pelo menos um palmo mais alto e, em uma briga, tenho certeza de que leva vantagem.

– Aposto que você fez uma festa depois que seu namoradinho morreu. Aposto que você está mentindo falando que tentou salvar ele, só para Sybil não ficar com raiva. Eu te conheço, Leon. Há bem mais tempo do que ela. Sei que você pode ser um baita dum mentiroso filho da...

O punho de Leon se mexe rápido demais para Andrei perceber e o acerta em cheio no nariz. O garoto solta um gemido de dor, mas se recupera rápido e devolve o soco, acertando o amigo na bochecha. Leon avança com outro soco, acertando-o na lateral da cabeça, e grito para os dois pararem. Em vão. Leon segura Andrei pela gola e o arremessa para longe. Andrei se levanta rapidamente e vai em direção a Leon, segurando-o pelo tronco, empurrando-o com força. Os dois colidem juntos contra a parede.

Olho para Sofia e ela está calada, observando a luta com olhos alarmados. Fico pensando se vou ter que me jogar entre eles para que parem com essa briga ridícula, quando, do nada, uma porta se abre na única parede livre. Dois soldados com cara de poucos amigos entram na cela, separando Andrei e Leon. Os dois estão ofegantes e Andrei limpa o sangue que escorre do seu nariz com as costas das mãos.

– Quem começou? – pergunta o soldado mais alto, olhando para nós. Ele não tem nenhum símbolo amarelo na roupa.

– Ele – diz Sofia, apontando para Andrei.

Acho estranho a menina entregar Andrei sem nenhuma cerimônia. Tem algo errado nessa cena, mas não consigo decifrar o que é, meus pensamentos ainda atordoados pela rapidez que a situação escalou.

– Mas o imbecil mereceu! – Andrei responde na defensiva, cuspindo na direção de Leon. Uma atitude exagerada até mesmo para ele.

– Se você não sabe se comportar, vai ficar sozinho – diz o soldado, segurando Andrei com mais força.

– Não. Eu sei me comportar. Só não deixa esse babaca perto de mim.

– Não vamos tirá-lo daqui.

– Como vocês vão deixar um imbecil desses com as meninas? Deve ser contagioso.

– Ok, garotão, pode baixar a bola. Se não tivéssemos entrado aqui, ele teria quebrado você em dois.

– O quê? – Andrei se debate e consegue acertar o nariz do soldado com o cotovelo. O homem não o solta e, em vez disso, o chuta nas costas.

– Você está muito animadinho. Para seu próprio bem, vamos tirar você daqui.

Antes que consigam arrastá-lo para fora e ele sumir de vez, Andrei olha para mim com um meio sorriso e dá uma piscadela. O outro soldado só solta Leon quando Andrei está fora de vista, mas ainda consigo ouvi-lo berrando algo como: "Tenho direito a uma ligação".

É então que tudo se encaixa: a reação exagerada de Andrei, a briga, a passividade de Sofia. Eles combinaram isso para tentar nos tirar daqui!

Leon se senta na cama e usa um pedaço de um dos lençóis para estancar o sangue que escorre de um corte no lábio inferior, deixando-o cor de carmim em poucos minutos. Fico parada onde estou, ainda chocada demais para conseguir falar qualquer coisa.

– Tenho que admitir, Andrei é muito mais inteligente do que parece – diz ele com um meio sorriso. – E tem um soco de esquerda muito forte para um cara baixinho.

Fico completamente paralisada. Não sabia que Leon era um ator tão bom, porque até instantes atrás eu tinha acreditado verdadeiramente em cada uma das suas palavras. Tento controlar a raiva que sinto por ter sido enganada dessa forma, mas quando falo, ela é visível.

– Quanto disso foi mentira?

– Só a briga – responde ele com calma. – Partes dela. Se eu soubesse que ele ia me socar com tanta força, não teria colaborado com o plano.

Olho para meus pés sem saber exatamente o que fazer. Qual é o objetivo de nos separar? Fico confusa e insegura, porque gosto de saber qual o objetivo final de todos os planos. Não gosto de ficar no escuro. Não gosto de não ter participação.

– Por quê?

– A mãe de Andrei é uma pessoa importante, então nunca fariam nada com ele. Chamaria atenção demais. E, do jeito que ele é, provavelmente vai conseguir entrar em contato com ela ainda hoje, para nos tirar daqui – explica ele, franzindo a testa. – Parou de sangrar?

– Sim. – Contenho meu impulso de ir ajudá-lo porque, no momento, sinto que Leon merece ser castigado de alguma forma por ter me deixado acreditar na atuação. – Achei que a mãe dele praticamente morava com outro cara e não tinha muito contato com o filho.

– Ela trabalha com aquele senador representante dos anômalos. Fenrir é o nome dele. – Leon tira o lençol do rosto. – Ela é assessora dele ou algo desse tipo.

– Fenrir? – Logo me vem à cabeça a imagem do homem com um sorriso ameaçador e do garoto insuportável que encontrei quando acompanhei Dimitri a Prometeu. Não consigo evitar um calafrio. – Ele é um idiota.

– Você conhece? – O tom de Leon é de surpresa. – Ou foi Andrei que falou sobre ele?

– Conheci o mimado do filho dele – digo com raiva, não sei se da lembrança ou da situação toda. – Não quero que ele venha nos salvar.

– Você prefere ter de escolher qual de nós vai morrer? – pergunta Sofia com sua voz fina e sotaque esquisito, olhando para mim com os olhos grandes. Ela fica tão quieta algumas vezes que quase me esqueço de sua presença no quarto.

– Deve ter outro jeito – digo, balançando a cabeça e inconformada.

– Eu não acho que tenha – Leon responde. – Pensamos em todas as possibilidades.

O sorriso predatório de Fenrir volta à minha mente e sinto um arrepio ao pensar no que significa pedir ajuda a ele. Preferia recorrer a quem conheço e, quando penso em uma saída, lembro imediatamente de Rubi e do seu aviso: se precisasse de ajuda, era ela quem eu devia contatar. Talvez ela não tenha a mesma influência, mas quem sabe não possa fazer algo?

– Preciso ligar para Rubi. Ou preciso que Andrei ligue para ela. Ela vai ajudar a gente.

– Você acha? – pergunta Leon em um tom de descrença.

– Ela trabalha no setor de missões. Não é possível que...

Ela trabalha no setor de missões. Ela sabe. Ela sabe? Se sabe o que está havendo, por que não fez nada para impedir? Por que não nos avisou? Subitamente, compreendo a raiva que Andrei fingiu ter. Se Rubi sabia, por que não nos impediu? Ela podia estar sob ameaça. Ou esperava que nada acontecesse conosco. Ou, na pior das hipóteses, não sabe mesmo do que acontece no próprio departamento. Tento controlar a sensação de traição, sem muito sucesso.

O que ela tinha dito? "Lembre-se: qualquer coisa peça para mim. E só para mim." E se aquilo fosse uma dica, um aviso de que quando aquele momento chegasse, eu precisaria contatá-la?

Essa opção me parece mais razoável e cruzo as pernas em cima da cama com a mente a mil. Andrei deveria ter esperado eu acordar para fazermos um plano juntos, sem envolver um político dissimulado e nada agradável.

Antes que consiga formular alguma ideia, a porta se abre silenciosamente e um rapaz não muito mais velho que nós a atravessa. Seu uniforme tem detalhes amarelos e um A bordado no peito. Traz um carrinho com três bandejas e três copos de água. O simples ato de olhar para comida faz meu estômago roncar.

O rapaz não diz nada enquanto empurra o carrinho até ficar no pequeno espaço entre um beliche e outro. Ele entrega talheres de plástico para Leon e o ajuda a pegar seu prato, que permanece no carrinho enquanto ele come. Sofia faz uma pequena reverência para ele, pega sua bandeja e volta a se sentar onde estava antes. Os três agem como se tivessem feito isso inúmeras vezes nos últimos dias, mas em vez de imitar Sofia, encaro o soldado.

Ele tem a pele da mesma cor que a minha, e os mesmos traços que me distinguem da maior parte das pessoas de Arkai. Com cabelos escuros e lisos, olhos levemente arredondados e lábios finos, ele poderia se passar por meu irmão com facilidade. Não é comum encontrar pessoas como nós e, tirando Dimitri, esse soldado é a primeira pessoa que vejo que é visivelmente de Kali. Aquilo me traz memórias, mas também sinto que posso confiar nele, não só porque somos do mesmo lugar, mas também porque ele deve ter passado por um processo parecido com o que eu passei. Ele deve me entender.

– De que cidade você é? – pergunto, mas, em vez de responder, ele entrega um par de talheres de plástico e aponta para a comida.

– Ele não fala – Sofia explica. – Ele nunca fala quando vem trazer comida.

– Não? – Eu olho para ela e depois para o soldado. – Você não consegue falar?

Ele balança a cabeça negativamente e aponta para minha bandeja. Eu me levanto e a pego, sentando e equilibrando-a em cima dos meus joelhos da mesma maneira que Sofia fez, mas espero para comer.

– Eu sou de Achalraj, aquela cidade que fica no pé das montanhas, sabe? Perto da base de Himam. – Olho para ele mais uma vez e o vejo dar de ombros, como se não pudesse se importar menos. – Bem, você deve ser de alguma outra região então.

Também não recebo resposta a esse comentário. Frustrada, concentro minha atenção em comer. O purê de batatas tem gosto de isopor e o arroz parece areia, mas não me importo. Nem lembro a última vez que comi comida de verdade. Parece que faz séculos. Quando termino, o soldado me entrega o copo de água solícito e eu pego sem nem levantar os olhos da bandeja. Minha ideia de puxar conversa não deu muito certo, então tento outra abordagem.

– Eu queria falar com minha tutora – digo, me levantando e colocando a bandeja no carrinho. – Dizer a ela que estamos bem e que já estamos em casa. Ela deve estar preocupada.

O soldado tira a bandeja do colo de Sofia, colocando no carrinho, e olha para mim por três segundos antes de começar a empurrá-lo para fora, sem dizer nenhuma palavra.

– Seriam só dez segundos. Só para dizer que estou bem. – Eu o sigo, mesmo sabendo que estou sendo irritante e que ele provavelmente tem ordens para nos ignorar. – E as nossas coisas?

Mas, como é de esperar, não recebo nenhuma resposta. Quando a porta se fecha, percebo que nossa única esperança de sair daqui é Andrei.

CAPÍTULO 31

Quando apagam as luzes, Sofia se enfia embaixo das cobertas comigo e deita a cabeça no meu ombro. Não consigo não pensar em Tomás e a abraço, desejando que essa situação terrível nunca aconteça com ele. É horrível demais pensar em tudo o que Sofia deve ter passado, e dói pensar em casa. Deve fazer uma semana que saímos de lá, mas considerando tudo que aconteceu, parece que faz meses.

Em tão pouco tempo, eu me tornei parte de uma família e Pandora virou o meu lar. Eu me sentia em casa lá, completa. Como se o tempo que passei em Kali, meus 16 anos de vida, fossem só um prólogo do tempo em que viverei no lugar onde me sinto bem. Onde me sinto uma pessoa de verdade. Com todas as forças, desejo que Sofia também possa se sentir assim.

Tento desviar meus pensamentos para o que me aguarda em casa, mas eles insistem em voltar para a missão. Conseguimos o arquivo, mas eles ainda precisam de mim para abrir a pasta. Isto é, se já não me convenceram a fazê-lo enquanto eu estava desacordada. Se eles ainda não possuem o arquivo, pelo menos estou a salvo quanto à minha insubordinação. Mas, se já o obtiveram, o que vai acontecer comigo? Prefiro pensar que se fosse para acontecer alguma coisa, já teria acontecido.

Sem falar no que fiz com a dissidente que tinha me capturado. Com todos os últimos acontecimentos, não tive tempo nenhum de pensar no que ocorreu com aquela mulher na ilha. Consegui mesmo fazer aquilo com o meu poder? Os testes da professora Rios provaram que eu não sou capaz de manipular a água, então como eu havia feito aquilo? Tento me lembrar da pele ressecada e de como ela parecia estar escorrendo pelos olhos, pelo nariz, pela boca, pelos ouvidos.

A imagem me dá pesadelos.

O que foi mesmo que Leon tinha dito? Que, em momentos de estresse, é comum anômalos descobrirem novas habilidades. Só que eu vivi a vida inteira em situações estressantes em Kali. Por que algo assim desse tipo só se manifestaria agora? Será que eu tinha evoluído? Tenho vontade de rir com a ideia ridícula e decido que talvez seja melhor esquecer isso. Pode ter sido apenas uma coincidência, uma reação alérgica acontecendo na hora errada com a pessoa errada no lugar errado.

Não sei por quanto tempo fico imersa em meus pensamentos, mas quando acendem as luzes novamente, tenho a impressão de que não se passaram nem duas horas. A porta se abre e, dessa vez, três soldados entram no quarto. Um deles manda que fiquemos em pé e, quando obedecemos, cada um deles pega um de nós pelo ombro e nos faz marchar, seguindo-os.

Os corredores são brancos e quase infinitos e me lembram a fortaleza dos dissidentes, o que me dá calafrios. Subimos algumas escadas e eles nos separam. Continuo subindo as escadas enquanto eles levam Leon e Sofia por um corredor à direita, no andar de baixo.

Quando finalmente chegamos ao destino, sou levada a uma sala pequena e aconchegante quando comparada às outras, cheia de televisores em um dos cantos. Meu guia me acomoda em uma das cadeiras, que são estranhamente confortáveis, e se senta na outra, virando para me encarar. Os televisores estão apagados. Fico me perguntando onde está Andrei, e se o plano de pedir por ajuda falhou.

– Saagaram.

Olho para o soldado e só então percebo que é a mesma pessoa que nos trouxe comida mais cedo. Levanto uma sobrancelha e ele permanece imóvel e com uma expressão passiva.

– Saagaram. É de onde venho.

– Então você fala – digo, cruzando os braços.

– Quando posso. – Ele dá de ombros. – Já fui a Achalraj uma vez. É uma boa cidade.

– Não como as daqui.

– Não como as daqui – concorda ele. – Faz tempo que você está aqui?

– Seis meses. Eu também já estive em Saagaram. Para pegar o navio que me trouxe pra cá.

– Sorte sua não ter passado muito tempo lá. Estou aqui há quatro anos agora. É bem melhor.

– Você sente saudade de Kali?

Ele fica em silêncio e olha para as telas, que piscam uma vez e por fim, acendem. Eu me pergunto se ele sabe o que acontece aqui, se ele faz parte do que vai acontecer em seguida. Todos os seus gestos são de um soldado, e soldados não contrariam ordens.

– Não. De nada, nem de ninguém. Minha vida é aqui.

Uma imagem surge na televisão da esquerda, mostrando um garoto loiro sentado em uma cadeira e uma mulher de cabelo escuro sentada em outra. Demoro algum tempo para reconhecer que o loiro é Andrei e me sento na beirada da cadeira, apreensiva. Os dois estão conversando, mas não consigo ouvir o que dizem. Andrei parece estranhamente relaxado, como se estivesse em casa em vez de em uma sala de interrogatório.

– Você não se sente culpado? – pergunto ao soldado, na esperança de conseguir respostas sobre meu destino e o dos meus amigos.

– Já me senti, no início, mas acho que é normal. Você não deveria se sentir culpada. A vida é melhor aqui. – O tom dele é meio fraternal e dou um meio sorriso, mas não desvio os olhos da tela.

A tela do meio acende e reconheço Sofia quase imediatamente por causa do seu cabelo e do seu tamanho. Uma mulher vestida com um uniforme idêntico ao do soldado na minha frente está sentada com ela, e as duas parecem estar em silêncio. Não preciso esperar a tela da direita acender para saber que Leon vai aparecer nela, sentado com alguma outra pessoa. Quando sua imagem finalmente aparece, ele está encarando com seus olhos brancos um homem fardado e corpulento. O soldado tem uma expressão de desaprovação exagerada, e é quase uma pena que ele a desperdice com alguém que não consegue enxergá-la.

– Eles estão nos vendo? – pergunto.

– Não – diz ele. – Você é a sortuda que vai ver todo mundo, mas ninguém vai ver você.

– Você está mentindo.

O homem dá um meio sorriso e balança a cabeça.

– Você parece minha irmã.

– Não que isso faça alguma diferença para você. Você vai continuar com essa besteira até o fim – digo, cruzando os braços de novo, sentindo meus movimentos endurecidos. O meio sorriso do homem vira um sorriso verdadeiro e ele se vira para mim.

– Você sabe qual é o meu poder? – ele pergunta de forma retórica. Sei que vai continuar falando de qualquer forma. – Eu consigo saber se uma pessoa está falando uma verdade ou uma mentira. Consigo distinguir se o que as pessoas dizem é algo que elas acreditam que é verdade ou não. Sou um detector de mentiras ambulante.

Eu o encaro por um instante com uma expressão de "e eu com isso?" e volto a olhar para as telas. Percebo ele se mexendo com o canto do olho e, quando minha curiosidade é maior que a força de vontade, vejo que ele colocou seu aparelho de escuta no ouvido e o de comunicação em cima da mesa, desligado.

– A maior parte das pessoas mente o tempo inteiro, sabia? Desde bobagens, como o que comeu no café da manhã, até coisas grandes. Todos estão mentindo. Odeio mentiras. Elas me dão dor de cabeça – continua ele, olhando para mim com seriedade. – Odeio pessoas falsas, mesmo que eu mesmo seja uma delas. Mas conheci um homem que nunca mentiu, uma vez. Ele prometeu que daria uma vida melhor para mim e para minha irmã, e ele cumpriu a promessa. Desde então, faço qualquer coisa que ele me peça, porque sei que ele nunca vai pedir mais do que eu posso cumprir.

Eu me perco em algum momento do que diz, mas consigo entender que o que está fazendo é um favor para esse "Homem-Que-Nunca-Mente". Mas o que exatamente que ele está fazendo?

– Então, confie em mim. Faça o que digo e tudo vai dar certo no final, ok? – Ele ajusta o aparelho de transmissão. – Aliás, Rubi disse que quando você voltar para casa, vocês vão comer pizza de pepperoni juntas.

Ele prende o transmissor no cinto do uniforme e o liga com um toque, enquanto eu continuo encarando, com os olhos alarmados e muito confusa. Rubi mandou um recado? Rubi sabe que estou aqui. Será que ela é amiga desse soldado? Antes que eu consiga juntar as peças do quebra-cabeça, a televisão do meio começa a emitir sons.

– Quantos anos você tem? – pergunta a mulher na televisão.

– Doze ou treze – Sofia responde com uma voz quase inaudível.

– Você não sabe quantos anos tem?

Sofia responde balançando a cabeça negativamente. Ao meu lado, o homem sussurra algo e tenho quase certeza de que está confirmando que a garota fala a verdade.

– Quanto tempo você ficou presa com os dissidentes?

Sofia olha para a mulher e, embora eu não consiga ver direito, aposto que está confusa. A mulher tenta novamente:

– Quanto tempo faz desde que você foi presa pelo Império ?

– Não sei – ela diz e dá de ombros. – Um século. Dois?

– Ela está brincando – digo para o homem ao meu lado, por reflexo, e ele concorda com a cabeça.

A interrogação continua.

– Como você foi parar na fortaleza?

– De barco.

– Seja mais específica.

Sofia respira fundo antes de responder.

– Meus pais eram adeptos do confidencialismo e mantinham a doença deles escondida até o dia em que vieram nos buscar. Acho que foi por causa de uma denúncia – conta ela, em um tom robótico, como se tivesse praticamente decorado. Ou então como se quisesse se afastar do que estava dizendo.

A mulher prossegue.

– O que eles faziam com você?

Sofia não responde, mas levanta o rosto para a mulher, em desafio.

– Vocês sabem muito bem.

– Você é velha demais para os experimentos deles.

– Eles estão tentando com pessoas mais velhas agora, para ver se funciona – Sofia esclarece e volta a abaixar o rosto. – Eles injetaram um soro em mim e fiquei uma semana sem…

– Uma semana? – interrompe a mulher bastante surpresa, levantando. – Você ficou uma semana sem seus poderes?

Olho para o soldado ao meu lado para ver se ele dá algum indício de que Sofia está mentindo, mas não parece ser o caso. Ele parece tão espantado quanto eu.

– Você sabia que eles fazem experimentos? – pergunto para ele.

– Sim – diz ele. – Todos nós sabemos. Mas não é como se desse para invadir todos os centros de pesquisa deles e libertar todas as cobaias.

Volto a olhar para tela, uma ideia impossível se formando em minha cabeça. Observo a mulher se sentar novamente, com os cotovelos apoiados na mesa. Talvez conseguiríamos. Talvez não fosse possível libertar todas as cobaias, mas ao menos algumas delas, como fizemos com Sofia.

– Você consegue ficar invisível. Por que não desapareceu quando a trouxemos para cá?

– Meus amigos confiam em vocês – diz Sofia. Sinto um aperto no coração e tenho vontade de ir abraçá-la.

Olho para o homem ao meu lado, mas, dessa vez, ele não olha para mim.

– Ela não mentiu nenhuma vez até agora. Sua amiga é inteligente – fala ele, sem encontrar meu olhar.

– Você sempre é sério assim ou só quando está ajudando a decidir qual é o próximo anômalo que não vai voltar para casa? – me atrevo a perguntar, meus olhos fixos.

– Fique quieta – ele encerra num tom firme.

Dobro a língua para não falar mais nada impertinente, e volto a atenção para a tela. A mulher fala algo que não ouço e Sofia concorda com a cabeça.

– Aqui não achamos que pessoas como nós duas são doentes. Nós somos cidadãos especiais. Temos nossas próprias cidades, nosso próprio governo e uma representação no senado geral da União. Nós recebemos educação, treinamento e podemos seguir a profissão que escolhermos. Mas para fazer parte disso tudo, você precisa se tornar cidadã da União, e precisa renunciar à sua cidadania do Império.

– Eu não acho que eu seja uma cidadã do Império. – A forma como ela diz aquilo é de cortar o coração. – Acho que nunca fui.

– Tome. Beba uma água. – A mulher empurra um copo na mesa na direção dela e depois olha na direção da câmera. – Terminamos por aqui.

E a sala volta a ficar silenciosa.

CAPÍTULO 32

– O que aconteceu? Ela está bem? – A voz de Leon logo ressoa de repente e sei que, em algum lugar, alguém está controlando o que exatamente é transmitido para nós. Embora só eu possa vê-los, sei que meus amigos também estão ouvindo os interrogatórios.

– Sim, ela está bem, Leon. E você também, pelo que estou vendo. Quanto tempo desde a última vez em que nos vimos! – A voz do homem soa amigável, como se fosse um velho conhecido. – Continua com suas atividades de pesquisa?

– Não sei do que está falando. – Leon mente tão naturalmente que, se eu não soubesse do que se tratava, acreditaria. Ao meu lado, o homem sussurra algo e o interrogador para um instante para ouvir.

– Você não sabe do que estamos falando, é? Bem, interessante, porque eu tinha a impressão de que você e aquele garoto, qual era mesmo o nome dele? Seethey. Serjei. Sei lá. Tinha a impressão que vocês estavam fazendo perguntas demais sobre nossas missões inofensivas.

– Isso é passado – responde Leon, colocando as mãos em cima da mesa. – Eu já sei o que acontece nas missões.

– Interessante, porque não foi isso que ouvimos.

– Alguém deve estar mentindo para vocês, então.

– É impossível mentir para nós – o interrogador fala, se inclinando por cima da mesa. – Você falou com alguém sobre isso?

– Falei com meus companheiros.

– E ainda assim eles vieram?

– Eu só contei sobre isso agora no final.

– Ah! Muito esperto. Por isso o loirinho ficou indignado. E você espera que nós tenhamos confiança em você, que trai seus amigos e mente descaradamente em um interrogatório?

– Eles confiam em mim. A menina confia em mim. Talvez essa seja a coisa mais inteligente a se fazer.

– Ou talvez eles tenham feito algumas escolhas erradas na vida. Afinal, eles também estão aqui, não estão?

Diferente do interrogatório de Sofia, o de Leon é conduzido incisivamente e exige que ele responda tudo com muita rapidez. Além disso, o homem que o interroga parece um cachorro raivoso, pronto para morder o pescoço de sua presa a qualquer momento.

– Eles não tinham como recusar.

– Eles teriam recusado, se pudessem?

– Se soubessem o que aconteceria, sim.

– Eles sabem o que você fez? Da escolha que você fez?

– Sim.

– E ainda confiam em você?

– Não sei.

É a única vez que a voz dele vacila. Olho para o soldado ao meu lado, mas ele está compenetrado.

– Você faria a mesma escolha?

– Essa não é uma opção.

– Essa não é uma resposta. Você faria a mesma escolha?

– Eu não...

– Leon, você é um garoto esperto. Você faria a mesma escolha?

– Não – diz ele por fim, levantando o rosto. Sinto um orgulho meio irracional por ele. – Não, eu não faria a mesma escolha.

– E se eu te disser que não escolher torna você automaticamente o candidato mais provável para não voltar para casa? Pense bem, Leon. É a segunda vez que está aqui.

– Se é por isso que você me trouxe até aqui, então é melhor terminar logo o trabalho. Eu não vou deixar vocês pegarem nenhum dos meus amigos.

– Nem a garotinha? Ela pode ser uma espiã. O que acha?

– Ela não é uma espiã – ele responde com convicção. – E vocês deveriam soltá-la, porque ela já passou por coisas horríveis demais enquanto estava lá.

– Então aquela outra garota, qual é o nome dela? Simone? Ela não tem nada a ver com a gente. Deveria voltar para Kali, que é o lugar dela.

Eu me encolho na cadeira e olho para o homem que acompanha os interrogatórios comigo. Ele me dá dois tapinhas nas costas de forma descuidada, em uma tentativa frustrada de me reconfortar.

– Kali não é lugar para ninguém. – Leon cruza os braços. – E Sybil é quase como se fosse minha irmã. Eu nunca a escolheria.

– E o loiro metido? Ele te deu um soco. Parece discutir com você em todas as oportunidades. Por que não ele? Sua vida não seria mais fácil sem ter que ouvi-lo tagarelando o tempo inteiro?

– Sua estratégia não vai funcionar. Eu não vou escolher ninguém. Andrei pode ser tudo isso que você falou, mas ele é uma das pessoas mais geniais que já conheci. E por mais improvável que você ache que seja, nós somos amigos. Então você pode desistir porque, se analisar bem, sou a opção mais óbvia.

– Você estaria disposto a se sacrificar pelos seus amigos? Que ato nobre e emocionante! – diz o interrogador em tom de deboche. – Estou comovido!

– Não brinque comigo. – A voz de Leon fica séria, e seus lábios se apertam.

– Não estou brincando. Você cresceu muito desde a última vez que veio para cá. O que foi? A culpa consumiu você? Ou isso é só uma encenação para que os outros não o escolham? – O soldado dispara uma acusação atrás da outra. Leon fica em silêncio. – Responda.

– Você não pode me obrigar.

– Ah, mas eu posso sim. – O interrogador se inclina na direção de Leon, que não se mexe. – E você sabe que posso. Sabe por que eles me colocaram aqui? Porque, da última vez, fui o único que conseguiu fazer você ceder. Eu sei que você está assustado e sei que, se eu pressionar só mais um pouquinho, você vai acabar explodindo.

– Ou eu posso virar um diamante.

– Não dá pra transformar lama em diamante, Leon. Não importa o quanto você faça pressão. Então me responda com sinceridade... por que essa vontade de ser herói?

– Não é vontade de ser herói, é fazer o que é certo.

– Mas isso não é a definição de ser um herói?

– Estamos em uma aula de filosofia agora?

– Eu é que faço as perguntas. – O homem dá um rosnado assustador. – É bom que você continue a obedecer, ou da próxima vez é melhor não se dar ao trabalho de fazer esse procedimento.

– Sou seu servo mais fiel – Leon diz, e o homem ao meu lado ri. O interrogador para um minuto; as costas tão tensas que consigo perceber a rigidez dos músculos através da televisão.

– Acabou – ele rosna. – Você escapou por pouco.

Respiro fundo e percebo que estou sentada na ponta da cadeira, tremendo da cabeça aos pés. O soldado ao meu lado caminha até o fundo da sala e volta com um copo de água, que agradeço com um aceno enquanto bebo.

– Qual é o objetivo disso tudo? – pergunto, e ele faz um sinal para eu ficar em silêncio.

– Agora é a vez do encrenqueiro.

E, obviamente, o som da televisão em que Andrei aparece se liga e sua voz indignada praticamente preenche a sala toda.

– ... absurdo que estejam fazendo isso com uma garota daquele tamanho e um garoto cego. Cadê a outra? Cadê a Sybil?

– Ela está bem – responde uma oficial com a pele marrom escura e de cabelo curto. – Não se preocupe, não vamos fazer nada com você nem com ela. Vocês dois são essenciais para nossos planos. Só temos um problema. Não podemos ficar com todos vocês.

– Se você vai me pedir pra escolher qual deles não volta com a gente, está perdendo seu tempo.

– Andrei, você é um garoto inteligente. Você tem muito potencial, então deve perceber que não colaborar só vai nos deixar irritados.

– Tenho muito potencial? – diz ele, rindo com escárnio. – Muito potencial pra quê? Navegar os sete mares e conversar com animais aquáticos?

– Não precisamos só dos seus poderes. Nós precisamos de inteligência, e isso é algo que você tem em abundância.

– Você não deve ter conversado com os meus professores dos últimos anos.

– Não estamos interessados em inteligência acadêmica.

– Espera aí, você está tentando me recrutar para o exército? O que aconteceu com aquelas propagandas legais com caras escalando montanhas, andando de helicóptero e queimando dissidentes enquanto o hino nacional toca ao fundo e eles choram olhando pra bandeira? Vocês agora vão de porta em porta dizendo: "Aliste-se no exército! Fica, vai ter bolo"?

– Não é uma brincadeira. Nós fazemos um trabalho sério – a mulher responde, com um tom defensivo.

– Não é uma brincadeira? Se eles quisessem que não fosse uma brincadeira, teriam colocado o buldogue que interrogou Leon pra me interrogar. Em vez disso, colocaram você, que acredita piamente no que eles fazem. Você acredita que está fazendo a coisa certa. O que eles disseram para você? Que nós somos monstros e que se livrar de nós é um favor que estão fazendo à sociedade?

– Não. – A mulher abaixa a cabeça e fica por alguns instantes assim, pensativa, e depois levanta o olhar para encarar Andrei de novo. – Você sabe por que vocês vão a essas missões? Nós sabemos que eles estão em busca da cura. E nós precisamos impedi-los, mas, para isso, precisamos saber em que nível da pesquisa estão nesse momento. E uma coisa que você deve saber sobre os nossos inimigos, Andrei, é que eles são orgulhosos. E que eles se preocupam mais com grandes ataques do que com pequenas invasões. Então, qual é a melhor maneira de conseguir a informação que queremos?

– A gente. Porque é a última coisa que qualquer um esperaria.

– Exatamente. E sabe por que precisamos impedi-los? Porque no momento em que as pessoas normais souberem que existe uma forma de transformar vocês, aberrações, em pessoas como elas, vão querer fazer isso. Elas vão querer obrigá-los a se curar. E não podemos deixar que isso aconteça, não podemos deixar que um lado da população se volte contra o outro.

– Não consigo entender o que a gente tem a ver com isso. Nem o motivo de precisarem jogar um de nós fora a cada missão.

Eu consigo entender, embora não tenha certeza: para nos assustar. Para nos manter calados. Para manter o que fazemos em segredo. A mulher fica em silêncio e Andrei se inclina na direção dela e, mesmo sem ver, sei que está com uma expressão séria.

– Você não sabe, né? Eles mandam você fazer uma coisa e você faz, sem pensar nas consequências.

– Nós não matamos ninguém, se é disso que você está me acusando.

– É o que você acha. O que eles fazem com quem é deixado para trás em cada missão? Resolvem replicar as experiências que roubamos? Viramos cobaias? Ou é uma forma inovadora de controle populacional?

– Essa informação é confidencial.

– O que significa que você não sabe a resposta.

– Isso significa que *você* não pode saber a resposta. – A mulher se inclina na direção dele e os dois ficam se encarando ferozmente. – Você deveria parar de enrolar e escolher logo. O garoto cego ou a menina invisível?

Andrei se afasta dela e se apoia no encosto da cadeira, analisando-a.

– E se eu não escolher ninguém?

– Gosta de rebeldia, hein?– Ela parece se divertir. – Eu acho que se você não escolher, nós teremos de fazer isso por você. E aí, posso garantir, Andrei, que você não vai gostar do resultado.

– Você disse que eu e Sybil estávamos a salvo – ele responde depois de um silêncio pensativo.

– Pense nisso como uma quebra de contrato. Você colabora, vocês dois estão a salvo. Caso contrário...

– Eu não me importo de ficar! – falo alto antes de perceber que não estou na conversa, e tampo a boca com as mãos para não dizer mais nada.

Esses interrogatórios são demais para mim. Não quero que Andrei escolha Leon ou Sofia para que eu possa sair daqui livre.

– Ela está mentindo – diz meu companheiro, me tranquilizando. – E ela é uma péssima mentirosa. Quanto tempo vai demorar pro seu amigo perceber?

Andrei continua em silêncio e aposto que ele está tentando analisar sua interrogadora e bolar alguma jogada.

– Falei com minha mãe. Ela sabe que estamos aqui – ele fala em um tom presunçoso. Jogar a carta da mãe é golpe baixo, mas parece surtir efeito. – Você não quer criar problemas com ela, quer?

– Você poderia ser filho do próprio cônsul e isso não faria diferença – responde a mulher, mas sua voz não é tão firme quanto antes. – Consigo ver, Andrei, que você não está tão disposto ao sacrifício quanto seu amigo cego. Ele se ofereceu de bom grado. E você, o que fez? Correu para a barra da saia da mamãe. Não vai funcionar. Não aqui. Então faça a escolha mais fácil e resolva de uma vez por todas nosso problema.

– Eu me recuso a fazer parte disso – finaliza Andrei, colocando as mãos na nuca e jogando os pés em cima mesa, esticando para trás até a camiseta ser repuxada e eu conseguir ver um pedaço da pele embaixo.

– Então nós vamos ficar aqui até você mudar de ideia.

– Tranquilo. Acho melhor você ir pegar um café, porque vamos ficar aqui por muito tempo.

Eles se calam e eu desvio os olhos da tela para o soldado, que voltou a se sentar ao meu lado. Não faço ideia do que vai acontecer em seguida, mas também não me sinto à vontade o suficiente para perguntar. Em vez disso, ficamos em um silêncio estranhamente confortável.

– Posso esperar o tempo que for necessário, Andrei – a mulher fala, visivelmente incomodada, mas o garoto não responde.

– Ele pode ser uma peste quando está a fim – digo, na tentativa de quebrar o silêncio na nossa sala. – Ela vai ficar esperando um tempão.

– Bem, nós só podemos prosseguir quando tivermos ordens dos nossos superiores. E se eles querem ver o quanto seu amigo aguenta, vamos ficar aqui por um bom tempo.

– Ela deveria ter contado aquele tanto de informações para ele?

– Provavelmente não. Mas ela faz qualquer coisa para ganhar a simpatia dos outros. – Ele cruza os braços. – Não é como se eles tivessem vindo do mesmo lugar. É difícil criar um vínculo com as pessoas que você interroga.

– Você vai me interrogar? – pergunto, surpresa. Mas depois de alguns segundos, me sinto meio idiota por não ter visto que tudo isso também era uma estratégia.

– Na verdade, não. Só tenho que pedir gentilmente para você abrir a pasta e nos entregar o arquivo que conseguiu. Na verdade, acho que isso nem é tão necessário, já que vocês trouxeram uma das cobaias deles – responde ele, passando uma mão pelo rosto, pensativo. – Acho que a amostra de sangue que tiraram da menina vai dizer muito mais do que qualquer arquivo idiota que vocês arrastaram pra cá.

– Você não acha que por causa disso deveriam abrir uma exceção e assim deixar todo mundo voltar pra casa? – Tento parecer simpática, abrindo um sorriso esperançoso.

– Não trabalhamos com exceções. Sabe por que você e Andrei estão salvos?

Balanço a cabeça, meio confusa com o rumo que a conversa está tomando.

– Vocês são classif…

Ele é interrompido pela porta, que se abre abruptamente.

Um homem alto, com o cabelo loiro amarelado penteado cuidadosamente para trás e um sorriso imenso, parecido com o de um tubarão, entra por ela. Ele se veste elegantemente: terno cinza, blusa preta, gravata amarela. Posso até não me lembrar de sua fisionomia, mas o sorriso é inesquecível.

Fenrir.

E, para meu desgosto, ele veio nos salvar.

CAPÍTULO 33

Fenrir entra na sala e segura a porta aberta com uma postura autoritária. O soldado levanta os olhos para ele e o vejo ficar tenso.

– Basta. Eu retomo daqui. Muito obrigado pelo seu serviço – diz Fenrir, soando entediado.

– Não recebi nenhuma ordem sob... – O soldado para e leva uma mão ao ouvido. Balança a cabeça uma vez e abre a boca para falar algo, mas depois a fecha. – Tudo bem. Sybil, você fica com o senhor Fenrir agora.

Ele se levanta e vejo que hesita um instante. Deixa algo cair no chão e se abaixa para pegar, se aproximando de mim. Eu me abaixo para ajudá-lo.

– Não confie nele – sussurra o soldado quando ficamos próximos o suficiente para que Fenrir não consiga ver que estamos conversando. – Vou ficar do lado de fora; então, o que precisar, é só chamar.

– Você nunca disse seu nome.

– Hassam – ele responde. – Hassam Darzi.

– Vou começar a achar que vocês dois estão combinando alguma coisa em vez de estarem procurando a caneta do tenente Darzi.

Hassam estica a mão, pega a caneta e se levanta, me ajudando logo depois. Seu toque no meu braço me causa arrepios. Ele arruma o uniforme e me agradece, marchando para fora do cômodo, mas não sem antes me lançar um olhar demorado. Prendo a respiração e me acomodo na cadeira novamente, sentindo os olhos de Fenrir sobre mim. Ele fecha a porta e se senta na cadeira que agora está vaga, colocando a caixa dos arquivos secretos em cima da mesa.

– Então nos encontramos novamente, senhorita Varuna. Você deveria ter me corrigido naquele dia, quando supus que era filha do Koukleva – diz ele em um tom amigável, mas, quando fito seus olhos, só consigo ver sua expressão predatória. – Também deveria ter dito que era amiga do filho de Zorya Novak. Nós teríamos saído para tomar um café, se eu soubesse disso antes.

Não respondo nada, mas o encaro boquiaberta. Ele realmente achou que eu ficaria feliz em sair passear depois de ouvir do filho dele que os refugiados da guerra são um fardo para a nação?

– Bem, não importa. Que enrascada você foi se meter, hein? – prossegue ele, sem se incomodar com meu silêncio. Como se eu tivesse optado por estar aqui. – Ainda bem que Andrei foi rápido e conseguiu ligar para Zorya. Quando ela me contou, larguei tudo que estava fazendo e vim para cá quase imediatamente. Não consigo impedir que isso aconteça todas às vezes, mas quando posso...

Não sei qual reação ele espera de mim. Que o elogie pelo seu altruísmo? Que o agradeça por ter largado tudo e vindo nos salvar? E, se ele está nos salvando, por que as ordens dos superiores foram para que ele substituísse Hassam no interrogatório, e não nos tirar de lá imediatamente?

– Bem, estou fazendo o possível para que essas missões sejam abolidas ou feitas de uma forma digna para todos, mas é necessária muita paciência para convencer meus colegas do senado de que isso é descabido. A maior parte deles é indiferente, mas os poucos que acham que essa é uma ótima forma de solucionar dois problemas de uma vez só são muito fortes para que apenas um representante os combata. – Fenrir dá um suspiro teatral, passando uma mão pelo cabelo penteado de forma exagerada com gel. – É uma batalha que tem de ser ganha pouco a pouco.

– Deve ser difícil – digo, mais por educação do que por compaixão.

Não tenho muita noção de como funciona o senado geral ou o sistema político da União, nem o que costumam fazer no geral. A única coisa que sei é que Kali tem um representante e os anômalos também, e o resto é dividido conforme a população da União. O senado elege um cônsul uma vez a cada três anos, responsável por administrar as questões mais burocráticas e representar os interesses gerais de todos os territórios da União.

– Você não tem ideia de como. E ninguém dá valor ao que fazemos, sabe? – diz ele, apoiando um cotovelo no joelho e ficando mais próximo de mim, com uma expressão de cansaço. – É como se todo o esforço que faço escoasse pelo ralo. Consegui mais vagas nas universidades, mais leitos de hospital, permissão para ampliação de várias cidades anômalas, e o que recebo como recompensa? Críticas. Indiferença. Desrespeito. Dá vontade de desistir de tudo, às vezes.

Não consigo entender aonde ele quer chegar com esse desabafo, mas não consigo evitar sentir um pouco de pena. Deve ser difícil carregar nas costas o peso de toda a população anômala da União, de todas as regiões. Só que se ele se ofereceu para o cargo, não deveria saber que era um pacote que incluía todo tipo de dor de cabeça?

– Mas agora não vamos falar sobre mim, vamos falar de você. – Ele sorri novamente e, de perto assim, não consigo não pensar que talvez sua mutação seja ter um sorriso assustadoramente branco e afiado. – Quando soube que vocês foram geniais na missão, que até salvaram uma das cobaias das mãos dos dissidentes, fiquei muito orgulhoso. Eles não dão valor para nós, e só nos veem como armas, e é bom mostrar a eles que somos úteis. Soube, pelos registros, que foi você que insistiu para que trouxessem a menina. Além disso, soube também que sacrificaram um dos membros da missão para trazê-la. Isso foi muito corajoso de sua parte, Sybil.

– O mérito não é meu – digo, umedecendo os lábios, meio nervosa. – Eu não queria trocar Sofia por Ava! Só não achei certo que...

– Não. Tudo bem, querida. Você agiu com rapidez e acho que somente a integração do time de vocês foi capaz de fazê-los chegar aqui vivos. Se tivessem roubado apenas os arquivos, eles nunca teriam se preocupado em ir atrás de vocês. O que são alguns arquivos para eles? Porém, a menina...

Ele aponta para a tela onde Sofia aparece encolhida em sua cadeira com as pernas cruzadas.

– Isso foi uma provocação sem tamanho – continua ele. – Principalmente porque ela parece ser essencial para a pesquisa que estão conduzindo. E você seguiu seu instinto e fez a coisa certa.

Desvio o olhar para a caixa com as pastas em cima da mesa, me sentindo desconfortável com todo esse discurso cheio de elogios e floreios. Eu não fazia ideia de que Sofia poderia ser uma peça-chave, nem que isso ajudaria ainda mais nossa missão. Falando dessa forma, ele me faz parecer uma pessoa fria e sem coração, que toma decisões estrategicamente. Salvei Sofia porque aquilo era tão errado que não poderia permitir que continuasse. Não tinha nenhuma outra opção.

– Precisamos de pessoas como você, Sybil. Pessoas que sabem o que estão fazendo, que são inteligentes o suficiente para entender a extensão dos danos, mesmo estando no olho do furacão. Essa capacidade de tomar decisões sob pressão é o tipo de habilidade que torna as pessoas poderosas.

– Eu vim de Kali para fugir do exército – digo com firmeza, levantando os olhos para ele. – Porque não faz parte dos meus planos morrer enquanto sou obrigada a matar alguém.

– Não estou falando do exército, querida. – Ele soa amigável e tenho vontade de jogar minha cadeira na sua cabeça exageradamente loira para que não me chame mais de querida. – Estou falando dos anômalos no geral. De nós. Das *aberrações*, como gostam de nos chamar. Nós precisamos ser ouvidos e precisamos de pessoas que despertem a compaixão. Você sobreviveu a uma missão, salvou uma garota dos dissidentes e ainda abriu mão de sua melhor amiga no processo.

– Isso não é verdade. Ava não era minha melhor amiga – falo rápido, e então sinto uma pontada de arrependimento, porque ela não vai voltar mais –, mas eu gostava dela. E eu nunca abriria mão da vida dela em troca de outra coisa. Isso não é certo. – Respiro fundo. A acusação de que deixei Ava na ilha para morrer em troca de Sofia me causa um enjoo. Fecho as mãos e minhas unhas afundam nas palmas. – E eu não sou uma espécie de líder. Nós somos um time. Completamos a missão e trouxemos Sofia com a gente.

– Olho para seus amigos e vejo um grupo patético composto por uma criança dissidente, um menino cego traumatizado e um garoto com sérios problemas de sociabilidade – Fenrir rebate. – Agora quando olho para você, vejo uma sobrevivente. Qual dos dois parece mais atraente?

Fico em silêncio, me sentindo extremamente ofendida. Minha garganta se fecha e preciso de cada átomo do meu autocontrole para não atacá-lo. Não existem palavras para rebater seu argumento que não sejam palavrões ou xingamentos.

Ele toma meu silêncio por assentimento. Aposto que foi uma estratégia.

– Então, tenho uma proposta para você, Sybil. – Ele pega a caixa dos arquivos e empurra em minha direção. – Eles querem que você abra esses arquivos, e sabem muito bem que se você não quiser, não vai fazer isso. Sabem muito bem que isso aqui te dá um poder de barganha. É por isso que deixaram você por último.

– Continuo podendo escolher o que fazer. Posso não abrir a caixa e exigir que todos nós voltemos para casa sãos e salvos – digo, me esticando para parecer maior e mais imponente do que realmente sou.

– Não. Porque se você ficar com a pasta, eles ficam com a menina.

Eu o encaro e espero que eu não tenha deixado transparecer minha indignação. Eles não seriam capazes de continuar os experimentos e testes em Sofia, depois de tudo o que ela passou. Ou seriam?

– Você parece gostar dela. E parece gostar dos seus amigos também. Não seria perfeito se todos eles voltassem para casa com você, para que possam assistir filmes, andar de bicicleta ou correr no parque?

– Seria sim – respondo, tentando deixar minha voz fria.

– Posso fazer com que isso seja possível.

A temperatura da sala parece cair. Minha mente tenta absorver todas as informações despejadas na última hora e não vejo nenhuma saída que nos deixe inteiramente seguros. Encaro por alguns segundos o homem à minha frente. Fenrir exibe uma expressão amigável, mas seus olhos estão escuros e com um brilho de vitória.

Estou encurralada, e sei bem disso.

– Mas você tem um preço.

– Todo mundo tem um preço – concorda ele, e agradeço mentalmente por não estar sorrindo. Ao menos dessa vez, parece algo sério.

– Mas nem sempre se pode pagar o preço de todo mundo.

– Você é uma garotinha esperta, não é? – Fenrir estende a mão para mim. – Vamos, pegue-a.

Eu o encaro por alguns segundos e ele faz um sinal para que eu coloque a mão sobre a dele. Lembro de Dimitri me contando sobre o poder de seu filho, capaz de manipular vontades. E se Fenrir tiver a mesma anomalia? E se ele quer que eu encoste nele para poder me forçar a fazer algo que não quero?

– Eu não vou fazer nada com você, juro – diz ele, provavelmente deduzindo o que estou pensando.

Estico a mão e a coloco sobre a dele, lutando contra meu instinto de fuga. Não confio nesse homem. Ele ofendeu meus amigos. Ele quer fazer uma troca comigo e eu nem sequer sei seu preço. Não sei nada sobre ele. Porém, por outro lado, ele está oferecendo a liberdade para todos nós.

Quando minha mão encosta na dele, Fenrir fecha a mão no meu pulso, como se eu fosse uma criança. Seus olhos não desviam dos meus e tenho a impressão de que está usando algum tipo de poder, mas não sinto nada de diferente acontecendo comigo. Quando ele finalmente me solta, limpo a mão na roupa e me afasto o máximo possível dele.

– Você é difícil de dobrar, hein? – Ele se levanta, enfiando as mãos no bolso. – Eu não faço negócios sem saber se meu investimento é seguro, por isso precisei da sua mão.

– O que você fez? Leu meu futuro? – digo sem pensar, furiosa com todo o teatro.

– Não, minha querida. – Fenrir me dá seu sorriso predatório, enquanto caminha pela sala com suas pernas compridas. Ele olha para mim mais uma vez. – Você sabe o que acontece no ano que vem?

Balanço a cabeça, confusa pela mudança de assunto repentina. Olho para meu pulso discretamente, para ver se tem algo de diferente nele, mas não vejo nada.

– As eleições. Os anômalos com idade suficiente votam em um candidato para representá-los no senado. Alguns não vão querer votar, mas a maior parte vai fazer valer seus direitos. Isso quer dizer que ano que vem será o ano da campanha. O ano em que terei de derrotar novamente todos os meus oponentes, de todos os lugares da União, para poder manter meu lugar. Pelos últimos três mandatos, eu consegui fazer isso muito bem.

Concordo, tentando me lembrar das eleições em Kali. É patético, já que poucas pessoas vão efetivamente votar. Todos lá são jovens demais, velhos demais, ou já não se importam com nada. Nenhum dos candidatos é memorável o suficiente para me deixar com alguma impressão duradoura, todos misturados em um emaranhado de pessoas e de promessas que nunca foram cumpridas.

– Dessa vez, tenho um concorrente à minha altura. Ele tem o apoio de uma camada cada vez maior da população, vendendo ideias erradas que nunca dariam certo na prática. Ele é um idealista sem escrúpulos que faria qualquer coisa pelo poder. – Fenrir olha para mim. – E eu preciso de todas as ferramentas possíveis para combatê-lo, para impedir que o trabalho que tenho feito por anos seja atirado pela janela.

Tento conectar tudo o que ele disse até agora com o que isso possivelmente tem a ver comigo. Ele me dá alguns minutos de silêncio para que eu possa processar e, quando finalmente tudo começa a fazer sentido, ele volta a falar.

– Preciso de você, Sybil. Do meu lado, me ajudando a fazer campanha, me apoiando publicamente. As pessoas vão se identificar com você, que passou por tantas dificuldades e, no fim, foi recebida por uma família amorosa, em uma cidade capaz de te dar uma vida digna. Você vê o lado bom de Pandora, os benefícios de estar em um lugar feito especialmente para atender às suas necessidades. Você sabe como nosso treinamento não deixa a desejar ao de Kali, sabe como as coisas funcionam bem.

Reviro-me na cadeira e olho para meus pés, sem saber o que fazer. Como começar a dizer que ele tem uma ideia completamente errada de mim? Como explicar que não sou o que ele acha que sou, que não me encaixo na carapuça de sobrevivente? Como dizer que não admito que ofenda meus amigos e que depois venha me implorar para ajudá-lo?

Por outro lado, parece ser um preço pequeno a se pagar pela vida de todo mundo. Só que não deixo de sentir que deve haver outra forma, alguma saída que não consigo ver.

– Você não está convencida ainda – diz ele com um tom de impaciência e senta novamente, pegando meu queixo com os dedos e me forçando a olhar para ele. Reluto contra seu toque, mas com a outra mão ele me segura pelo braço, com força. Mal consigo me mexer e sinto medo quando percebo o quanto estou vulnerável. – Então vamos colocar as coisas em termos mais claros, querida. Você está vendo seus amigos ali? Se não fizer o que estou dizendo, mais de um deles não volta para casa com você.

Demoro alguns segundos para assimilar a ameaça e, diferentemente da mulher que interrogou Andrei, não tenho dúvidas de que ele seja capaz de cumpri-la.

Sua expressão é rígida, enquanto seus dedos afundam mais no meu braço, e a sala parece diminuir. Meu peito se aperta e sinto uma tontura, como se fosse desmaiar. Fenrir pode fazer qualquer coisa comigo e ninguém nunca vai saber o que aconteceu.

– Como posso ter certeza de que você não vai me enganar? – pergunto, tentando parecer mais corajosa do que me sinto.

– Sou um homem de palavra. – Ele me solta. Passo uma mão pelo pulso, agora com marcas vermelhas onde os dedos dele me apertaram.

– Um homem de palavra não ameaça uma adolescente – rebato, amarga. – Não, você está confundindo as coisas. Eu cumpro minha palavra. Se eu disse que vou fazer algo, eu faço. Seja isso desagradável ou não. – Ele dá um dos seus sorrisos terríveis. – Você está de acordo com nossos termos? Quando eu precisar de você, eu mandarei chamá-la. Em troca, você e seus amigos saem daqui inteiros.

– E o que eles ganham com isso? – Faço um gesto com a cabeça para cima e ele entende imediatamente quem são eles.

– Os arquivos que eles querem. Um favor meu a ser cobrado. – Fenrir dá de ombros. – Nada que não possa ser pago.

– E se eles não deixarem a gente ir? Como fica a sua palavra? – digo, segurando a caixa dos arquivos com uma das mãos. Preciso me concentrar ao máximo para continuar a conversa, ter coragem o suficiente para tentar levá-lo para o lado que quero. Porque se eu preciso aceitar a proposta dele, pelo menos alguma coisa tem de ser nos meus termos.

Fenrir olha para mim demoradamente e cruza os braços, me medindo de cima abaixo.

– Você tem razão em querer garantias. Assim como eu. Vamos fazer um acordo? Eu converso com eles enquanto vocês se arrumam, e só quando nós sairmos daqui você entrega os arquivos. Que tal?

– Parece razoável – falo, concordando.

– Em compensação, nossa conversa aqui deve ser mantida em segredo. A nossa troca. Quando eu entrar em contato com você, todo mundo precisa acreditar que é porque você ficou comovida com minha causa e quis ajudar. – Ele se aproxima de mim e eu me encolho na cadeira, sem saber o que ele fará em seguida. Ele apoia as mãos no encosto e se inclina, deixando o rosto a centímetros do meu. As palavras seguintes são ditas em tom baixo, com uma calma controlada. – Você gosta da sua família adotiva, não gosta? Então acho bom que você cumpra nosso acordo.

Quando Fenrir se afasta, percebo que prendi a respiração durante todo o tempo em que ele esteve falando. Solto a caixa que estava segurando com força e observo enquanto o sangue volta para os meus dedos, tentando não pensar na ameaça velada que ele acabou de fazer. As coisas adquirem uma dimensão ainda maior e sinto que quanto mais tempo eu ficar próxima dele, mais ele vai me prender em sua teia.

– Tudo bem. – Finalmente concordo, quando sinto que minha voz vai soar estável. – Mas eu quero ver todo mundo saindo das salas.

Fenrir dá de ombros e abre a porta, enfiando a cabeça para o lado de fora. Consigo ver a bota de alguém, provavelmente Hassam, antes de Fenrir voltar para dentro e fechar a porta atrás de si. Como um mágico, ele faz um gesto teatral e aponta para as televisões.

O primeiro a se levantar e ser conduzido para fora é Leon, sendo seguido por Andrei. Não consigo ouvir o que estão falando, mas Andrei levanta o rosto na direção da câmera como se procurasse alguma coisa. A última a sair é Sofia, que praticamente arrasta os pés enquanto caminha para fora da sala.

– Satisfeita, querida?

– Não me chame de querida – falo, ríspida.

– Nos encontramos na saída. É bom que esteja com os arquivos. – Ele dá mais um dos seus sorrisos calculistas e sai da sala.

A porta mal fecha e meu corpo inteiro começa a tremer. Seguro com força a caixa para tentar impedir o descontrole do meu corpo, mas meu coração está acelerado e sinto vontade de vomitar.

Tento me convencer de que fiz uma boa troca, mas não consigo me livrar da sensação de que acabo de cair em uma armadilha.

CAPÍTULO 34

Quando encontro meus amigos novamente, estamos em um lugar que mais parece um vestiário do que uma cela. Uma das paredes é coberta por armários e a outra tem pequenas cabines com um chuveiro em cima. Nossas mochilas estão empilhadas em um canto no chão e meus três amigos estão sentados em um dos bancos, em silêncio. Todos os olhos se voltam para mim quando Hassam finalmente me deixa lá dentro e vou até minha mochila.

Todas as minhas coisas estão ali dentro, sem faltar nada. Sinto-me um pouco triste de não ter conseguido comprar nenhum presente para Tomás, mas depois percebo que é idiota. Eu nunca conseguiria trazer algo da missão, já que até a localização era secreta. Por outro lado, eu havia trazido Sofia comigo. Será que poderia ser considerado como um presente?

– Podemos ir? – Andrei quebra o silêncio, se juntando a mim. Tiro uma muda de roupa da minha mochila e olho para ele.

– Sim.

– Todos nós? – Ele parece surpreso.

– Todos nós – digo em um tom cansado. – Sua mãe falou com Fenrir e ele conseguiu tirar a gente daqui.

Ele tenta não sorrir, em vão. Não consigo compartilhar a felicidade dele, sabendo que estou devendo um favor irrevogável a Fenrir. Ele olha para Sofia e Leon e os dois também parecem igualmente felizes. Tento me convencer de que essa é a coisa mais importante, e dou um sorriso falso.

– Eles me disseram que sua mãe aceitou cuidar de mim – Sofia diz para Andrei. – Vamos ser irmãos.

– Isso é ótimo! – respondo com sinceridade. – Parece que sua mãe tem a tendência de aparecer e salvar o dia.

– Só às vezes. – Andrei dá de ombros, pegando a mochila dele e a de Leon. – Boas respostas lá, Sofia. Só que a gente precisa trabalhar um pouco mais na sua história. Não dá pra não saber quantos anos você tem.

– Mas eu não sei – Sofia responde, abraçando as pernas. – Eu não sei quanto tempo faz desde meu último aniversário.

– Nós sempre podemos inventar sua idade. Quantos anos você quer ter? Treze? Catorze? – digo, tentando animá-la, mas então vejo que tem uma mochila sobrando na pilha e me lembro de Ava. Sinto o estômago revirar. Agora essa mochila pertence a Sofia. Fico em silêncio. Logo Andrei e Sofia também ficam quietos ao repararem o que estou olhando.

– O que foi? – Leon pergunta, enquanto tira as roupas de dentro de sua bolsa como se nada tivesse acontecido. – Por que ficaram em silêncio de repente?

– Hum... tem uma mochila extra. Deve ser sua, Sofia – digo, pegando-a pela alça e entregando para a menina. Meu coração dói com o gesto, pensando que Ava deveria estar aqui. Quando me lembro dela, do esforço que ela fez durante a missão, minha promessa a Fenrir deixa de ser um problema. Nada pode ser comparado aos outros estarem seguros.

– Obrigada. – Ela pega a mochila, abaixando os olhos e abrindo-a.

As coisas de Ava foram substituídas por roupas simples, e Sofia escolhe um vestido preto. Entramos em cabines separadas e nos trocamos. Eu me visto com pressa, não querendo ficar um segundo a mais ali dentro. Sinto uma agonia, uma asfixia, como se estivesse presa em um lugar. Quero sair daqui o mais rápido possível para voltar para casa, me enrolar em um cobertor e fingir que nada disso aconteceu.

Quando saio das cabines, Andrei não está em nenhum lugar do vestiário. Vejo que Sofia e Leon decidiram tomar banho e aproveito o momento sozinha para pegar a caixa com os arquivos. A caixa é a garantia de que vamos ficar bem, mas também há algo dentro que me interessa: o arquivo sobre o navio que me trouxe até ali. Depois da conversa com Fenrir, tenho certeza de que se encontrarem algo a mais dentro do arquivo, qualquer acordo que eu tenha feito será cancelado. Passo o dedo com delicadeza na lateral e a caixa se abre com um pequeno estalo. Os três arquivos estão lá dentro: dois sobre a pesquisa e o que surrupiei sem ninguém perceber. Pego a última pasta e a curiosidade é maior do que a cautela, porque a primeira coisa que faço é abri-la.

As páginas estão escritas com caracteres estranhos, no idioma dos dissidentes. Há uma lista com nomes de passageiros, algumas fotos, um mapa com o que creio ser o itinerário do navio e uma única folha com o resumo do arquivo na língua unidense. Puxo a folha com a nossa escrita e passo os olhos por cima, lendo as palavras "carga", "mão de obra" e "guerra". Ouço um barulho vindo da direção da porta e levo um susto, enfiando o papel dentro da pasta de qualquer forma.

Andrei está parado a alguns metros de distância, me observando com os braços cruzados.

– O que você está lendo? Os arquivos que a gente trouxe?

Concordo com a cabeça. Ele se aproxima lentamente e eu puxo a mochila para o meu colo, tentando enfiar dentro dela a pasta sobre o *Titanic III* sem que ele veja o arquivo. Nesse processo, os outros dois arquivos caem, espalhando papel por todos os lados. Andrei se abaixa para juntá-los e tenho a oportunidade perfeita de esconder o arquivo antes de me juntar a ele.

Se havia alguma ordem nos papéis, ela é perdida enquanto os enfiamos aleatoriamente dentro das pastas pretas.

– Acho que seria bom você esconder bem esse arquivo que você botou na mochila – diz ele em voz baixa, com um tom tenso quando terminamos de juntar os papéis. – Você não é a melhor pessoa para guardar segredos, sabia?

– Nós não vamos ter mais problemas com eles, se é com isso que você está preocupado – respondo irritada enquanto guardo os outros dois arquivos na caixa especial.

– Minha mãe falou com você? – Andrei diz perturbado, se aproximando ainda mais de mim.

– Não. Não foi ela. Foi Fenrir. Foi por causa dele que nós conseguimos escapar. Obrigada, aliás. Acho que não teríamos conseguido sem você.

Andrei fica em silêncio, pensativo, e encosto a cabeça no ombro dele. Ele me abraça e eu respiro fundo, me controlando para não contar exatamente o que aconteceu instantes antes. Não há dúvidas quanto à intenção de Fenrir de cumprir suas ameaças.

– O que ele queria? – questiona ele, apertando ligeiramente meu ombro.

– Nada. – Balanço a cabeça.

– Sybil, eu conheço Fenrir desde criança. Ele nunca me deu um presente de aniversário sem esperar receber alguma coisa em troca.

– Isso lá é jeito de falar dos outros, Andrei Novak? – Uma voz de mulher chama a nossa atenção e Andrei me solta, assustado.

– Considerando tudo que ouvi vindo de você, é – responde ele petulante. Está visivelmente irritado. – O que você está fazendo aqui?

– Não fale assim com a sua mãe – falo precipitadamente e Andrei olha para mim com uma sobrancelha arqueada, surpreso com a traição.

– Ah, querida. Não se preocupe, já estou acostumada. Ele herdou meu temperamento, infelizmente. – Ela se aproxima de nós, os saltos fazendo um barulho oco enquanto caminha. – Você deve ser a Sybil, né? Muito prazer em finalmente te conhecer! Os homens da minha casa falam muito de você.

– Prazer em conhecê-la, senhora. Andrei também fala bastante da senhora – respondo educada. Andrei revira os olhos ao meu lado, provavelmente porque os dois sabem que estou mentindo.

É engraçado que os dois não se deem bem, apesar de serem tão parecidos. A senhora Novak tem o cabelo loiro e levemente cacheado como o filho, os mesmos olhos escuros e o mesmo desenho dos lábios. Os dois têm a mesma altura quando ela está de salto e, se não fosse pelos traços do senhor Novak, eu diria que Andrei só tem mãe.

– Como vocês estão? Todos inteiros? – ela pergunta, olhando para Leon quando ele sai do banho. Por último, Sofia aparece toda arrumada como uma boneca. – Ah, você deve ser a nova garotinha que vai fazer parte da nossa família! Bem-vinda! Sou sua nova mamãe, Zorya. Pode me chamar de Zoe. Sei que é difícil para vocês falarem esses nomes.

– Mãe, por favor – Andrei diz, impaciente.

Tenho vontade de bater nele por fazer tão pouco caso dela. Ela está aqui, não é? Ajudou a gente a sair com vida dessa enrascada, apesar de tudo.

Sofia encara Zorya e depois olha para mim. Eu a encorajo e ela se aproxima, estendendo uma mão para a mãe de Andrei. Em vez de pegá-la pela mão, Zorya abraça Sofia e bagunça seu cabelo recém-penteado. Andrei cruza os braços, e eu diria que está com ciúme se não o conhecesse tão bem.

– Meu pai sabe que você está levando ela para casa?

– Claro que sim, Andrei. – Zorya solta Sofia, virando-se para o filho. – Nós estamos atrasados. Vocês estão prontos? Sybil, está com os arquivos?

– Sim – respondo as duas perguntas, colocando a mochila nas costas. Pego a caixa e mostro para ela, mecanicamente.

– Certo, então vamos.

CAPÍTULO 35

Zorya caminha rápido demais para alguém que está usando saltos tão finos e altos. Nós a seguimos em fila e apresso o passo, não vendo a hora de sair desse lugar. Andrei, pelo contrário, parece não ter pressa alguma e fica por último. Ele parece um garotinho teimoso e isso irrita a mãe, que manda ele se apressar sem nem olhar pra trás. Quando vê que não tem como vencer, ela desacelera o passo e me acompanha pelos corredores.

– Fenrir teve uma ótima impressão de você, Sybil – diz ela animada. Tenho vontade de dar uma resposta malcriada, mas só concordo com a cabeça. – Ele disse que você é uma garota brilhante.

– Ele não deve conhecer muitas garotas então – respondo exausta.

– Além disso, ainda é modesta. – Ela dá um sorriso e olha para Andrei pelo canto do olho antes de apoiar uma mão em meu ombro. – Você devia ensinar bons modos para meu filho.

– Mãe, dá um tempo! – Andrei soa tão cansado quanto eu. – Quando vamos chegar em casa?

– Em algumas horas. Vocês vão no trem privativo de Fenrir, então terão espaço para dormir. – Zorya sorri e anda mais rápido, faz um sinal para eu acompanhá-la. Logo os outros ficam para trás e ela se inclina em minha direção.

– Eu estava conversando com Fenrir antes de encontrá-los e estávamos falando sobre você e sua família. Como você está lá? – ela pergunta, parecendo genuinamente preocupada.

Baixo a guarda. Ela é mãe de Andrei, e essa conversa não pode ser tão ruim assim.

– Muito bem. Eles me tratam como se eu realmente fosse da família, e me adaptei completamente à vida com eles.

– Eles... – Ela hesita por alguns minutos e encosta em meu ombro. – Vocês conversam sobre a sua vida antes de vir para cá?

– Minha vida em Kali? – Franzo a testa, confusa. – Dimitri veio de Kali também, então às vezes a gente fala sobre isso.

Zorya dá um suspiro e sorri de maneira melancólica. Seu olhar se perde em algum lugar na nossa frente e só depois de alguns segundos ela parece voltar ao normal.

– Quando eu era bem pequena, meu pai se alistou no exército para ir para a guerra. Ele achava que era a melhor forma de dar uma vida melhor para nós, porque era um emprego que tinha estabilidade. A vida de um anômalo fora das cidades especiais pode ser muito difícil e o lugar onde morávamos não oferecia nenhuma oportunidade. – Ela faz uma pausa, como se estivesse ponderando as próximas palavras. – Ele não teve a sorte de voltar de Kali.

– Sinto muito – digo com sinceridade. Eu não fazia ideia de que o avô de Andrei tinha morrido na guerra.

– Ele fez o que achou que era certo para nossa família. – A mulher balança a cabeça e dá um sorriso triste. – Admitir que às vezes precisamos fazer o que parece absurdo para garantir o bem-estar de quem amamos é meio caminho andado para lidar com a dor.

Olho para baixo, sentindo o peito apertar e um nó formar em minha garganta. A última coisa que esperava era que a mãe de Andrei tentasse me consolar, e tenho vontade de agradecer, mas sei que se eu abrir a boca, vou começar a chorar. Zorya olha para mim e seus olhos se suavizam. Ela respira fundo e para no meio do corredor.

– Sybil – diz ela antes de olhar para trás, verificando. Ao ver que os outros não se aproximam, me segura pelo ombro. – Fenrir pediu que eu não fizesse isso, mas não acho certo deixá-la no escuro.

– O que aconteceu? – Minha voz soa tão incerta que nem sequer a reconheço.

– Preciso que você jure para mim que não vai contar a ninguém o que vou te falar agora. Não pergunte para seus pais, não especule com seus amigos e não fale para Andrei. – Seu tom é tão sério que só concordo com a cabeça, sem pensar muito no assunto. O que é mais um segredo só meu comparado ao que já estou guardando sobre Fenrir? – Sybil, jure. Se alguém descobrir que te contei isso, não sei o que Fenrir faria com Charles e Andrei.

– Eu juro – digo, engolindo em seco.

– Fenrir sabe, praticamente desde que você chegou aqui, quem é o seu pai. Nada que aconteceu desde que você chegou em Pandora foi uma coincidência, Sybil. Sua família, sua escola, a posição que você tem, essa missão. Nada foi por acaso.

Dou um passo para trás e só não caio porque Zorya está me segurando. O que ela diz é absurdo e de repente todas as minhas defesas voltam, porque é óbvio que ela só está me falando isso porque Fenrir quer me manipular de todas as formas possíveis. Fico estupefata com o sentimento de traição e de decepção, e demoro um pouco a me recompor.

– Você acha que isso é engraçado? – Dou mais um passo para trás, tentando me desvencilhar dela. – Você acha que sou um brinquedo, que você e Fenrir podem fazer o que quiserem comigo?

– Não, Sybil. Não é isso! – Zorya é uma ótima atriz, porque a expressão que faz, de dor, de pena e de surpresa, é impecável. – Por favor, eu nunca faria isso com você. Eu só acho que você tem o direito de saber que você não está sozinha nesse mundo. Você não é órfã, e embora eu não saiba os motivos que estão por trás das ações do seu pai, sei que ele está fazendo o melhor por você.

– Você está insinuando que Fenrir é meu pai? – pergunto ultrajada. A ideia de que eu compartilhava parte do material genético daquele homem era nojenta e ridícula.

– Não. – A loira franze o rosto em uma expressão de antipatia. – Não é, embora ele tenha usado essa informação para fazer seus planos. Sybil, a verdade é que...

– Mãe? – A voz de Andrei a interrompe e ela olha para mim com uma expressão de aviso antes de se virar. Os três estão no fim do corredor, se aproximando com calma. Sofia arruma o cabelo atrás da orelha quando nos vê, o olhar voltado para baixo.

– Vocês demoraram tanto! – exclama ela, ajustando o blazer. – Mais um pouco e ia começar a achar que viraram lesmas.

– Dava pra alcançar vocês antes se não tivessem saído correndo como se o prédio estivesse em chamas – Andrei diz secamente. – Sofia não consegue acompanhar o ritmo de vocês.

– Não se preocupem comigo – responde Sofia, passando a mão nervosamente pelo tecido do vestido. – Prometo que não vou atrasar ninguém.

– Não estamos com pressa – Zorya diz, com um sorriso reconfortante. – É só o costume. Prometo que da próxima vez vamos mais devagar.

Suspiro e olho na direção que precisamos seguir. Não sei o que pensar de Zorya, nem se devo confiar ou acreditar nela. A ideia de que ela sabe quem é meu pai biológico, e, pior ainda, que *ele* sabe quem eu sou me deixa inquieta. Se fosse o caso, por que não tinha me buscado antes? E se não era Fenrir, por que Fenrir sabia da sua identidade? Era tudo muito confuso e, naquele momento, só queria deitar e dormir, ali mesmo, e esperar que tudo passasse.

Meus devaneios são interrompidos quando vejo Hassam se aproximar no corredor junto com outro homem, os dois conversando naturalmente. Fico curiosa quando percebo que, ao nos verem, mudam a postura. O companheiro de Hassam arruma o uniforme azul-marinho e tira o chapéu, caminhando de forma mais tensa do que antes. Não consigo ver direito as marcas na sua farda, mas tenho certeza de que é alguém de alto escalão, um capitão no mínimo, e que é anômalo. A marca amarela do uniforme é visível de longe. Hassam também adquire uma postura mais séria ao seu lado.

– Vejo que ainda estão aqui – comenta o oficial, se aproximando. – Está tudo nos conformes?

Zorya se vira e sua expressão de surpresa é breve, mas evidente. Logo se recompõe e cruza os braços, dando um sorriso que julgo ser apaziguador.

– Almirante Klaus – Zorya o cumprimenta. Ela se aproxima do homem e estende uma mão, mas o almirante apenas levanta uma das sobrancelhas para ela. – Só estávamos conversando.

– Veio buscar as crianças do passeio da escola? – pergunta ele, e sua voz é grave e contida, mas não consigo deixar de perceber o tom de crítica que permeia o comentário.

– Você sabe como é. Essas crianças estão sempre se metendo em encrencas. – Ela põe uma mão no quadril, com uma postura meio beligerante, e olha para nós. Tenho a impressão de que seu olhar demora um pouco mais em mim. – Deixe-me apresentá-los. Aquele é Andrei, meu filho. Sofia, minha filha recém-adotada. Leon, logo atrás de mim. E essa é Sybil Varuna.

Sinto os olhos do almirante sobre mim e nós dois nos encaramos. Ele desvia o olhar rapidamente, voltando a fitar Zorya. Aproveito o momento para analisá-lo, percebendo com humor inesperado que o traço mais marcante do comandante é um nariz pontiagudo, como o meu. É uma característica que se encaixa no rosto dele muito melhor do que no meu, deixando-o bonito de uma forma não muito óbvia.

Ele fica no meio do caminho, e a mãe de Andrei está obviamente com pressa de nos tirar dali também. Será que esse homem vai tentar nos impedir de sair?

– Prazer em conhecê-los – diz ele em um tom cortês. – Soube do ocorrido e queria me certificar de que estavam todos bem. Mas, se me dão licença, tenho outros compromissos urgentes.

– Espero vê-lo em breve, almirante. Soube que o senhor realmente vai se candidatar ao senado. – Zorya mostra o sorriso mais falso que já vi e olho para o oficial, curiosa. A resposta para minha dúvida é clara: ele é o adversário perigoso de Fenrir.

– Sim, eu vou, senhora Novak. Fenrir deve estar prestes a enlouquecer. Não deixe que ele a enlouqueça também. Você é uma boa pessoa – diz ele e os olhos dele se viram para mim. Levanto os olhos e ele desvia o olhar. – Tome mais cuidado com suas crianças.

– Tenho cara de mãe relapsa? – ela pergunta, cruzando os braços, indignada, e ouço Andrei murmurar algo como: "Se a carapuça serviu..."

– Nunca acusaria ninguém sem provas. – O almirante faz uma mesura com a cabeça para nós. – Crianças, senhora, até mais.

Respondemos educadamente antes que ele prosseguisse. Olho para trás uma vez enquanto caminhamos na direção oposta, só para ver Hassam me olhando também. Ele sorri para mim, mas logo parece preocupado. Ele titubeia um instante, mas depois continua a seguir o homem.

Depois do encontro, caminhamos mais devagar até um lobby espaçoso, com uma porta de vidro na frente. Fico desnorteada quando percebo que esse lugar é idêntico ao Centro de Apoio ao qual fui levada logo depois do naufrágio. Quantas pessoas em situações parecidas com a nossa também estarão presas aqui?

Ao meu lado, meus amigos estão tão quietos e pensativos quanto eu. Será que estão pensando em como fomos sortudos? Se Andrei não tivesse conseguido ligar para a mãe dele, não sei o que teria acontecido conosco. Ou pior, nós poderíamos nunca ter nem chegado até ali. Lembrar de Ava me deixa com um vazio no peito e uma sensação de incapacidade imensa; sinto que se não me controlar, não consigo suportar o que estou sentindo. Fico grata quando questões mais práticas obrigam a voltar ao mundo real.

Perto da porta, um homem com uma roupa pomposa está parado ao lado de Fenrir. A forma como nos olha é assustadora e, pela tensão em seu rosto, percebo que falou comigo e não obteve resposta. Ele estende a mão, fazendo uma mímica de caixa, como se estivesse falando com alguém que tem problemas de compreensão. Eu pego a caixa dos arquivos, apesar das minhas mãos trêmulas, e passo meu dedo para abri-la antes de entregar para ele.

– Muito obrigado pela sua colaboração – diz ele agradecendo, sem muita sinceridade na voz, e se vira para Fenrir. – Você está bem lembrado do nosso combinado.

– Sim, sem problemas – responde Fenrir com um sorriso ganancioso e os dois se despedem.

Ele então olha para nós e enfia as mãos nos bolsos.

– Zorya, acho que eles estão doidos para voltar para casa. O que acha de eu pedir que façam uma lasanha para comermos no trem enquanto voltamos? Podemos comer bolo de chocolate de sobremesa! – Da forma como ele fala, parece um pai preocupado em deixar os filhos felizes.

– Seria ótimo! – Zorya comenta, com entusiasmo. Ela se aproxima de Fenrir e fala um pouco mais baixo: – Encontramos o almirante lá dentro antes de sair.

– Mesmo? – A expressão de Fenrir é a de quem acaba de descobrir que sua gravata amarela preferida está manchada de maneira irreversível. – Espero que ele esteja bem.

– Melhor do que nunca – a mulher responde, parecendo amarga. – Disse que mal pode esperar para nos ver mês que vem, quando abrirem as candidaturas para o senado.

Fenrir faz uma careta e nos mantemos em silêncio. Troco olhares com Andrei, que levanta uma sobrancelha. Vamos ter muito o que conversar quando chegarmos em casa, a despeito de todos os meus segredos. À nossa frente, Fenrir segura a porta enquanto todos saímos. Sou a última e ele me segue, segurando meu ombro com uma força desnecessária.

– Lembre-se, Sybil. Nossa diversão só está começando – diz ele, inclinando-se na minha direção. Sinto um calafrio subir pela minha espinha.

Quando ele me solta, não consigo deixar de pensar em como diversão é a última coisa que vem à minha mente quando penso no acordo que fizemos.

Porque uma coisa fica bem clara: vendi minha alma para ele.

E agora sou sua marionete.

Agradecimentos

O processo de revisitar nossas obras anos depois de escrevê-las é muito curioso. Livros são fotografias de uma época – eles refletem de forma bem clara os tempos em que foram escritos e quem o autor era quando os escreveu. Faz mais de uma década que escrevi as primeiras palavras do que viria a se tornar A *Ilha dos Dissidentes* e a trilogia Anômalos como um todo é um retrato da jovem adulta que eu fui, incerta quanto o caminho a seguir, ainda tentando encontrar e entender o que queria da vida, sem saber exatamente onde se encaixar.

Esses livros são um reflexo de quem eu fui e uma parte importante do processo de virar quem sou hoje, um pedacinho da minha história registrado nas questões mais abrangentes da narrativa. Mas esses livros também são reflexo do início da década passada, em que vários dos avanços em pautas sociais que tivemos hoje sequer eram discutidos. Para a época em que foi lançado, a Trilogia Anômalos trouxe uma diversidade que era incomum para livros direcionados à adolescentes – mas hoje, com todas as discussões que temos, vários dos aspectos que tentei abordar poderiam ser retratados com uma maior sensibilidade.

Assim, essa edição que vocês recebem é igual à anterior, ao mesmo tempo em que é muito diferente. A história e os personagens continuam os mesmos, mas existem algumas mudanças de frases, de como algumas questões são colocadas, de como alguns personagens se apresentam, bem como algumas outras mudanças para dar maior fluidez ao texto.

Grande parte desse trabalho foi feito pela Laura Pohl, que preparou o texto dessa nova edição, e agradeço demais pelos *insights* e sugestões que tornaram a história ainda melhor. Essa edição também não teria chegado até você se não fosse pela Flavia Lago e sua visão incrível para a Gutenberg. Muito obrigada pelo interesse e pela empolgação com a qual sugeriu e conduziu esse projeto!

Espero que esta seja uma excelente experiência para novos e antigos leitores igualmente, e agradeço principalmente a você, que decidiu embarcar na história da Sybil! A trilogia Anômalos não seria nada sem seus leitores.

Este livro foi composto com tipografia Electra LT Std e
impresso em papel Off-White 80 g/m² na Formato Artes Gráficas.